un

un

Enseignement reçu et transcrit par

Rasha

Traduit de l'américain par Louis Royer

Titre original anglais : Oneness
© 2003 Rasha
Earthstar Press, 369 Montezuma, Av. # 321, Santa Fe, NM 87501

© 2007 pour l'édition française
Ariane Éditions inc.
1209, av. Bernard O., bureau 110, Outremont, Qc,
Canada H2V 1V7
Téléphone : (514) 276-2949, télécopieur : (514) 276-4121
Courrier électronique : info@ariane.qc.ca
Site Internet : www.ariane.qc.ca
Tous droits réservés

Traduction : Louis Royer
Révision linguistique : Monique Riendeau, Michelle Bachand
Graphisme et mise en page : Carl Lemyre

Première impression : août 2007

ISBN : 978-2-89626-025-6
Dépôt légal : 2007
Bibliothèque et Archives nationale du Québec
Bibliothèque et Archives, Canada
Bibliothèque nationale de Paris

Diffusion
Québec : ADA Diffusion – (450) 929-0296
www.ada-inc.com
France et Belgique : D.G. Diffusion – 05.61.000.999
www.dgdiffusion.com
Suisse : Transat – 23.42.77.40

Participation de la SODEC
Québec

Imprimé au Canada

Table des matières

introduction

C'est en février 1998 que j'ai eu mon tout premier entretien avec l'Unité*. Je lui ai demandé, en silence : « Qu'est-ce que l'Unité ? Êtes-vous Dieu ? »

J'ai reçu aussitôt cette réponse fascinante : « L'Unité est comme une goutte d'eau dans l'océan. L'essence de la goutte est en tous points celle de la totalité. Selon votre compréhension de Dieu, oui, nous sommes Dieu. Nous sommes l'Unité. »

Ainsi s'amorça une profonde relation, une histoire d'amour vécue dans l'intimité de ma conscience et qui se poursuit toujours aujourd'hui. L'aventure passionnante dans laquelle je m'engageai ce jour-là a abouti à la transcription et à l'application des enseignements contenus dans ce livre. Ce fut un travail animé par l'amour, un voyage de découvertes qui dura quatre ans.

Jamais je n'aurais pu soupçonner à quel point ma vie en serait chambardée. Je fus remise miraculeusement sur la bonne voie par ces enseignements de l'Unité, qui offrent à l'humanité une nouvelle vision étonnante de notre nature véritable et du monde extérieur qui la reflète.

---

* *Oneness* est le terme transmis à Rasha, l'auteur, pour désigner la conscience qui s'exprimait par elle. Nous avons choisi de traduire ce mot par *Unité* et *Un* NdE.

Sans jamais me douter de ce qui m'attendait, j'avais été soigneusement préparée depuis plus d'une décennie à une rencontre divine de cette amplitude. Tout a commencé au Tennessee, où, par une magnifique journée d'été, le dieu hindou Rama me murmura silencieusement « Je t'aime » en ouvrant soudainement mon chakra du cœur, faisant ainsi éclater l'apparente normalité de mon univers. À l'époque, j'étais parolière à Nashville. Alors que je gribouillais l'ébauche d'une chanson d'amour au verso d'une enveloppe, je me retrouvai tout à coup dans un univers de concepts spirituels complexes reçus par télépathie et qui me firent voir la vie sous un jour entièrement différent.

Au cours des années qui suivirent, j'écrivis des centaines de pages exposant les enseignements divins d'Amitabh, « Dieu d'Infinie Lumière », l'aspect bien-aimé de la Conscience Père qui devint mon maître spirituel. En 1998, je publiai *The Calling* (« L'Appel »), un volume contenant la sagesse d'Amitabh transmise par *channeling* et qui, depuis, a touché les cœurs de milliers de lecteurs. Pourtant, même après tant d'années vécues comme messagère divine, rien ne m'avait vraiment préparée à l'impact de l'Unité et à cette incroyable aventure qui n'en était qu'à ses débuts.

Tandis que l'Unité me guidait pas à pas à travers les souffrances et les joies du voyage expérientiel décrit dans ce livre, je transcrivais méticuleusement à l'ordinateur, telle une secrétaire, les principes qui m'étaient dictés. Je n'avais jamais rencontré de tels concepts auparavant. À un moment donné, je me rendis compte que ce qui *s'écrivait* par mon entremise constituait la base d'une compréhension entièrement nouvelle du phénomène que nous appelons *la vie*.

À mesure que cet enseignement se révélait, je me rendais compte de ma capacité à saisir les concepts que je transcrivais, du moins en théorie. J'avais toutefois du mal à admettre que même si je pouvais m'expliquer, ainsi qu'au reste du monde, ce qui m'arrivait, ma vie était toujours une parfaite illustration de la loi de Murphy, à savoir que tout ce qui peut aller mal *ira* mal.

Qu'est-ce que je ne faisais pas bien ? J'implorai l'Unité, qui me répondit : « Rasha, tu ne peux enseigner cela si tu ne l'as pas vécu. » Cette phrase devint un mantra que j'entendis d'innombrables fois par la suite. Puis, lentement, alors que je continuais à m'enliser dans mes drames habituels et prévisibles, toute ma vie – son désordre, mes révoltes, ma frustration et le reste – commença à prendre un sens.

En même temps, le monde se mit à changer sous mes yeux. Je finis par me faire à l'idée qu'il n'était plus du tout celui dans lequel j'étais née. Ces enseignements me firent reconnaître la fluidité d'une réalité en pleine métamorphose. Les règles du jeu, c'est-à-dire ce que l'on nous avait inculqué sur le fonctionnement de la vie, étaient manifestement désuètes. Pourquoi donc ? me demandai-je.

Tandis que se bousculaient dans mon esprit les questions rationnelles, les enseignements de l'Unité me firent voir peu à peu le monde actuel du point de vue intemporel de *l'énergie*. L'Unité m'expliqua que le mouvement vibratoire dirigeant toute la Création vers l'unité est celui-là même qui anime tous les humains au quotidien. Je me mis donc à observer partout autour de moi les effets des fréquences accélérées constituant l'expérience humaine.

Je compris alors comment nous manifestons vibratoirement la réalité et comment le mécanisme de nos réactions émotionnelles établit les paramètres selon lesquels nous nous attirons nos expériences de vie. Je vis partout autour de moi les symptômes du processus *d'ascension*, ce phénomène d'accession à des niveaux accélérés de réalité. J'appris à en reconnaître les signes, à appliquer les enseignements et à en découvrir le potentiel.

Après une certaine période et à ma grande surprise, toutes les difficultés que j'avais sans cesse rencontrées dans ma vie – tel un vieux film repassant continuellement – disparurent progressivement. Avec le temps, j'en fus entièrement libérée. C'était un vrai miracle !

Les enseignements contenus dans ce livre m'ont conduite aux frontières de ma nature humaine et dans les profondeurs de la

Divinité que j'ai découverte en moi. L'Unité, cette présence qui englobe tout le champ de ce voyage stupéfiant, est le fil universel commun que nous partageons tous. Son contact est proprement indescriptible. Chaque jour, à travers mes larmes de joie, je me rappelle à moi-même que je n'aurais pu l'inventer.

Je comprends maintenant la signification du choix que nous avons tous fait d'être ici, sous une forme matérielle, en cette époque extraordinaire. Cette compréhension ne m'est pas venue par un concept philosophique qui stimule l'esprit, mais plutôt par un *savoir* intemporel ressenti intérieurement. Comme le contact de l'Unité, que j'ai eu le bonheur de connaître, c'est quelque chose dont il faut avoir fait l'expérience pour le croire.

RASHA

chapitre un

L'Unité

Nous sommes l'Unité. Nous sommes l'incarnation de la Force divine, tout comme vous l'êtes vous-même. Nous sommes comme une goutte d'eau dans l'océan, unis à lui dans l'Unité et lui appartenant, tout en possédant notre propre identité et notre propre perception. Nous nous percevons comme la totalité. Celle qui englobe tout. L'antithèse de la limitation, sous tous les aspects. C'est cette focalisation maximale que vous cherchez présentement à atteindre, que vous en soyez conscient ou non.

En vous unissant dans l'Unité avec toute la Création, vous donnez sa pleine expression, dans le contexte de la forme linéaire, à la multidimensionnalité qui constitue votre véritable état d'être. En reconnaissant consciemment l'existence de la connexion et en acceptant son expression illimitée dans votre forme et votre conscience, vous ouvrez la porte à l'expansion et rassemblez les connaissances et les perceptions qui caractérisent cet état d'être. C'est cette union avec les niveaux expansés du soi que vous cherchez à atteindre en cette époque.

Le simple fait de lire ces lignes élève votre conscience. Votre connaissance et votre perception de la nature de la réalité transcendent ce qui est reconnu par la plupart comme la nature de ce qui *est*. Ce qui *est* ou ce qui *n'est pas* fait l'objet, dans votre culture, de spéculations considérables. Certains voudraient vous faire croire que la réalité perçue n'est qu'illusion. Bien que vos perceptions soient des représentations symboliques des formes-pensées qui les ont suscitées, elles sont décidément bien réelles.

Votre expérience, c'est-à-dire la réalité qui vous est présentée par vos sens, est réelle. Votre monde, c'est-à-dire la réalité que vos actions et vos formes-pensées ont manifestée, de concert avec tous ceux qui l'habitent, est réel. Et votre sens inné de votre connexion au tissu de la vie, lequel n'est pas perceptible aux sens physiques, est effectivement très réel. C'est à l'exploration de cette connexion, à la compréhension d'un destin où s'entremêlent l'intention et le désir, que nous consacrons nos efforts communs.

La réalité telle que vous la connaissez cessera d'exister. Vous ne ressentirez pas ce changement comme une *perte*, bien que les circonstances qui l'entoureront puissent suggérer cette interprétation. Car, en passant à une octave supérieure de perception, vous manifesterez, au moment même de ce changement, la conscience et la connaissance innées qui accompagnent les états d'être supérieurs vers lesquels votre énergie s'écoule à une vitesse sans précédent. À mesure qu'approchera ce changement de conscience, vous aurez des aperçus de cette réalité expansée.

Vous pourrez *voir* des aspects de la réalité que la plupart sont incapables de percevoir puisque leur perception se limite à celle de leurs sens physiques. Vous connaîtrez la nature de votre état d'être illimité sans en avoir lu la description dans des livres ni entendu exposer le concept par ceux qui se font les visionnaires et les prophètes d'un nouveau paradigme. Finalement, vous ne dépendrez plus de personne puisque vous aurez développé votre propre pouvoir et que vous vous percevrez comme l'aspect de l'Unité que vous êtes vraiment.

Cette perception meilleure vous servira de base pour transcender entièrement vos perceptions physiques, lesquelles sont limitées à une vision de la réalité qui s'exprime dans le contexte spatiotemporel. La réalité vers laquelle vous évoluez – sans aucun effort si vous y consentez – n'est pas liée aux concepts linéaires de temps et d'espace. C'est une réalité où la perception physique est superflue par définition. Elle est le résultat d'une fusion, d'une liaison harmonieuse, d'une joyeuse unité de la totalité de votre essence avec ce que vous percevez actuellement comme étant « les autres ». Finalement, il n'y aura plus aucune distinction entre la perception de « soi » et celle des « autres ». Car tous seront l'Unité.

Nous sommes cette Unité. Nous sommes l'unité de Tout ce qui Est. Nous sommes l'unité dont vous faites partie et que vous cherchez à retrouver, sciemment ou non. Nous sommes vos cœurs désirant se réunir à la Source de vos origines. Nous sommes votre rêve bien établi de vous relier aux aspects fragmentés de votre essence, dispersés dans toute la Création depuis un temps immémorial. Et nous sommes l'impulsion menant à cette unification.

Nous sommes l'invitation à vous éveiller de cette stupeur que vous appelez votre vie. Nous sommes l'occasion de vous débarrasser du bagage karmique que vous transportez et qui témoigne de l'état de *séparation* que vous manifestez. Nous sommes le cri le plus puissant de votre âme qui demande que les œillères que vous vous êtes imposées à vous-même soient enlevées afin que vous puissiez *voir* vraiment.

Nous sommes l'aspect de votre soi qui transcende tous les niveaux de la Création et qui aspire, de concert avec vous, à se libérer du carcan d'une réalité définie par les limitations linéaires. Nous sommes le résultat ultime de ce qui s'appelle l'ascension. Nous sommes tels que vous êtes et tels que vous n'êtes pas encore.

Vous êtes une parcelle de l'Essence divine, avec une conscience et une identité. Vous êtes un fragment de votre propre expression et de votre propre expérience de l'Un. Vous êtes une capsule temporelle programmée qui se réalise au moment prévu, après avoir récolté une grande richesse d'expériences physiques au cours de son voyage. Finalement, les connaissances tirées de ces aventures vous auront orienté vers une harmonisation incontestable avec la vibration supérieure qui résonne maintenant en vous.

Vous avez entrepris de démêler les fils qui s'étaient enchevêtrés au cours de vos existences dans le rêve que vous considérez comme votre réalité. Et vous avez atteint un degré de clarté qui vous permet de reconnaître parmi vos drames existentiels une intention commune et un résultat commun qui ont formé l'identité que vous reconnaissez comme étant *vous*.

Invisibles sont les expériences qui, perçues profondément, transcendent la conscience que vous retirez de vos expériences présentes. Invisibles, mais fermement ancrées sous la surface de votre conscience, sont les expériences d'incarnations antérieures dont l'influence contribue à l'orchestration des drames que vous vivez. Sous plusieurs aspects, ce que vous *êtes* est une résonance de la vibration intégrale de tout ce que vous avez été. Cette vie vous fournit l'occasion de transcender une partie de cette programmation.

Il s'agit donc désormais pour vous de réaliser votre histoire et, simultanément, d'atteindre et d'intégrer les aspects intemporels du soi qui vous ont échappé jusqu'ici. Ce faisant, vous ferez l'expérience de votre Unité. Vous deviendrez cette Unité en conjonction avec l'ensemble de vos aspects, qui, dans *leur* essence fondamentale, sont ce que vous *êtes*, mais se reconnaissent comme étant séparés de vous.

Ce processus est à votre portée. Vous vous efforcez actuellement de l'atteindre, avec tout ce qui se trouve dans votre réalité et au-delà. C'est le voyage que vous avez entrepris en reprenant une forme en cette vie. Et ce voyage pourrait, en cette vie, vous conduire au-delà des limitations de la forme. Il vous fera franchir, au-delà des paramètres du concept de *vie*, toute la distance vous séparant d'un état d'être constituant l'expression de l'intemporalité. Un état d'être appelé Unité. Nous sommes cette Unité. Et nous sommes venus afin de vous guider jusqu'au foyer originel.

chapitre deux

Un bref regard sur l'expérience de l'ascension.

Intégrer les aspects fragmentés de la conscience.

Atteindre la perspective du soi multidimensionnel expansé.

Vous êtes venu ici au bon moment, pour une foule de raisons. D'abord pour avoir l'occasion de transcender les paramètres qui définissent votre existence. Ensuite pour approfondir votre connexion aux aspects interreliés de votre être qui définissent votre vie au sens le plus vrai. Vous êtes venu vivre cette expérience de l'existence afin de rejeter complètement la vision consensuelle de la réalité dont vous êtes imprégné depuis votre naissance et de la remplacer par une perspective qui la transcende totalement.

C'est la première fois de votre histoire personnelle d'individu incarné que votre conscience connaît une élévation d'énergie permettant de transcender vos sens physiques. Cette incarnation-ci est la première où vous pouvez renforcer votre savoir intuitif par un savoir empirique. C'est le moment que vous attendiez depuis des temps immémoriaux, car cette vie-ci vous catapultera au-delà de votre connaissance présente pour vous plonger dans une compréhension profonde que vous êtes encore incapable de concevoir. Comptez bien que ce processus dans lequel vous êtes déjà engagé se déroulera comme il se doit, selon l'« Ordre divin » qui régit tout.

Vous êtes une étincelle divine en voie d'activation. Le processus est programmé au plus profond de vous-même. Il se déroulera donc à son propre rythme, quelles que soient vos tentatives pour l'accélérer. Votre participation à des activités de groupe visant à susciter une expansion de conscience vous confortera sans doute et vous pourrez même, au cours de ces activités, ressentir une énergie supérieure. Sachez toutefois que les effets de tels exercices ne durent généralement pas, car c'est de l'intérieur que doit s'établir cette énergie pour se maintenir. Le mouvement de votre croissance prend racine dans le silence.

C'est uniquement dans les profondeurs de votre être que des occasions de défier la logique linéaire sont à même de se développer. C'est seulement dans la mesure où vous lâcherez prise et cesserez de réaliser les scénarios de vos drames que vous maximiserez le rythme de votre processus. Laissez la vie se dérouler pour vous et reconnaissez la potentialité de la synchronie qui se présente. Remarquez la perfection du résultat et envisagez la possibilité que vos meilleurs intérêts soient servis le mieux par un éveil qui transcende votre esprit conscient.

Reconnaissez votre tendance à contrôler le résultat de vos efforts, de peur qu'il ne soit moindre que celui que vous espérez. Cessez de penser que ce résultat doit se manifester de telle ou telle façon et laissez les circonstances vous orienter vers votre plus grand bien. Lorsque le processus vous sera plus familier, vous verrez que les occasions se présenteront facilement et qu'il vous sera possible alors de manifester sans effort le résultat qui vous convient le mieux.

Vous êtes au seuil d'une grandiose aventure. C'est dans la mesure où vous abandonnerez les scénarios qui ne vous servent plus que vous ferez pleinement l'expérience de ce voyage. Vous avez remarqué que, sauf de rares exceptions, les circonstances de votre vie se déroulent avec une rapidité sans précédent. Vous vous demandez ce qui se passe alors que la structure de votre vie habituelle commence à s'écrouler.

Vous en cherchez des explications autour de vous et vous examinez les circonstances de votre vie afin d'y déceler des indices qui justifieraient la destruction de votre ordinaire. Vous résisterez peut-être tout d'abord à l'impulsion de dématérialiser les fondements de votre réalité, mais vous finirez par reconnaître l'inévitabilité de l'élan qui vous guide, car il vous pousse inéluctablement dans une nouvelle direction qui, pourtant, vous plaît et vous semble familière.

En vous libérant des contraintes liées aux circonstances que vous avez dépassées, vous découvrirez que vous devez voyager seul sur la route choisie. En ramassant les fragments de la structure qui s'écroule autour de vous et en cessant de la rendre « signifiante », vous connaîtrez la paix de savoir que la lutte s'achève enfin. Vous ressentirez un agréable détachement par rapport à ce qui était, et une ouverture à ce qui n'est pas encore.

En rejetant votre vieux script de vie, vous éprouverez une profonde compassion pour les effets de vos actions sur l'existence de ceux avec qui vous avez partagé les événements de cette vie. Pourtant, votre but demeurera clair tandis que la reconnaissance de votre changement intérieur vous fournira l'impulsion nécessaire pour avancer et vous libérer des entraves qui vous retiennent.

C'est à vous, qui luttez actuellement contre ce changement d'orientation, de reconnaître l'inévitabilité du processus. C'est à vous, qui tentez de vous accrocher, de comprendre que la clé de votre devenir réside dans la volonté de lâcher prise et d'accueillir la métamorphose dans laquelle vous êtes profondément engagé.

Une fois vaincue la résistance initiale, vous deviendrez centré sur le cœur. Dans cet état d'être, votre perception de vous-même et celle du monde environnant deviendront indissociables. Vous vous mettrez à danser avec les énergies de la vie, laissant le flux et le reflux déterminer la direction à suivre. Vous reconnaîtrez le potentiel de la joyeuse aventure qui s'offre à vous. Des choix qui,

auparavant, auraient pu vous sembler irresponsables vous paraîtront désormais divinement inspirés. Vous deviendrez conscient de
l'espace intérieur du cœur, et du chant qui en émane. Vous vous
harmoniserez avec le souffle de vie qui l'anime dans sa plus pure
essence. Vous vous éveillerez alors à tout ce que vous êtes et à tout
ce que vous n'êtes pas encore.

C'est le mouvement même du souffle de vie, soit son flux et
son reflux, qui déterminera la vitesse de votre progrès. Il se produit
tout naturellement une accélération quand vous laissez ce souffle
vous guider dans les profondeurs de votre être. La détente des sens
physiques, l'abandon du contrôle conscient, la volonté de vivre
simplement dans l'instant avec *Tout ce qui Est*, tels sont les paramètres du processus qui vous guidera si vous vous y soumettez.

Il y a peu de différence entre l'inspiration et l'expiration quand
on est centré sur le cœur. Il n'y a plus finalement aucune
conscience de la respiration, mais simplement un sens du Soi qui
transcende votre définition du soi. On ressent une paix à la fois
profonde et douce, comme un droit naturel. On *devient* le flux et le
reflux du souffle. C'est en suivant ce rythme que l'on amorce le
processus d'expansion qui ouvre la porte.

En se laissant porter par le mouvement de la respiration, on
obtient alors une perception de soi qui transcende les limitations
de la forme matérielle. Votre champ énergétique s'accroît. Vous
englobez dans votre actualité les paramètres expansés de ce champ.
À ce moment-là, vous vous liez dans l'Unité à un aspect expansé
du soi – un aspect de votre nature véritable.

Initialement, on fait l'expérience de cette expansion dans l'instant. On devient alors cet instant, ne faisant plus qu'un avec le soi
expansé, dont les connaissances supérieures et les perceptions
accrues s'intègrent dans la conscience éveillée. On peut alors
accomplir le changement qui permet de transcender complètement les limitations qui rattachent à l'existence terrestre. Au
moyen de ce véhicule qu'est la respiration, on peut atteindre un
état d'être supérieur tout en conservant sa forme matérielle.

C'est là l'expérience que vous nommez ascension. Contrairement à la croyance populaire, on ne quitte pas sa forme matérielle au cours du processus. On en incarne plutôt tous les niveaux successifs, en épousant chacun. On conserve sa forme matérielle tout en intégrant les perceptions sensorielles supérieures. On peut alors vibrer au niveau le plus élevé de la conscience expansée et percevoir de plus en plus le monde tel qu'il est véritablement. Les connaissances s'accroissent exponentiellement alors qu'on atteint chaque niveau et qu'on l'intègre.

On finit par incarner simultanément tous les aspects de son lignage interdimensionnel et par trouver superflues les définitions matérielles de l'identité qui nous retiennent à une réalité de moins en moins pertinente. Ayant atteint la conscience de tout ce qui *était* la réalité reconnaissable, on s'harmonise profondément à ce qui *est* la réalité reconnaissable. On peut établir une distinction entre les perceptions simultanées d'un monde comportant toujours plus de facettes.

Plusieurs ont eu un aperçu de cet état d'être et exploré brièvement les perceptions qu'il offre. L'occasion de retenir ces niveaux d'être et de faire simultanément l'expérience de l'incarnation dans les réalités que ces niveaux représentent s'avère inhérente au processus. Par exemple, on peut anticiper l'expérience de niveaux multiples de réalité, non pas en renonçant à l'un au profit d'un autre, mais en englobant séquentiellement chacun de ces niveaux et en « devenant » chaque état d'être expansé, puisqu'ils sont tous *vous* en fait.

Bien que vous avanciez sur votre propre sentier, et à un rythme que vous avez choisi, vous ne ferez pas « seul » le voyage. Chaque niveau progressif du soi constitue un investissement de conscience qui est autant voué au processus d'intégration que vous l'êtes. En atteignant énergétiquement chaque niveau du soi et en vous y fusionnant, vous épousez la bonne intention de cette identité expansée afin d'intégrer dans son répertoire de conscience et de réaction tout ce que vous *êtes*. Alors que vos niveaux de conscience se confondent, la distinction entre ces aspects du soi cesse d'exister et *l'Unité* est accomplie.

Il peut y avoir plusieurs niveaux d'intégration, en tant qu'aspects fragmentés de ce qui est ; en fait, *vous* fusionnez avec la conscience et devenez un être collectif qui atteint l'Unité simultanément avec un « soi supérieur » mutuellement partagé. En effet, il est possible, en intégrant ce que l'on pourrait considérer comme des aspects *perdus* du soi, de perdre conscience de la différenciation de son identité originale. On s'unit énergétiquement au collectif, de sorte que finalement le sentiment de séparation disparaît pour laisser place à la perception du soi expansé, multidimensionnel, comme étant celui que l'on *est*.

Une fois que l'intégration a eu lieu, on peut transcender la limitation de sa focalisation. Ce faisant, il est possible de demeurer en harmonie avec tout ce qui antérieurement définissait son existence, et, simultanément, s'ouvrir à la plénitude de la totalité à ce stade du processus. Nul besoin de diriger ce dernier par l'intention ; c'est plutôt vous qui serez dirigé, non l'inverse. On se sent alors dans un état de réceptivité absolue, d'abandon total – à chaque niveau possible – du besoin compulsif de contrôler le processus.

On devient comme une feuille au vent, se laissant volontiers porter par le mouvement du processus en sachant indubitablement que ses meilleurs intérêts et son bien-être seront servis de toutes les façons possibles. En un sens, on *devient* le vent tout en continuant à se percevoir comme la feuille. On incarne sa propre définition et sa propre forme tout en fusionnant totalement avec le mouvement et la direction. Les énergies deviennent une. Le transfert de la forme d'*ici* à *là* est accompli.

Une fois *là*, les qualités du mouvement et de la direction font désormais partie intégrante de la perception de soi. On peut alors fusionner à volonté avec ce mouvement. On peut se faire *porter* par l'énergie du mouvement, dans la direction de ce mouvement, car on est en parfaite harmonie avec lui. On *est* l'harmonie qui unit le mouvement et la forme.

C'est dans cette direction que vous vous dirigez actuellement. Voici d'ailleurs un aperçu fragmentaire du monde qui vous attend. Ce *monde* se trouve moins dans la destination que dans le voyage lui-même. Car la *destination* est ici l'abandon du besoin d'une destination. L'objectif est la libération du besoin de *savoir*. Il s'agit d'abandonner toute tentative de contrôle du processus et de la direction afin d'effectuer le voyage à la perfection.

La question est de savoir si vous êtes prêt à renoncer à tout ce que vous savez, soit l'entière structure du système de croyances qui définit et restreint votre réalité, pour expérimenter votre soi expansé. Êtes-vous prêt à reconnaître que la « vérité » telle que votre expérience vous l'a fait connaître n'est qu'une partie du tableau ? Êtes-vous prêt à envisager la possibilité que tout ce qui a pour vous une valeur n'en ait peut-être aucune au sens le plus élevé du terme ? Êtes-vous prêt à accepter que vous êtes mûr pour effectuer ce voyage ?

Le simple fait que vous considériez ces questions est un signe que le processus est amorcé. Il ne reste plus qu'à savoir comment et à quel rythme il se déroulera. Alors que vous êtes immergé dans une réalité physique et linéaire, il s'agit pour vous de décider si vous voulez courir le risque d'accepter cette information comme vraie et de renoncer, à ce stade de votre développement, aux limitations imposées par la réalité que vous connaissez. Vous êtes ici pour envisager et, finalement, assumer la pleine multidimensionnalité de votre être. Vous êtes ici pour connaître votre soi expansé et pour évoluer, étape par étape, dans la plénitude de cet état d'être.

En ce moment, vous *êtes* tout ce que vous n'êtes pas encore. Car le « temps » tel que vous le connaissez n'est pas un facteur du « maintenant ». Tout ce qui va arriver *est* déjà arrivé, énergétiquement. Il ne reste qu'à manifester physiquement cette expression d'énergie. Voilà pourquoi vous semblez parfois *attiré* par une certaine série de circonstances. Voilà aussi pourquoi vous expérimentez des « synchronies ». Et voilà encore pourquoi vous ressentez une disharmonie lorsque vous résistez aux suggestions de votre intuition qui vous incite à agir de telle ou telle façon.

Plusieurs avenues s'offrent à vous au carrefour vers lequel vous vous dirigez à tel ou tel moment. Lorsque vous saisissez le fil d'un scénario se présentant comme une « synchronie », vous expérimentez la manifestation de cette avenue particulière, c'est-à-dire cette série de circonstances ainsi que les individus qui y figurent. Si vous ne saisissiez pas ce fil, assurément que d'autres événements de nature à « modifier » votre existence se présenteraient, destinés à vous ramener au même carrefour, par un autre chemin. Pardonnez-vous la fausse idée que vous avez dévié de votre route parce que vous avez laissé passer certaines occasions. Sachez que vous *arriverez* où vous allez, quel que soit le nombre de détours que vous prendrez. Il ne peut en être autrement.

De même, pardonnez-vous la fausse idée que vous avez nui à votre progrès en portant tel ou tel jugement sur les actes que vous avez posés dans des circonstances données. Les réactions provoquées en vous par ces scénarios sont équilibrées énergétiquement pour susciter un état d'être permettant de reconnaître consciemment votre tendance à réagir ainsi, et d'y renoncer. Une fois que vous aurez compris ce schème, vous cesserez probablement de le répéter et vous arriverez alors à un carrefour qui vous mènera vers une tout autre direction.

Dans la période actuelle, vous aurez vraisemblablement l'impression de parvenir à l'achèvement des thèmes récurrents qui ont dominé votre existence présente – et cela sur plusieurs plans. Cet achèvement s'opérera sans doute par l'expérience d'extrêmes variations sur ces thèmes, ce qui indiquera que vous avez complété une partie de votre voyage et qu'il est temps d'aller plus loin.

Le « temps » tel que vous le connaissez s'écoule à une vitesse sans précédent. Les événements paraissent entassés dans un espace incroyablement réduit ; ils semblent même parfois se produire simultanément, ce qui, en réalité, est le cas. Il est crucial, à l'approche de votre rendez-vous avec l'Unité, que vous réalisiez l'achèvement des thèmes de vie qui vous rattachent à cette réalité. Il est impératif de vous détacher des charges énergétiques qui vous ont habituellement magnétisé au cours de cette vie-ci. Il est essentiel que vous reconnaissiez le fil commun des drames que vous avez tissés et qui continuent de vous séduire. Enfin, il est nécessaire que vous manifestiez toute la grâce de votre humanité en réagissant à ces situations récurrentes, et que vous vous aimiez davantage en cela.

Lorsque vous pourrez prendre du recul par rapport à l'ensemble des drames où vous avez joué le premier rôle, et vous voir comme le grand acteur que vous êtes réellement, vous serez en bonne voie d'achever votre voyage. Tant que vous n'avez pas maîtrisé ce dont vous êtes venu faire l'expérience ici, la partie de l'être qui cherche à *vous* intégrer dans *son* voyage vers l'Unité ne peut le faire.

Alors que vous vous efforcez énergétiquement, avec un désir sincère, de vous lier à votre plus haute expression d'existence, sachez que cet aspect du soi cherche aussi à vous atteindre et qu'il ajoute son énergie à l'équation de votre totalité. Tant que vous ne réussirez pas à vous libérer vibratoirement du schème de réaction chronique qui vous « coince » dans la répétition constante de la même vieille rengaine, l'aspect supérieur du soi ne pourra vous intégrer sans mettre en péril ses propres niveaux vibratoires.

De même, vous sentirez peut-être, sous la surface de votre conscience, un attachement à des schèmes émotionnels profondément établis et qui sont disproportionnés aux circonstances qui les ont suscités. Examinez la possibilité très réelle que des aspects de *votre* être qui en ont été exclus et qui, dans *leur* voyage vers l'Unité, cherchent à se réintégrer vous soient liés énergétiquement en ces instants.

De leur point de vue, vous êtes l'état d'être supérieur qu'ils cherchent à atteindre. Vous êtes la maîtrise qu'ils recherchent. Vous êtes la perspective éclairée dont ils ont eu un bref avant-goût et avec laquelle ils cherchent à se lier au plus profond du cœur. Vos réactions émotionnelles à telle ou telle situation de votre vie ouvrent la porte à des scénarios parallèles pourvus de « déclencheurs » énergétiques parallèles, à d'autres niveaux de la Création. Ce sont les émotions partagées au plus profond niveau qui constituent le terrain commun et les sentiers où vous fusionnerez énergétiquement avec les autres aspects du soi.

Quand vous réagirez d'une façon particulièrement intense à une situation que vous trouverez extrême, songez, avant de vous juger trop sévèrement, que votre profonde émotion est peut-être partagée par un aspect du soi qui a été *nié* et abandonné en cours de route. En réprimant l'expression de votre sentiment profond, vous ne faites que prolonger la séparation entre vous et cet aspect du soi, invitant ainsi la répétition de scénarios créant la même réaction émotionnelle.

Il est donc impératif d'ouvrir votre cœur aux très réelles sensations de douleur, de tristesse, de chagrin ou d'outrage causées en vous par les circonstances dramatiques où vous jouez un rôle. Ce faisant, vous préparez la voie à la réintégration d'une pièce manquante de votre être dont le thème de vie est peut-être l'expression de ces réactions mêmes et qui cherche profondément à les transcender.

Sans la réintégration de ces fragments perdus de votre conscience, vous ne pourrez terminer votre voyage de la manière souhaitée par la totalité de votre être. Si vous ne vous donnez pas la permission, dans ce contexte temporel, de ressentir vraiment l'étendue de votre mécanisme de réaction émotionnel, vous empêchez votre réalisation, et ce, à chaque niveau de la Création.

Vous êtes un être multidimensionnel. Ainsi, vous n'êtes pas limité à l'identité particulière que vous en êtes venu à tenir pour *vous*. Des aspects viables du soi vivent à votre insu dans des réalités parallèles et recherchent instinctivement l'aspect perdu du soi que vous jugez être *vous*. Pour ces êtres, vous êtes une note manquante dans un accord qui définit leur existence même. Vous êtes l'harmonie vers laquelle ils tendent et qu'ils ne peuvent atteindre sans vous. Pour participer pleinement à cet effort multidimensionnel, il s'agit pour vous d'*être présent* à tout ce que vous êtes et à tout ce que vous faites, en vue de l'être à tout ce que vous deviendrez.

Soyez conscient de ce que vous ressentez et de vos réactions aux drames de votre vie. Soyez honnête envers vous-même en évaluant vos réactions émotionnelles et ne rejetez pas trop vite de votre répertoire de sentiments ceux qui vous donnent à penser que vous êtes « inférieur à vous-même ». Votre mécanisme de réaction émotionnel est très réel. La réussite de vos réalisations en cette vie dépend de votre volonté à assumer votre être entier, au cas où vous feriez l'expérience, dans l'Unité, de votre nature véritable.

chapitre trois

Votre champ énergétique comme cocréateur de vos circonstances.

*Le pouvoir de vos pensées et de vos mots
comme outils de manifestation.*

Briser les schèmes qui créent des résultats indésirables.

Une vaste conversion interdimensionnelle de la conscience se manifeste présentement sur tous les plans de la Création. La conscience de votre implication dans ce processus marque le début d'un changement de circonstances destiné à vous porter à un niveau de conscience sans précédent dans votre dimension. Tandis que vous expérimenterez ce changement et que les énergies élèveront votre conscience, votre harmonisation aux fréquences supérieures se stabilisera et la transition à une perspective accrue sera accomplie. En observant vos réactions et en surprenant votre esprit rationnel dans ses tentatives pour censurer votre expérience, vous vous permettez d'atteindre à tout moment un état optimal de sensibilité.

Cette sensibilité à vos subtils changements énergétiques vous sert de baromètre pour les divers niveaux d'expérience que vous pouvez vous attirer. Votre tendance conditionnée à vous maintenir dans l'état vibratoire inférieur qui vous est familier vous attirera magnétiquement des expériences suscitant des émotions que vous considérez comme inférieures. Cela devient donc une question de choix. Si vous demeurez à ce niveau énergétique inférieur, vous vous attirerez des expériences, des énergies et une conscience qui ne soutiendront pas nécessairement votre meilleure potentialité.

Vous êtes entièrement responsable de votre état vibratoire à tout moment. Lorsque vous êtes équilibré vibratoirement et centré sur le cœur, cela est absolument évident car vos expériences de vie le reflètent. De même, lorsque vous opérez à partir de l'extrémité inférieure de votre spectre énergétique, c'est tout aussi évident, tant par votre sentiment que par les circonstances.

Il n'est pas nécessaire de répéter l'expérience de certains drames douloureux simplement parce que vous avez négligé de libérer la charge énergétique qu'ils portent, si vous exprimez les émotions qu'ils doivent susciter. En restant insensible au crescendo de vos réactions émotionnelles, vous annulez la charge et vous vous attirez ainsi une série de circonstances parallèles. La seule façon de mettre fin à ce cercle vicieux d'événements, c'est de rendre évident le lien qui existe entre votre état vibratoire et les drames qu'il vous crée.

Votre champ énergétique est à la fois votre porte d'accès et votre bouclier. Ce champ que vous maintenez autour de vous peut être vulnérable à l'interférence de formes d'énergie ou de conscience que vous jugez indésirables. Nous ne portons pas ici un jugement sur les mérites de telle ou telle autre forme particulière de conscience. Nous désirons plutôt vous indiquer qu'il n'est pas dans votre intérêt d'attirer de telles forces dans votre champ énergétique. Les schèmes de pensée négatifs et aléatoires ouvrent la porte à des formes-pensées et à des niveaux de conscience qui diminuent la charge positive de votre équation énergétique et attirent des schèmes similaires. Ce cycle se perpétuant de lui-même peut provoquer une spirale descendante de circonstances et créer une série de situations défavorables. La seule façon d'y mettre fin et d'inverser le processus, c'est d'atteindre et de maintenir un état d'intention consciente centrée sur le cœur.

Lorsque les circonstances vous placent dans un état d'être que vous savez déséquilibré, profitez de l'occasion pour prendre un peu de recul. Retirez votre énergie de tout ce qui vous entoure et cessez d'interagir consciemment avec tout ce qui est extérieur à la Source de votre être. Laissez-vous guider vers la plus profonde tranquillité intérieure. Centrez-vous sur son silence. Puis, avec la conscience de votre connexion intérieure, respirez profondément à travers le centre de votre cœur. Détachez votre conscience des circonstances qui vous contrarient. Sentez plutôt, dans cette tranquillité sacrée et inviolable, l'énergie lumineuse de l'Amour inconditionnel vous envahir complètement.

Abandonnez-vous à ce sentiment de paix, laissez-vous pénétrer entièrement par cette sérénité. Puis, tandis que vous baignez dans cet état bienheureux, faites que votre cœur s'en souvienne comme de votre état d'être naturel. Faites-en un point de référence, un gentil rappel de votre véritable nature, auquel vous pouvez vous reporter à volonté. Ce sanctuaire intérieur est toujours là. C'est un havre où il vous est possible de vous réfugier à tout moment.

Nous vous encourageons à acquérir l'habitude de réagir ainsi dans l'adversité. Ce changement d'énergie dissipera la spirale de vibration inférieure qui, attirée dans votre champ, peut se manifester sous la forme de circonstances susceptibles de vous entraîner encore plus profondément dans un état de déséquilibre. La meilleure réaction possible, quelles que soient les circonstances, est de prendre consciemment la situation en main telle qu'elle se présente.

Sachez que vous avez toujours la situation en main. Vous pouvez choisir de vous en éloigner intérieurement pour en remplacer consciemment l'énergie par celle qui émane du centre de votre cœur. Quand vous êtes centré sur votre cœur, les circonstances de votre vie le reflètent. En changeant l'énergie que *vous* projetez dans telle ou telle situation, vous changez consciemment le résultat, lequel vous sera plus avantageux. Si vous développez cette pratique, votre existence sera dirigée par l'intention au lieu d'être le reflet inconscient du hasard. Car c'est vous qui créez tout cela. Sachez-le.

Il n'y a pas de victimes. Bien sûr, vous avez déjà entendu cela, mais il est important de comprendre avec une absolue clarté le rôle que vous jouez dans la création de scénarios que vous ne choisiriez pas consciemment. Car, sur le plan vibratoire accéléré que vous intégrez maintenant dans votre être, les résultats de vos choix et de vos réactions manifestent votre réalité beaucoup plus rapidement que ce qui était auparavant considéré comme « normal » dans votre dimension. Les êtres qui ont intégré comme norme un haut niveau vibratoire obtiendront des résultats extrêmes quand ils passeront à un état vibratoire déséquilibré. Ils vivront « le pire ». Il ne peut en être autrement.

Afin de rompre un schème de circonstances difficiles, il faut reconnaître que ce type de situation se perpétue de lui-même. L'énergie inférieure de l'adversité suscite souvent une réaction émotive qui, en elle-même, ajoute une part d'énergie inférieure à l'équation vibratoire et attire d'autres circonstances similaires. La vibration de chaque schème de pensée qui traverse votre conscience porte une charge énergétique, particulièrement les schèmes qui sont *matérialisés* sous forme de communications verbales. En libérant cette charge énergétique sous forme de paroles, vous mettez en mouvement une empreinte qui attire à elle des circonstances d'une vibration correspondante. Voilà ce que signifie l'affirmation suivante : « Vos pensées créent votre réalité. »

Afin d'interrompre un cycle de manifestations négatives, il est important que vous soyez conscient de la vibration de tout ce que vous communiquez aux autres. Surveillez vos paroles. Ne dites rien de négatif sur quoi que ce soit, que vous trouviez cela justifié ou non. Efforcez-vous, en toute conscience, de n'exprimer à celui ou à celle qui vous écoute que des paroles inspirantes. Surveillez de près comment vous réagissez aux circonstances contrariantes et assurez-vous que votre réaction ne soit pas de nature à vous apporter d'autres circonstances similaires.

Tenez des propos qui sont le plus positifs possible dans toute situation. Ne dites de mal de personne, sinon cette énergie vous reviendra. Choisissez de partager ou de poursuivre votre route. Tout simplement. Le potinage, les plaintes, les demandes d'aide dont vous n'avez pas vraiment besoin, tout cela ne peut que vous valoir des situations désagréables. La parole est un outil puissant quand elle est bien utilisée, mais elle est dangereuse quand on s'en sert mal.

De même, vos schèmes de pensée, même s'ils ne sont pas exprimés verbalement, portent une charge énergétique qui met en mouvement des circonstances d'une vibration correspondante. Quand quelqu'un est méfiant, par exemple, il manifeste l'expérience d'être déçu. Quand quelqu'un a peur, il manifeste l'expérience d'une situation effrayante. Quand quelqu'un est anxieux et se sent nul, il manifeste l'expérience du rejet de ses efforts. Quand quelqu'un devient un chasseur, l'individu qui est chassé sent l'énergie du prédateur et s'enfuit. Quand quelqu'un montre de manière évidente ce qu'il désire de quelqu'un d'autre, il est virtuellement certain que le résultat désiré ne sera pas manifesté.

Ne vous apitoyez pas sur ce qui manque à votre vie ; considérez au contraire cette situation avec gratitude. Comprenez qu'elle prépare la voie au changement de conscience qui vous mettra en position de manifester précisément ce que vous êtes venu accomplir en cette vie. Une situation négative en apparence pourra très bien être le moyen d'accéder au changement précis qui vous conduira dans le domaine où vous pourrez effectuer l'œuvre de votre vie.

Il est crucial, pour tous ceux qui se considèrent actuellement en cheminement spirituel, de cultiver la conscience de leurs réactions aux drames qu'ils vivent. Prenez conscience du laps de temps qui existe entre une réaction chargée émotionnellement et la manifestation négative qui s'ensuit. Le lien indiscutable entre la cause et l'effet vous deviendra douloureusement évident, amplifié par les fréquences vibratoires accélérées qui envahiront alors votre dimension.

Ceux d'entre vous qui ont atteint de nouveaux sommets d'expérience vibratoire humaine doivent se rendre compte très clairement que le fossé s'élargit entre le niveau de l'énergie s'accélérant partout autour d'eux et celui de l'énergie générée par les schèmes inconscients de réaction chargés émotionnellement. Alors que la vibration planétaire continue de s'accélérer et que votre dimension pénètre dans le royaume de la manifestation instantanée, ceux qui sont en harmonie vibratoire avec le rythme de cette accélération élargissent le fossé les séparant des masses et augmentent la magnitude de la charge énergétique s'exprimant comme leur réalité.

Il vous appartient, à vous qui vous considérez comme les précurseurs du changement de conscience caractérisant cette époque, de réaliser les conséquences de l'accélération de votre fréquence vibratoire. Surveillez vos réactions de sorte à maintenir votre équilibre et à rester centrés sur le cœur. Car c'est là, au cœur même de votre être, que la connexion intemporelle aux aspects multidimensionnels du soi sera manifeste. Et c'est là que vous trouverez l'accès à la réunification avec l'Unité que vous êtes.

chapitre quatre

Achever le « rêve récurrent » de votre existence présente.

Apprendre à reconnaître et à décliner les invitations au conflit.

*Comment la volonté collective a contribué à transcender
les prophéties énoncées pour cette époque.*

Les leçons que vous avez choisi d'apprendre en cette vie représentent des catégories d'expériences que vous tentez maintenant de porter à leur point culminant. Vous êtes vraisemblablement capable d'isoler certains thèmes récurrents dans votre vie présente. De plus, vous avez probablement complété le nombre d'épisodes nécessaires sur ces thèmes afin d'assimiler le but de l'exercice. Vous n'avez donc plus besoin de continuer à revivre le « rêve récurrent » qui a constitué votre réalité jusqu'ici dans cette vie, à moins de choisir de le faire. Il faut donc désormais tourner la page et entreprendre le travail auquel vous vous êtes préparé, soit la maîtrise de ces leçons de vie.

Bien qu'en la période actuelle votre vie vous semble peut-être un abîme d'incertitude, le simple fait que vous ayez été attiré par l'énergie de cette communication et que vous soyez en train de lire ces lignes démontre que vous terminez cette fois « le cours ». Pourtant, la direction dans laquelle se trouve la phase suivante de votre vie continue à vous échapper. Il devrait être assez évident, à la lumière du démantèlement d'une grande partie de la structure de votre vie, qu'une longue préparation a été accomplie. Mais vous avez l'impression que quelqu'un ou quelque chose doit vous donner un « signal » vous indiquant quoi faire ensuite.

Il n'est pas nécessaire d'anticiper le processus, mais simplement d'être présent. Observez votre situation : votre cadre de vie, votre entourage, vos intérêts actuels ainsi que les événements synchrones qui vous ont mené jusqu'au moment présent. Vous pouvez sans doute discerner la direction dans laquelle ces facteurs s'unissent pour vous entraîner vers une nouvelle existence.

En faisant confiance au processus, vous permettrez au futur que vous cocréez avec d'autres aspects du soi d'évoluer naturellement. Si vous ne percevez pas encore tout à fait clairement la nature de votre participation à votre *travail de vie*, c'est peut-être parce que toute l'information ne vous a pas encore été présentée. Soyez patient et indulgent envers vous-même pendant cette période. Accordez amplement de temps à la pratique de la méditation, ce qui favorisera la focalisation de votre énergie sur le centre du cœur, car c'est de ce lieu de paix et d'harmonie que s'effectuera le véritable travail.

C'est là une magnifique occasion qui vous est offerte. Vous avez obtenu un sursis de votre ennuyeux script de vie et vous avez eu un aperçu des drames que vous avez créés. Vous avez tiré certaines conclusions et vous êtes en train de les intégrer. Dès que vous serez en paix avec tout ce que vous avez fait de votre vie jusqu'ici, vous serez prêt à vous en détacher. Et c'est alors seulement que vous serez prêt aussi à embrasser un état d'être qui transcende le sentiment de séparation accentué par ces expériences, à vous engager sur une voie parallèle avec d'autres qui sont parvenus au même sentiment d'achèvement dans la même période de temps. Et vous commencerez à avancer de concert avec eux vers l'expérience de l'Unité qui est votre droit naturel.

En demeurant focalisé sur le moment présent et en résistant à la tentation de vous devancer vous-même en *planifiant* l'avenir avant même qu'il ne soit prêt à évoluer, vous serez en excellente position pour faire les meilleurs choix. Vous avez orchestré votre voyage parfaitement afin d'arriver à destination à temps. Vous vous unirez alors dans l'Unité avec les facettes multidimensionnelles de votre être qui attendent votre retour à l'ensemble sacré. C'est ce but heureux que vous vous efforcez d'atteindre en ce moment, que vous en soyez conscient ou non.

Il y aurait beaucoup à dire sur ce qui se produit dans votre dimension. Et le pronostic donnant une issue plus positive que celle qui avait d'abord été anticipée est effectivement excellent. L'ajout du facteur du libre arbitre de la conscience collective à l'équation a eu pour résultat le changement de ce qui aurait pu représenter une période cataclysmique de l'histoire de votre planète. Ces événements ne sont pas inévitables ; ils dépendent grandement des actions de l'ensemble de l'humanité et des choix de ses dirigeants.

Il est tout à fait possible de transcender une série d'événements prophétisés qui semblent si vraisemblables qu'on les croit inévitables. Aucun événement n'est assez inévitable pour résister à l'intention focalisée des êtres présents. Les efforts pour orchestrer une focalisation commune sur un concept donné, de concert avec un grand nombre d'êtres, ont un effet profond sur un résultat déjà prédit. L'humanité a réussi à modifier un tel résultat et elle a manifesté à la place une version radicalement modifiée de ce qui avait d'abord été prévu.

Le véritable travail est désormais commencé. La conscience collective de ceux qui sont incarnés dans votre dimension a exercé le pouvoir de sa volonté, avec un résultat sans précédent. L'utilisation de ce pouvoir, voilà l'occasion qui est offerte actuellement. Si vous la saisissez, il vous deviendra évident que vous créez effectivement votre propre réalité. Chacun ajoutant le pouvoir de son intention personnelle au pouvoir collectif, l'ensemble se rapprochera d'autant plus du point où un résultat mesurable pourra se manifester. Et une corrélation évidente émergera entre

l'application de la volonté collective et la modification des événements anticipés.

En possession de cet outil, vous avez la capacité de cocréer
collectivement une réalité désirée. Lorsque vous saurez que vous
ne vivez pas à la merci d'événements échappant à votre contrôle,
mais que vous créez plutôt vous-même ces événements par vos
pensées, vos présomptions et votre attitude, vous prendrez peu à
peu au sérieux la responsabilité que chacun de vous possède
comme coauteur de ce « film » que vous appelez *la vie*.

Vous vous rendrez compte que vous êtes responsable, tant par
vos actions que par vos choix, de la préparation du terrain aux
efforts parallèles de ceux qui font partie de votre sphère d'influence. Vous comprendrez que vous faites avancer les choses dans
la mesure où vous pouvez vivre en accord avec votre parole. Et
vous enseignerez ce que vous savez en le pratiquant.

Votre parole peut devenir un puissant instrument pour cultiver
la conscience chez les autres qui sont attirés par votre énergie.
Pourtant, la parole seule n'est qu'une ébauche pour les concepts
qui s'enracinent et s'épanouissent sous forme d'actions. Les choix
que vous effectuez à chaque instant exercent une influence vibratoire, par exemple sur tous ceux avec qui vous êtes en contact. Et
comme chacun influence la collectivité par ses actions et en est
influencé en retour, une harmonie d'intention se manifeste petit à
petit. Quand cette intention est centrée sur le cœur, il est alors
possible de modifier le cours de ce que vous appelez le « destin ».

C'est la reconnaissance de votre pouvoir de créer votre réalité
qui vous amène à tourner la page et à aborder un nouveau chapitre
de votre vie. Libéré des liens qui vous rattachaient à des schèmes
d'expérience répétitifs, vous émergerez avec un regard neuf sur la
vie et une nouvelle idée de vous-même. Et vous aurez compris
votre pouvoir de définir votre identité selon vos désirs. Car les
outils vous permettant de créer votre réalité personnelle comme
un chef-d'œuvre d'intention manifestée sont à votre portée, à l'intérieur des paramètres de votre conscience.

Il s'agit cette fois pour vous d'insuffler une vie nouvelle dans la création sacrée du soi, par une focalisation centrée sur le cœur, puis de laisser cette identité atteindre sa pleine expression, sans l'influence de vos vieilles croyances ou des dogmes accumulés au cours de vos voyages, et sans aucun sentiment de limitation. Il n'y a aucune place dans la conscience transcendante pour les bagages que vous portez peut-être encore. Tous les « commandements » qui ont pu dominer votre conscience doivent être abandonnés au carrefour.

Le chemin qui s'étend maintenant devant vous requiert une légèreté d'esprit favorisant une grande liberté de mouvement. Vous devez pouvoir réagir sans réserve aux occasions qui se présentent, en reconnaissant par le cœur la direction du choix. Vous devez pouvoir avancer sans être entravé par des considérations qui limiteraient le possible au profit de *priorités* qui ne seraient plus en résonance avec votre plus grand bien. Et vous devez vous octroyer la latitude de distinguer honnêtement entre ce qui sert ce but et ce qui ne le sert pas.

La phase finale de l'allègement de votre fardeau est à votre portée. Une très grande partie du travail a été accomplie. Vous êtes arrivé au présent stade après avoir surmonté tellement d'obstacles semés sur votre route. Ce qui reste à éliminer, ce sont les vestiges des réactions acquises, qui vous feraient trébucher, par habitude, sur des ronces pourtant bien visibles. Sachez les reconnaître quand vous en rencontrez et observez la réaction que suscitent en vous ces situations. Avant de produire une réaction conditionnée, voyez s'il vous est possible de contourner entièrement la situation et de décliner l'invitation à un drame supplémentaire. Votre objectif consiste à avancer. En exerçant votre pouvoir de choisir, vous êtes à même de transcender toute situation qui ne soutient pas ce mouvement.

Une fois que vous avez surmonté votre tendance à répéter les drames qui ont dominé votre vie, vous pouvez passer à la phase suivante du travail à accomplir. Idéalement, les options qui s'offrent à vous dès ce moment sont des occasions de transformer la discorde en harmonie, de transcender le besoin d'avoir « raison » sur des sujets particuliers au détriment de la possibilité d'éprouver un sentiment d'achèvement. Ce sont aussi des occasions de réagir de manière à changer la dynamique de l'interaction et à permettre à toutes les parties concernées de poursuivre leur route sans devoir porter la charge énergétique qui inviterait à répéter le même schème. Vous constaterez alors que vous êtes capable de « lâcher prise » là où auparavant vous vous sentiez obligé d'engager le combat. Et vous commencerez à voir en action le processus de dépassement de l'ego.

Quand vous serez capable de reconnaître les réactions conditionnées qui ont leur origine dans le besoin de « gagner » sur l'autre, vous aurez franchi le premier pas vers le dépassement du sentiment de séparation dont vous êtes pourvu. La séparation était considérée comme un mécanisme de survie nécessaire à une époque où les affrontements violents étaient fréquents. Ce n'est plus le cas. L'époque présente doit justement voir changer ce schème et son énergie. Elle est centrée sur la reconnaissance des occasions de renforcer la séparation, afin précisément de choisir le désengagement.

Cette phase de votre développement n'a pas pour objectif de vous faire gagner ou avoir raison, mais plutôt de vous faire reconnaître que vos choix présents déterminent vos choix futurs. Gagner, perdre, faire des compromis à contrecœur, voilà la meilleure recette pour répéter un scénario identique, même si les acteurs sont chaque fois différents. Et il ne pourra en résulter vibratoirement qu'un sentiment de séparation pour toutes les personnes impliquées.

Votre objectif consiste maintenant à reconnaître toute rencontre comme une occasion de réaliser l'harmonie qu'elle est réellement en soi. En présentant votre point de vue sans aucun attachement au résultat, vous permettez la manifestation d'un dénouement maximal pour toutes les personnes concernées. Le

mot-clé, ici, est « permettre ». En semant le germe de votre intention, de votre volonté, et en présentant votre point de vue sans ressentir le besoin de l'imposer, vous servez vos meilleurs intérêts tout
autant que ceux des autres individus avec qui vous êtes en interaction.

Lorsque cette semence est libérée énergétiquement, elle attire
à elle les circonstances qui conviendront le mieux aux intérêts de la
volonté collective, laquelle s'efforce de manifester l'expérience de
l'Unité. Quand un conflit potentiel est annulé et que l'intention de
chacun est d'harmoniser les volontés au lieu de manifester la
sienne au détriment de celle de l'autre, le résultat ne peut que servir les intérêts de tous les gens visés.

Il vous faudra peut-être un peu de temps avant de vous habituer à reconnaître le point de l'exercice inhérent à chaque drame
qui s'offre désormais à vous. Mais, une fois que vous serez en résonance avec l'harmonie, cette vibration imprégnera tous vos actes.
Vos expériences de vie s'écouleront facilement, l'une après l'autre,
comme des exemples, pour vous et pour tous ceux avec qui vous
serez en contact, de la manifestation de l'harmonie dans votre réalité. Vous serez moins soucieux de triompher de l'adversité que de
maintenir votre équilibre. Car, en atteignant cet équilibre, vous
êtes dans la meilleure position possible, énergétiquement, pour
créer des circonstances qui refléteront votre plus haute intention.

La confiance est sûrement un élément nécessaire au processus,
lequel requiert également la reconnaissance et l'abandon du besoin
de « contrôler » les situations de votre vie. Cette *confiance* n'est
toutefois pas l'abandon de toute responsabilité quant au déroulement de votre existence. Elle est plutôt une *confiance* en la Source
qui émane du cœur de votre être. Une confiance au Soi sacré qui
supervise tout ce que vous faites pour orchestrer des scénarios servant votre plus grand bien.

Quand vous renoncerez au besoin de diriger le labyrinthe de
votre existence et que vous puiserez au plus profond de vous, là où
vous êtes apte à *sentir* plutôt qu'à penser, à savoir plutôt qu'à

croire, vous aurez atteint le point où vous serez en mesure de créer une réalité dans laquelle vous avancerez vraiment. Tant que vous ne réussirez pas à vous libérer du conditionnement qui provoque des réactions réflexes fondées sur la peur, vous continuerez à manifester des circonstances génératrices de conflits.

Si vous pouvez faire confiance au changement d'énergie qui affecte votre monde et qui vous permet d'atteindre un niveau supérieur, vous êtes parvenu au point tournant vers lequel vous vous dirigiez. Après avoir franchi cette étape et harmonisé, à la plus haute fréquence, votre volonté personnelle avec la Volonté de la Création, vous verrez se dématérialiser les murs de la séparation et votre vie deviendra l'expression de l'Unité qu'elle est véritablement.

chapitre cinq

Libérer de vos cellules l'histoire expérientielle qui y est inscrite.

*Détacher les couches de densité émotionnelle
qui sont dormantes depuis plusieurs vies.*

*Naviguer dans les profondeurs de vos propres
rites de passage expérientiels.*

Votre soi a reconnu votre désir du but supérieur sur lequel vous avez focalisé votre intention et il y a réagi. La nature de cette réaction est souvent imperceptible tant que l'on n'est pas bien engagé dans le processus. Et souvent la preuve de ce profond changement de focalisation simule des symptômes indiquant davantage un recul qu'un progrès.

Il est essentiel que les multiples couches d'histoire expérientielle imprimées dans votre structure cellulaire soient détachées systématiquement et complètement afin que vous puissiez vous libérer des contraintes des thèmes qui caractérisent votre vie présente. Si ces couches demeuraient dans votre structure cellulaire, les schèmes énergétiques continueraient de provoquer la répétition de situations stimulant des réactions émotionnelles dramatiques dans des secteurs où la résolution et l'achèvement ont déjà eu lieu.

Il est inévitable que se produisent des drames et des interactions mettant clairement en relief les problèmes émotionnels fondamentaux que vous vous efforcez de résoudre, et il est dans votre plus grand intérêt de vivre l'expérience de ces réactions émotionnelles quand les circonstances les manifestent, afin que le schème correspondant puisse être évacué de votre champ énergétique. En résistant à l'envie de réprimer ces réactions que l'on croit intellectuellement avoir transcendées, on peut passer à un nouveau niveau de conscience où l'on n'est plus encombré par les expériences achevées.

L'énergie continuant à s'accélérer, attendez-vous à vivre des réactions émotionnelles profondes alors que tous les thèmes présents dans votre vie culmineront vivement dans votre conscience, tels les chapitres d'une saga en développement. Et, simultanément, vous vous sentirez intellectuellement et émotionnellement libéré de leurs effets. Vous ressentirez un détachement total des situations qui, auparavant, vous précipitaient dans un conflit. Vous serez désormais indifférent à des problèmes qui faisaient au préalable partie intégrante de votre vie. Vous atteindrez un état d'être où vous vous sentirez enfin libre des contraintes du passé et prêt à franchir une nouvelle étape.

Voilà le processus dans lequel vous êtes présentement engagé, à l'instar de plusieurs personnes avec qui vous êtes chaque jour en interaction. Notez bien que les drames dans lesquels vous êtes attiré, que ce soit comme observateur ou participant, ne doivent pas être pris au pied de la lettre. C'est en les regardant dans l'optique de la maîtrise émotionnelle que vous pourrez le mieux les gérer. La considération dont vous ferez preuve envers un autre être en proie à l'achèvement transformationnel aura une influence sur la durée de ce processus et sur le rôle que vous y jouez.

Il se peut fort bien que votre rôle soit celui d'un *déclencheur* pour le travail de libération émotionnelle dans lequel un autre être est engagé. Et vous aurez peut-être l'impression que la personne en question réagit exagérément à vos répliques. Pourtant, de son point de vue, ce sont *vos* réactions qui constituent des aberrations extrêmes dans un film usé à force de repasser dans le projecteur. Vous avez tous deux raison. Car ce sont les différences de point de vue qui caractérisent la perfection du processus et rendent chaque acteur apte à discerner les aspects appropriés du drame.

Lorsque cette période parfois douloureuse est passée, l'horizon redevient visible et l'on cesse de se voir perdu dans un mouvement sans direction. Car la direction se trouve dans les profondeurs de votre structure cellulaire. Et la recherche de vos fragments de conscience perdus dans ces profondeurs conduit à la libération de l'emprise qu'ils exerçaient sur votre vie.

Approchez donc avec gentillesse et compassion les êtres avec lesquels vous partagez des expériences en cette vie, car chacun joue du mieux qu'il peut le rôle difficile qui lui incombe. Sachez qu'il est dans le meilleur intérêt de tous ceux qui sont impliqués dans une situation donnée de vivre l'expérience jusqu'à l'achèvement au lieu de succomber à la tentation de quitter la scène brusquement, dans un accès de suffisance.

Il est beaucoup plus facile de voir les failles de la pensée et des réactions d'un autre être que de voir les siennes. Vous pouvez être certain que votre propre performance est également dénaturée dans le regard des êtres avec qui vous créez vos drames. Et la tendance à vouloir nécessairement *avoir raison* aux yeux des observateurs ne peut que nuire à l'objectif de l'échange. Finalement, vous pourrez percevoir l'ensemble du drame. Vous pourrez dégager la charge énergétique inhérente à l'attachement à une perspective conditionnée. Et vous pourrez avancer, de concert avec ceux dont les différences auront été des catalyseurs du changement monumental constituant le résultat du processus.

Lorsque vous aurez équilibré les énergies en cause, vous serez à même de reconnaître, rétrospectivement, la signification des scénarios qui auront émergé pour être résolus. Instantanément, ces drames vous seront familiers. Et le fait de reconnaître le thème qui leur est commun, une fois passé le feu de l'action, renforcera davantage en vous l'identification des schèmes d'expérience qui se présentent à vous pour leur achèvement en cette vie.

Chaque fois que vous terminerez un épisode difficile et que la libération émotionnelle de l'énergie sous-jacente aura été accomplie, il vous sera possible de constater qu'il s'agissait encore d'une expérience qui s'était répétée plusieurs fois. Et elle continuera encore à se répéter pendant quelque temps tandis que vous ramènerez à la surface, pour les dégager, les couches vibratoires retenues dans votre champ énergétique.

Laissez les épisodes de grande intensité se dérouler librement. Car si vous faites intervenir votre mental, votre jugement sur la profondeur de vos sentiments pourrait inhiber l'authenticité de votre réaction. L'objectif, ici, n'est pas de retenir, mais de libérer. Vos plus profondes émotions sont déclenchées intentionnellement, non dans le but de renforcer votre aptitude à les réprimer mais plutôt de susciter une profonde réaction.

Ainsi, vous pouvez prévoir un peu le type d'interaction que vous êtes susceptible d'expérimenter. Pourtant, la reconnaissance du thème sous-jacent qui est représenté n'élimine aucunement le besoin que les épisodes expérientiels continuent à se manifester, puisque c'est par la stimulation répétée du corps sensible que s'accomplit la libération vibratoire. Votre suivi mental du voyage n'est qu'un aperçu fascinant du véritable travail qui s'effectue ici. Car votre saisie cognitive du processus est beaucoup moins signifiante que la manifestation de l'émotion stimulée par les circonstances.

Attendez-vous à ce que les épisodes familiers de drames se jouant sur des thèmes-clés de votre vie s'intensifient à mesure que vous avancerez plus profondément dans le processus de libération. La manifestation de situations plus intenses qu'auparavant n'indique pas que vous avez échoué dans la libération de leur charge émotionnelle ou dans la compréhension de leur signification. L'intensité croissante de vos expériences, dans cette phase de votre voyage, indique plutôt une progression du travail de libération entrepris. Les niveaux les plus significatifs de ce travail ne peuvent être approchés avant que n'aient eu lieu certaines expériences préparatoires.

Cet aspect du voyage est le résultat de l'enlèvement des couches de densité expérientielle en vue de révéler des niveaux d'intensité qui souvent étaient en sommeil depuis plusieurs vies. En comprenant un peu mieux les types d'expériences que vous résolvez, vous percevrez l'intemporalité de certains de ces thèmes. De profonds niveaux de souffrance, de chagrin, de déception ainsi que d'autres réactions aux événements cataclysmiques se trouvant dans votre histoire cellulaire ont maintenant l'occasion de vous être révélés par le véhicule de vos émotions. Quand vous rencontrez une profondeur d'intensité émotionnelle disproportionnée à l'incident qui se produit, sachez qu'il est tout à fait possible que vous soyez rendu au point où les schèmes énergétiques de vies antérieures peuvent émerger et être dégagés.

Il n'est pas nécessaire que vous connaissiez ou compreniez la signification ou les détails de ces drames qui se jouent à d'autres niveaux de votre conscience. Ce qui est indispensable, par contre, c'est que vous ayez la volonté de réagir avec authenticité aux sentiments extrêmes provoqués par les catalyseurs de *ce* drame particulier. Et souciez-vous moins de la vraisemblance ou de la proportionnalité de vos réactions.

Avec le temps, vous comprendrez la nécessité d'atteindre les profondeurs de votre corps sensible pour faire face à l'évidence vibratoire de votre histoire personnelle. Tous les éléments doivent être mis en équilibre, dans la plénitude de cette étape de votre voyage, afin de vous préparer aux niveaux plus profonds du processus.

Il ne faudrait pas sous-estimer la signification de cette phase de votre travail transformationnel, car il vous sera impossible d'avancer et d'accéder à une perception supérieure si vous retenez en vous une densité émotionnelle. Présentement, il s'agit de vous brancher parfaitement sur l'histoire vibratoire inscrite en vous et de vous accorder, ainsi qu'à votre entourage, la grâce d'exprimer pleinement ce qui y est représenté.

Attendez-vous à ce que votre corps sensible vous fasse connaître des perceptions et des réactions plus subtiles. Votre structure vibratoire s'ajuste aux fréquences supérieures afin que vous puissiez supporter l'intensité de ce nouveau niveau sans succomber au contrecoup de la densité résiduelle non évacuée. Votre conscience de la réalité de ces changements et votre volonté de suivre le mouvement du processus vous rendront moins pénible cette période de transformation.

Vous serez guidé de l'intérieur, à un niveau dépassant votre conscience, pour naviguer dans les profondeurs de ces rites de passage expérientiels. Les mots-clés, ici, sont la confiance et l'abandon. Et votre volonté de renoncer au besoin de contrôler et de diriger votre voyage transformationnel vous facilitera la traversée des zones les plus difficiles. Sachez que votre conscience, à son plus profond niveau, comprend précisément ce qui se passe et la raison pour laquelle il est nécessaire que vous vous soumettiez à cette période de bouleversement. Votre propre confiance intérieure, démontrée lorsque vos sentiments défient votre esprit rationnel, vous aidera à attirer les expériences voulues et à les compléter facilement.

Sachez que vous êtes décidément sur la bonne voie, même si vous avez souvent l'impression que la vie a déraillé. Car le changement radical est à l'ordre du jour en cette époque, pour chaque individu comme pour tout ce qui compose votre monde physique. La vie n'est pas le petit chemin en ligne droite que l'on vous a appris à concevoir. Cette vie a pour programme un riche itinéraire de circonvolutions menant à votre destination. C'est la déviation du prévu qui rend ce voyage fascinant et vraiment enrichissant.

Avec le recul, vous poserez un regard serein sur cette période d'intense perturbation car vous comprendrez alors, grâce à une nouvelle perception, ce qui vous est réellement arrivé et pourquoi. La clarté complète vous échappera encore pendant quelque temps, mais les choses finiront par se calmer. Et, dans la tranquillité qui régnera en vous, vous serez engagé dans une nouvelle direction, vers un but supérieur, ce qui n'aurait jamais été possible si vous n'aviez pas traversé ces moments tumultueux.

Les expériences de ceux qui voyagent à vos côtés sont parfois similaires aux vôtres, ou très différentes. Il vaut mieux résister à la tentation de juger votre propre processus ainsi que celui des autres. Car chacun de vous est engagé dans la perfection de son voyage personnel vers l'Unité et possède un programme individualisé d'expériences destiné à lui faire atteindre sa capacité maximale de transcendance de ce niveau de réalité.

Aucun de vous ne porte le même fardeau quant au degré de densité impliqué dans cette incarnation. Et aucun ne dispose d'un raccourci qui éliminerait le besoin de désintoxiquer son champ énergétique de tout ce qu'il contient de négatif. Chacun d'entre vous est engagé dans un processus de purification cellulaire, à la fois au niveau physique et non physique, afin d'accéder à sa pleine capacité d'expression sous forme humaine. Et chacun réalise cette potentialité selon son échéancier et à sa manière.

Laissez vos frères et sœurs qui voyagent à vos côtés vivre leurs propres expériences comme ils l'entendent. Et résistez à la tentation de vouloir diriger le processus des autres selon votre propre compréhension acquise en chemin. Vous êtes ici pour accomplir votre propre voyage uniquement. Et même si vous jouissez d'une excellente camaraderie, chacun évolue en solo dans ses « moments de vérité ».

Plusieurs fois vous « atterrirez » dans cette réalité en cours de route, pour avoir des points de repère. Le paysage familier des circonstances et des autres êtres vous aidera à définir votre voyage, mais, essentiellement, votre pèlerinage est solitaire. Vous passez souvent d'une réalité à l'autre sans même savoir ce qui se déroule. Vous apprenez à stabiliser l'énergie de ces moments et à diriger leurs effets sur cette réalité que vous percevez comme étant *votre vie*.

Voilà les aptitudes qu'il vous faut acquérir tandis que vous êtes aux prises avec un paysage changeant constamment sous vos yeux. N'espérez pas que votre vie redeviendra « normale ». Ce n'était pas là ce que vous cherchiez quand vous vous êtes engagé dans ce périple. La « normalité » n'a aucune pertinence quant aux réalités auxquelles vous vous préparez. Ce que vous pouvez espérer à partir de maintenant, c'est que chaque instant possédera une fluidité magique tandis que vous connaîtrez la paix de savoir que votre vie ne sera jamais plus la même.

chapitre six

Raffiner votre compréhension de l'élan appelé « ascension ».

Atteindre le détachement émotionnel.

Réintégrer les aspects fragmentés de conscience.

La signification de l'adversaire karmique.

L'idée fausse du « pardon ».

Il y a actuellement des changements importants dans la structure cellulaire de chaque forme de vie sur votre planète. Ces changements permettront à chaque expression de conscience de se manifester, sous la forme physique, dans une version accélérée de son empreinte vibratoire.

Ce processus n'altère pas l'essence de l'être. Plutôt, il l'accroît et lui permet de s'exprimer à une octave supérieure. Il s'accomplit par étapes facilitant l'intégration de perceptions subtiles dans votre champ de conscience. En même temps, ces étapes favorisent l'harmonisation de votre énergie avec diverses formes de vie partageant cette essence fondamentale que l'on peut identifier comme étant *vous*.

C'est dans ce processus de réintégration que sont présentement les individus les plus « éveillés ». Et c'est dans les limites d'une forme physique que ceux qui luttent avec les symptômes de ce processus trouvent le moyen de se libérer de cette structure. Ce sont les limitations mêmes du corps physique qui constituent la base sur laquelle s'établit une perception libre de toute structure. C'est en assumant la dimension physique, plutôt qu'en la niant, que l'on peut transcender toute limitation.

La vérité recherchée ne réside pas dans le déni mental de l'état d'être procuré par vos sens physiques. Au contraire, c'est dans la pleine perception de cet état que vous pouvez simultanément connaître l'absence de limites de la totalité et percevoir cet état heureux comme étant ce que vous Êtes.

Ainsi, toute théorie vous incitant à croire que « vous n'êtes pas votre corps » est erronée. Vous êtes beaucoup votre corps. Vous êtes beaucoup vos pensées. Vous êtes beaucoup vos doutes et vos peurs. Vous êtes beaucoup vos rêves. Vous êtes beaucoup vos désirs inassouvis. Vous êtes beaucoup votre anticipation mentale de la fin des limitations que vous percevez comme votre identité physique. Et en même temps, vous êtes beaucoup l'expression d'un mouvement menant à l'achèvement d'un processus intemporel qui est la réunification de tout ce que vous êtes, tout ce que vous avez été et tout ce que vous n'êtes pas encore, en une expression totale de l'Unité.

Récemment, une certaine fausse conception est devenue populaire dans votre culture : celle selon laquelle vous renoncerez à votre identité et à votre forme au cours de votre voyage vers l'unification. Vous ne serez pas moins *vous* à la fin du processus que vous l'étiez au départ. La seule différence sera une perception accrue de tout ce que *vous* êtes réellement, et non le remplacement d'une expression de limitation par une autre. Car si vous deviez vous percevoir comme ayant renoncé à l'identité que vous savez maintenant être *vous*, cette idée même constituerait une limitation de la totalité de l'Unité qui *vous* considère comme une partie très importante d'elle-même.

Vous n'êtes pas, comme le voudrait une idée populaire, une création de votre imagination. Votre réalité n'est pas qu'un rêve.

Et votre monde n'est pas simplement un carrefour de coïncidences où vous êtes ballotté par les courants rapides du changement. Alors que votre vibration individuelle s'accélère en relation avec votre dimension totale, votre réalité se manifeste clairement comme un reflet de vos choix. Vous n'avez plus le loisir de vous leurrer en croyant être sujet aux effets d'événements hasardeux. Car il devient évident, à mesure que diminue le laps de temps entre la conception d'une pensée et la manifestation de la réalité, que vous seul créez tout cela. Vous vous rendez alors compte de votre possibilité de choisir ce que vous désirez expérimenter. Et les véritables défis d'une incarnation physique ont alors l'occasion de s'exprimer, à travers vous, comme réalité.

Que désirez-vous expérimenter en cette vie, sous votre forme physique ? Que voulez-vous rejeter comme bagage inutile dans votre voyage ? Que souhaitez-vous réellement être à vos propres yeux ? Sachant que tout est possible désormais, vous êtes en mesure de faire des choix signifiants. Et, en même temps, vous pouvez assumer entièrement la responsabilité de leurs conséquences. Vous deviendrez à la fois le créateur et la création, capable d'expérimenter pleinement l'expression illimitée comme le fruit de toutes les graines que vous aurez semées.

Alors que s'accélère votre voyage vers l'Unité, votre expérience comme être physique vous procure une perspective plus large ainsi qu'une conscience plus grande des dimensions supérieures de l'existence. Alors que vous fusionnez avec les aspects supérieurs de votre être, votre expérience *ici* se colore de cette perspective élargie. Et même si la réalité telle que vous la percevez demeurera l'« ici-maintenant », votre perception de vous-même dans cette réalité s'élargira. Essentiellement, vous manifesterez *ici* votre propre conscience accrue en même temps que vous serez présent énergétiquement au niveau suivant, ajoutant votre propre pièce à l'équation énergétique qui est la somme de tout ce que vous êtes.

De même, alors que vous intégrez les fragments de votre conscience, ces aspects de votre être adoptent votre perspective supérieure. Dans l'élan global qui dirige simultanément tous les aspects du soi, exprimés dans toutes les dimensions où *vous* êtes présent, tous peuvent manifester la perspective élargie d'une *conscience supérieure*. Et tous, à l'unisson, prennent alors part au mouvement connu sous le nom d'« ascension ».

Vous êtes présentement bien engagé dans le processus d'ascension. Car cette dernière n'est pas un « événement », mais plutôt un élan. Il ne s'agit pas de quelque chose qui « survient » à un individu, à un moment donné, et qui transforme instantanément sa réalité. L'ascension est un changement graduel. Elle est un changement de conscience, de perspective, de vibration. Un alignement conscient sur votre être véritable, afin d'acquiescer au processus et d'y participer pleinement.

L'ascension est un mouvement universel, un désir ardent, un effort, une libération, un abandon. La joyeuse culmination de votre voyage terrestre sous une forme physique. Ce n'est pas quelque chose qui vous est donné. C'est *vous* qui amorcez le processus. C'est *vous* qui l'orchestrez et qui en faites pleinement l'expérience, celle d'un voyage évolutif. Vous avez vous-même préparé depuis longtemps le terrain à ce changement destiné à vous faire participer consciemment à la culmination de votre voyage.

Pour plusieurs parmi vous, les stades initiaux du processus de transformation sont presque achevés. Et, dans plusieurs cas, ces aspects du travail ont été assez douloureux. Car il vous a fallu affronter dans les profondeurs de votre conscience les schèmes négatifs et les énergies stagnantes que vous transportiez dans votre champ énergétique. Des émotions réprimées, des tendances négatives, des habitudes comportementales, des accoutumances et une mentalité de victime ont été brusquement ramenées à la surface afin que vous puissiez examiner la preuve que l'énergie logée dans votre forme physique était mal dirigée.

Beaucoup de travail a été accompli, conjointement avec les aspects supérieurs de votre propre conscience, dans le but de vous préparer à la libération de ces schèmes contraignants. Mais il reste encore beaucoup à faire, alors que le processus lui-même approche de son achèvement. Car il ne faut pas sous-estimer les subtilités des dernières étapes. Et les tendances les plus anodines en apparence peuvent avoir pour conséquence à long terme la capacité d'avancer à partir d'un thème expérientiel, ou la nécessité de « répéter la pièce » afin de définir crûment ce drame que vous appelez votre vie.

Vous prendrez profondément conscience des fils qui tissent presque instantanément la tapisserie de l'expérience sur certains thèmes de votre vie. Vous vous souviendrez spontanément des occurrences similaires et vous comprendrez qu'elles sont toutes liées. Vous serez à même d'identifier l'évolution des niveaux d'expérience dans certaines catégories de vos thèmes. Et vous serez émerveillé par les exemples les plus simples de certaines expériences vécues, même dans l'enfance.

Tandis que vous accumuliez diverses expériences majeures, leur niveau de complexité et d'intensité s'accroissait progressivement. Vous avez sans doute été témoin récemment d'exemples bouleversants de problèmes sur lesquels vous avez travaillé toute votre vie et qui reviendront encore pendant un certain temps. Idéalement, alors que vous approchez des derniers stades de ce processus, ces expériences ne vous piégeront pas dans les drames qu'elles traduisent. Il est à espérer que vous puissiez plutôt transcender l'« appât » contenu dans l'expérience et en maîtriser les circonstances, libre du conditionnement émotionnel dont elle était *chargée* jusque-là.

Il n'est évidemment pas facile d'atteindre un tel détachement. Car les niveaux d'épreuve présentés dans les derniers stades de votre processus sont complexes et remplis de « bombes à retardement » potentielles réglées pour exploser si la charge émotionnelle atteint sa cible. Il s'agit, au moment où ce genre d'expérience survient, de reconnaître le thème qui vous est présenté sans laisser s'activer le « détonateur ». Avec le temps, on en vient à atteindre un état d'être où l'on réagit avec détachement à toutes les occurrences ainsi *chargées* émotionnellement.

Finalement, c'est ce détachement qui devient le catalyseur de la manifestation d'expériences entièrement différentes. La charge émotionnelle que vous portez tous en vous au niveau cellulaire aura alors été libérée sur chacun des thèmes de votre vie et ne pourra plus attirer les expériences d'une vibration similaire. Une fois que vous avez transcendé le schème de réaction automatique, celle de l'émotion centrée sur l'ego, et que vous l'avez remplacé par une réaction automatique d'indifférence quant au résultat, vous accédez à un état d'être où vous êtes capable de manifester les expériences de vie désirées.

À mesure que vous progressez dans votre voyage, vous avez tendance à jouer davantage le rôle d'observateur que celui d'objet de votre expérience. Vos meilleurs enseignants sont les êtres qui vous ont cherché noise tout au long de votre vie. Ceux avec qui vous avez eu les relations les plus acrimonieuses ont reçu ce rôle de vous et, rétrospectivement, vous verrez qu'ils l'ont tous joué admirablement. De votre côté, vous avez été un catalyseur énergétique pour plusieurs êtres avec qui vous avez une interaction conflictuelle. Votre propre attitude suffisante dans ces situations n'annule pas l'effet de votre participation du point de vue de celui qui fut votre adversaire dans tel ou tel drame donné.

Idéalement, alors que vous acquérez une vue d'ensemble du processus, vous pouvez assumer la responsabilité de tous les rôles qui ont été joués sous les divers aspects d'un problème. Car il est rare que l'on expérimente un thème de vie à partir d'un seul point de vue. Il est plus que probable que vous ayez fait l'expérience de ce thème à partir des deux côtés, et souvent simultanément. Ce peut même paraître amusant lorsque vous reconnaissez le schème du thème et que vous vous voyez à la fois comme l'exécutant et la victime du méfait.

Il y en a qui affirment que certaines relations et interactions entre individus sont karmiques. Dans la mesure où la charge énergétique de certains problèmes ne se dissipe pas lorsqu'un individu quitte son corps à la fin d'une vie, cela peut être vrai. Ce que signifie ici le mot « karmique », c'est que certaines ententes conclues entre des individus transcendent une incarnation physique donnée et sont donc valides dans une incarnation suivante. Ainsi, un individu peut être attiré dans des drames avec des êtres qui jouent ce rôle depuis très longtemps et qui continueront d'ailleurs à le faire jusqu'à ce qu'ils puissent en dépasser le besoin.

L'erreur que l'on fait fréquemment en employant le mot « karmique », c'est de prêter un certain degré d'inévitabilité à la relation et d'abandonner ainsi une partie de sa responsabilité pour le rôle que l'on joue dans l'interaction. Le réel avantage des relations dites karmiques et qui sont à prédominance conflictuelle, c'est que chaque individu qui se retrouve toujours mêlé à la même histoire dans des incarnations successives devient un excellent acteur connaissant parfaitement son rôle. Ce que ces relations procurent à celui qui les expérimente, c'est de reconnaître la Divinité du rôle d'adversaire, la Divinité de sa réaction de vibration inférieure, et de permettre à l'amour qui existe véritablement au niveau le plus élevé entre ces individus de faire surface et de grandir. Car chacun a choisi de jouer le rôle qui lui a été attribué. Chacun a choisi d'avoir ainsi l'occasion de transcender le drame et d'apprendre la leçon.

Ce qui s'offre donc, c'est la chance de renoncer à avoir « raison » dans la situation donnée, afin de reconnaître plutôt que les circonstances constituent un faux problème si les êtres sont alignés dans l'Unité. L'adversaire karmique devient alors le catalyseur d'un changement quand aucune des parties concernées n'est attachée au dénouement de la situation. Et l'on peut choisir de s'engager dans le conflit ou de poursuivre son chemin paisiblement. L'interaction avec des individus particuliers sur certains thèmes de votre vie est terminée lorsque vous désirez sincèrement le bien de l'individu qui y a joué le rôle le plus offensant.

Ce sentiment dépasse le concept traditionnel du *pardon*. Généralement, le *pardon*, tel qu'il est communément compris et appliqué, est le geste conscient par lequel un être se libère d'un problème futur en prétendant oublier le blâme d'une action passée. Bien qu'en théorie cet effort semble bien intentionné, il représente en pratique un acte complaisant qui produit rarement le résultat escompté. Car l'attitude que l'on a à l'égard du problème en question ne change pas. Ainsi, la charge d'énergie négative est retenue au niveau cellulaire et elle attire encore sur l'individu une série continue d'expériences sur le même thème, qu'il y ait eu ou non un *pardon*.

En fait, pour mettre fin à ce schème, il ne s'agit pas de *pardonner* à l'autre partie sa transgression, mais plutôt de se détacher totalement du dénouement de tout *drame* lié à cette question. Cet acte alors n'est plus un geste de pardon, lequel est basé sur le blâme ou l'absence de blâme d'une action perçue comme mauvaise, mais bien plutôt un geste de totale transcendance de l'attachement au résultat.

Dans cet état élevé, nous pouvons regarder avec amour un individu qui joue son rôle consciencieusement, et poursuivre notre route sans être affecté d'aucune manière, ni dans un sens ni dans l'autre. Ainsi, la charge vibratoire que comporte la situation ne peut s'exercer et il y a moins de probabilités que l'on assiste à la répétition de ce drame particulier.

L'être transcendant ne parvient pas à cet état de sublime indifférence du jour au lendemain. Il lui faut un peu d'exercice. Mais, alors que vous commencerez à reconnaître les schèmes de vos interactions quotidiennes avec les autres, il semblera y avoir de moins en moins de conflits et de plus en plus d'harmonie. En cette époque d'accélération de toute expérience, vous pouvez anticiper la fin prochaine de plusieurs des drames dominant votre vie et l'avènement d'une nouvelle octave d'expérience qui s'installera graduellement pour devenir la prochaine phase dominante de votre voyage vers la reconnaissance de votre Unité avec toute la Création.

chapitre sept

Le pouvoir de l'intention.

La prescription énergétique pour la paix mondiale.

Le rôle de chaque individu dans la création du conflit global.

Assumer la responsabilité de l'effet de chaque action sur l'ensemble.

Seul existe le maintenant. Il n'y aura jamais rien d'autre. C'est cela que vous êtes tous venus expérimenter sous une forme physique. C'est sur ce concept qu'est fondée votre compréhension profonde de la vraie nature de votre réalité. Il n'y a pas de passé. N'existe que ce qui peut être créé. Et la création, par définition, ne peut se produire que *maintenant*.

Votre monde tel que vous le montre votre expérience est basé sur un système d'action et de réaction, de cause et d'effet, de perceptions linéaires fondées sur des commencements et des fins. En fait, aucun de ces concepts n'est ce que votre expérience vous a montré qu'il était. Vos perceptions ne sont que des instruments de mesure par lesquels il vous est possible d'évaluer votre capacité à manifester l'intention dans une forme. Pour les besoins de la discussion, éliminons la forme pendant un moment. Il ne reste alors que l'intention pure. C'est ce qui *est*. C'est là l'essence de la Création. C'est ce sur quoi repose tout le reste.

Votre intention, à n'importe quel moment, prépare le terrain à la pleine manifestation de votre expérience. Il n'existe pas d'événements aléatoires. Les choses ne vous arrivent pas *toutes seules*. L'intention est l'élément cohésif qui manifeste le conceptuel dans une forme. En cette époque d'accélération sans précédent de la vibration qui se manifeste sous la forme de votre réalité, le laps de temps entre la création d'une intention et sa matérialisation dans une « forme » ou un « événement » est négligeable. Et la corrélation entre l'intention et la manifestation deviendra évidente alors que le laps de temps qui les sépare continuera à diminuer. Finalement, quand votre domaine d'expérience atteindra de plus hautes fréquences vibratoires, la manifestation sera instantanée.

Pour ceux parmi vous qui vibrent en accord avec l'extrémité supérieure du spectre énergétique englobant votre réalité, l'expérience de la manifestation instantanée est à portée de main. Et cette capacité sous-entend la responsabilité des effets de l'intention non seulement sur leurs circonstances, mais aussi sur la réalité expérimentée par tous.

Les changements majeurs de cette époque requièrent un changement de conscience équivalent. Ce qui se produit plus ou moins en chaque individu qui comble le vide de conscience entre le monde d'hier et celui de demain, c'est l'abandon systématique des schèmes de réaction désuets qui continueraient à manifester une réalité obsolète, de moins en moins pertinente. En chacun de vous a lieu un changement radical de perception. Et chacun subit une transformation des idéaux qui sont à la base de vos réactions à vos expériences quotidiennes.

Les situations où vous accordiez une grande importance au maintien d'une attitude particulière sont désormais perçues comme moins cruciales. Le besoin d'avoir « raison » en toutes circonstances et de défendre son point de vue à tout prix laisse soudain la place au besoin d'harmonie et à une perception spontanée de la perspective de l'adversaire. Le désir de triompher sur l'autre, quelles que soient les circonstances, est celui de l'ego. Et cet état de séparation centré sur l'ego constitue le facteur prédominant cherchant à saboter le mouvement vers l'unification dans l'Unité, sur quoi est focalisée toute énergie partout dans la Création.

Le processus d'abandon de l'attachement conditionné aux réactions acquises cultivées par l'ego a été graduel. Cette fois, le mouvement de vibration accélérée a pour résultat un changement dramatique de conscience chez tous ceux qui sont en accord avec ce changement. Les interactions sont plus intenses et les émotions suscitées visent à conduire à son point extrême le motif sous-jacent à l'exercice, de sorte que les interactions paraissent des caricatures des comportements auxquels on pourrait normalement s'attendre.

Quand on n'est plus dans le feu de l'action, on se demande « ce qui a bien pu se passer ». Et l'on reconnaît que certaines réactions sont démesurées par rapport aux circonstances qui les ont provoquées. Idéalement, cette conscience amène l'individu à examiner sa propre participation au drame. Et elle offre un répit des besoins vaniteux de l'ego qui rendent l'individu aveugle à la vérité cachée sous la dynamique en question. Idéalement, le prix à payer pour avoir « raison » est douloureusement évident lorsque l'on s'aperçoit que l'on a perdu dans la victoire ce qui était peut-être le plus précieux.

Il faut vous attendre à des émotions extrêmes, à la fois en vous et chez ceux avec qui vous êtes en interaction. Préparez-vous, dans votre vie quotidienne, à des drames visant à stimuler des comportements acquis enracinés dans la limitation et l'ego. Les attitudes que vous niez doivent être démasquées et examinées soigneusement afin d'être modifiées. Attendez-vous à de nombreuses occasions d'accélérer le changement de conscience qui vous permettra de mieux manifester votre réalité.

Dans l'état d'être vers lequel vous vous dirigez présentement à une vitesse inouïe, la création de votre intention et sa manifestation sont simultanées. Cette aptitude serait extrêmement dangereuse chez des êtres ne cherchant que leur propre intérêt. Et les expériences extrêmes correspondantes qui se manifestent antérieurement à l'atteinte de ce niveau visent indubitablement à bien faire saisir le problème par ceux qui sont encore enlisés dans la résistance. Car le changement de conscience sera vécu par tous. Finalement, le mouvement vers l'état d'Unité nécessite l'harmonisation de l'intention de tous. Toute énergie non en phase avec ce mouvement en subira les conséquences et sera fortement incitée à s'aligner sur les paramètres de la réalité qui s'en vient rapidement.

Les mécanismes d'autoprotection, comme la rationalisation d'un comportement pour justifier une attitude dans telle ou telle situation, ne servent qu'à différer le renoncement au besoin de contrôler le résultat de certains types d'interactions. Finalement, le besoin de réagir aux circonstances visant à provoquer une réaction prévisible et conditionnée disparaît. Quand on est capable d'abandonner le besoin de contrôler la situation et d'en ressortir en position de domination, la charge énergétique qui l'accompagne est diminuée et l'intensité de l'interaction décroît en proportion. Finalement, on cesse complètement de manifester de tels conflits, puisque l'énergie qui les attire n'est plus présente.

Voilà donc, essentiellement, la recette énergétique de la « paix », que vous êtes si nombreux sur votre planète à faire semblant d'appliquer. Pour *créer* véritablement la « paix » à l'échelle globale, il est nécessaire de prendre du recul quant au conflit global et de percevoir les interactions qui le précipitent, soit des manifestations d'énergie. Pour changer un environnement où règne suprêmement le désaccord, il est inutile de se livrer à un duel où la bravade tiendrait tête à la bravade. L'hostilité face à l'hostilité ne peut générer qu'une hostilité accrue et renforcer les bases vibratoires de la situation, de sorte qu'elle continuera à se manifester.

Pour changer l'énergie sous-jacente à ces situations globales, il est nécessaire de s'en prendre à celle-ci. Chaque participant, quelle que soit l'importance de son implication, ajoute une pièce à l'équation énergétique. Un état d'esprit axé sur la « domination à tout prix » génère comme manifestation la vibration de séparation enracinée dans l'ego, lequel ralentit l'élan de la race humaine dans son voyage vers l'Unité avec la Création entière. Pour faire bouger les énergies stagnantes du conflit global, il faut reconnaître le besoin de changer les énergies de la dynamique interpersonnelle de *tous* les participants.

Chaque individu a la responsabilité de prendre conscience des schèmes réactifs visant à nourrir les énergies inférieures de la séparation. Une réaction non combative à une rencontre provocatrice en dissipe la charge énergétique et établit les conditions nécessaires à l'harmonisation des intérêts mutuels de ceux que cela regarde.

Si vous réagissez constamment aux conflits avec l'intention consciente de *ne pas* « jeter de l'huile sur le feu » en cherchant à imposer votre position et en vous efforçant d'en émerger « vainqueur », vous agissez sur l'énergie de chaque rencontre de la meilleure façon possible. Car l'adversaire, devant une réaction non combative, est privé des outils énergétiques nécessaires pour envenimer le conflit, et ainsi l'énergie apportée à la rencontre par les individus se dissipe. Lorsque chacun maîtrise un conflit potentiel en le contournant énergétiquement et consciemment, il apporte une contribution qui est expérimentée globalement.

Le tout n'est que la somme de ses parties. C'est le fondement même de l'élan, propre à cette époque, vers la réunification avec toute la Création. Ce mouvement qui anime le changement de conscience sans précédent que connaît actuellement un si grand nombre comporte pour l'individu l'occasion de reconnaître qu'il *fait* réellement avancer les choses. Chaque mot, chaque geste, chaque choix, avec les sentiments et les croyances qui leur sont sous-jacents au niveau du cœur, ajoutent à l'énergie de l'ensemble.

En vérité, *tous* sont responsables, énergétiquement, de la cocréation du conflit global. Mais tous sont également capables de déployer les efforts pour la paix mondiale en assumant la responsabilité de l'énergie projetée dans chaque rencontre avec chaque humain qui partage avec eux cette grande aventure de la « vie ».

C'est dans cet état d'esprit conscient que l'être transcendant que vous êtes intérieurement doit progresser en cette époque. Quand vous comprendrez clairement que les situations qui ébranlent le monde partout sur le globe affectent chaque forme de vie avec laquelle vous partagez ici la réalité de l'existence, vous commencerez à réaliser l'existence du réseau complexe d'interconnexion et, par le fait même, à agir sur celui-ci.

Il est beaucoup trop facile de fermer les yeux sur les événements qui se déroulent à l'autre bout du monde et de faire comme si ces situations ne vous touchaient pas directement et personnellement. L'avènement de l'information instantanée dont votre dimension s'est pourvue élimine l'excuse des civilisations antérieures pour se détacher de la responsabilité globale de tous les événements, quel que soit l'endroit où ils ont lieu. Votre civilisation ne peut s'offrir le luxe de cette excuse.

La tendance de la plupart des gens à se dégager de toute responsabilité quant à la situation mondiale, ce qui autrefois pouvait être mis sur le compte de l'absence d'information, ne peut plus être acceptée aussi facilement aujourd'hui. Car chaque être qui vit et respire ici possède la pleine capacité de créer, maintenant, le monde tel que l'Intention divine l'a conçu.

Vous êtes au seuil d'un tout nouveau domaine d'expérience. Vous avez presque atteint votre capacité de divinité sous une forme humaine. Et certains ont même pu entrevoir leur aptitude divine à cocréer le monde tel qu'il fut conçu. Sachez que les seules limitations qui existent sont celles que vous établissez vous-même. L'*ascension* et l'harmonisation de toute vie existant dans votre monde représentent un même état d'être constamment en évolution, lequel est affecté par chaque respiration, chaque mot prononcé et chaque expression de votre intention collective matérialisée.

Que chacune de vos actions soit consciemment inspirée et vous ferez une contribution significative. Que chacun de vos gestes reflète la conscience de votre interconnexion à toute vie et cet acte créateur portera la charge vibratoire nécessaire pour faciliter un changement de conscience collectif.

Ne tombez pas dans le piège de croire que la situation mondiale est « hors de contrôle ». C'est plutôt le contraire ; elle est parfaitement « sous contrôle ». Elle est sous le contrôle constant de l'état d'esprit collectif qui la crée et la recrée dans le moment toujours en évolution du maintenant. Les conditions adverses qui affligent présentement votre monde ne sont pas le résultat de facteurs aléatoires dont vous seriez les victimes. Tout y est basé sur l'énergie. Tout y a été créé énergétiquement par la force unifiée de tous les êtres vivant ici. Et tout pourrait y être remplacé instantanément par des conditions reflétant l'idéal de toute la Création si tous les cœurs étaient focalisés dans cette intention. Cela *est* réalisable. Cela se *réalisera*. Il ne reste qu'à savoir qui fera l'expérience de quoi dans le processus de ce changement.

Le mouvement vers l'unification de l'Unité avec la Création entière est amorcé. La force de ce mouvement est un fait de la vie elle-même et ne peut être entravée. Car le pouvoir de l'Amour est littéralement inexorable. Il exerce sa capacité de se manifester pleinement et de se créer – de créer son essence vibratoire – dans chaque expression concevable de la vie.

Ce qui est optionnel, c'est la joie exquise que sont destinés à connaître ceux qui sont alignés sur l'Intention divine. Ce qui est optionnel, ce sont les traumatismes qui seront cocréés et expérimentés par ceux dont les choix refléteront leur manifestation de la séparation de ce mouvement. Ce qui est optionnel, c'est le sentiment d'incertitude éprouvé par ceux qui sont légèrement conscients de leur capacité à faire avancer les choses en cette époque et dont la réticence à suivre leur intuition et à défier la pensée consensuelle les laisse figés dans un passé éternel.

La vie est une avancée, une danse avec le vent, une harmonisation avec la joie du nouveau souffle de chaque forme de vie sur la planète. L'époque vous invite à cette danse de la Création. Voilà la réalité que vous êtes en mesure de manifester à ce carrefour spatiotemporel que vous percevez comme étant votre monde. Et seul ce moment vous fera franchir toute la distance jusqu'à votre destination. Le moment présent. Ce moment même du maintenant.

chapitre huit

Anticiper des expériences extrêmes
alors que les thèmes de vie arrivent à terme.

Oser rêver.

Affronter le vide.

Comprendre la foi aveugle.

Atteindre la perspective de la multidimensionnalité.

Quand une âme émerge à la conscience éveillée, les multiples expériences qu'elle a connues au cours d'innombrables incarnations se libèrent de leur charge énergétique, laquelle lui attirerait de nouvelles répétitions de ses thèmes de vie majeurs si l'achèvement n'était pas imminent. Alors que l'individu approche de la plénitude inhérente à un thème donné, la charge qu'il transporte atteint un paroxysme, provoquant des épisodes particulièrement dramatiques qui illustrent la leçon en question, de sorte que plus aucun doute ne subsiste quant aux problèmes sous-jacents.

Alors que vous vous *éveillez* et que les problèmes vous apparaissent dans toute leur évidence, ne vous alarmez pas si vous vous trouvez immergé dans des situations extrêmement discordantes.

C'est vous qui les avez suscitées. Pas consciemment, bien sûr, car vous croyez pouvoir vous passer entièrement de ce genre d'inter-action. Sur le plan vibratoire, cependant, la puissante charge énergétique encore présente dans votre champ d'énergie peut manifester des occasions d'explorer ces thèmes, même si vous avez peut-être atteint la parfaite compréhension de la dynamique.

Il vous faut plus qu'un grand « ah ! » pour évacuer complète-ment les résidus énergétiques d'un thème de vie lorsque la lumière se fait enfin dans votre esprit conscient. Quand ces épisodes drama-tiques se présentent, n'allez surtout pas croire qu'ils démontrent un recul spirituel de votre part. C'est tout le contraire. Puisque vous avez manifesté des expériences extrêmes tout en étant clairement centré sur le cœur quant au problème en question, vous approchez de son achèvement. Vous désirerez réagir de manière à ne pas aug-menter de nouveau la charge énergétique qui est en train de s'éva-cuer alors que certains chapitres sont près de se conclure. La conscience réelle du processus ardu que vous avez traversé vous permettra de réagir avec détachement et de maximiser votre poten-tiel de faire cesser définitivement ces drames récurrents.

Tandis que s'accroît votre capacité de manifester votre expé-rience quotidienne, vous ne pouvez plus vous offrir le luxe de croire que les circonstances dans lesquelles vous vous retrouvez surviennent par hasard. Vous ne pouvez plus ignorer les *coïncidences* suscitées par la conscience de victime. Il devient évident, lorsque le contrecoup est virtuellement instantané, que vous avez joué un rôle énorme dans la création de vos pires cauchemars. Cette clarté initiale prépare le terrain à une vue d'ensemble éclairée de toute la saga. Et vous pouvez voir les fils qui se sont emmêlés dans la tapis-serie de tumulte et de triomphe qui illustre votre histoire.

Avec une vue d'ensemble, vous pouvez voir l'humour et l'ab-surdité qu'elle comporte. Et vous pouvez voir aussi vos étonnantes pitreries et votre aveuglement à l'égard de ce qui vous semble maintenant évident et évitable. Quand ce type de circonstances n'a plus aucun effet sur vous et que vous savez en éviter les appâts énergétiques, il vous est enfin possible de créer des conditions où les occasions d'y succomber ne se manifestent plus. En cette époque d'achèvement, il s'agit de préparer le terrain à de nouveaux types d'expériences. Quand les résidus énergétiques de ces drames auront été éliminés, vous serez prêt à créer un tout nouveau genre d'aventure.

Dans la réalité que vous cocréerez avec vos chers frères et sœurs qui partagent cette vie avec vous, le meilleur dénouement possible pour tous se manifestera automatiquement. Car tous sauront qu'il ne peut en être autrement. Dans cet état de création spontanée, l'individu s'attend à vivre le meilleur scénario possible en toutes circonstances et c'est cela qui devient sa réalité.

La question qui surgit est alors celle-ci : Que *veut*-on expérimenter comme réalité ? Il ne s'agit pas de savoir ce qui est *possible*, car, dans ces conditions, tout l'est. Il n'y a pas de limites. Votre réalité se manifeste en un mélange de volonté et de désir, en une combinaison de l'intention et de la joie passionnée de cet acte créateur. On voit alors la vie sous une tout autre perspective, la percevant comme la chronique d'un désir profond qui porte ses fruits et jouissant d'elle comme d'un droit naturel.

Le changement est subtil. Quand vous l'aurez effectué, vous ne serez sans doute conscient d'avoir réellement franchi le cap qu'après vous être rendu compte que les obstacles et les empêchements qui vous étaient devenus si coutumiers ont disparu. Vous cesserez alors d'anticiper les échecs et donc de les créer. Car ce que l'individu s'attend à expérimenter prépare le terrain à la manifestation de cette expérience, sous une forme ou une autre. Quand on s'attend au meilleur résultat possible pour tous ceux qui sont concernés, ce résultat ne peut que se manifester en tant que réalité. Dans les conditions du monde au bord duquel vous vous trouvez, cette matérialisation instantanée de l'intention est la norme à partir de laquelle toute expérience sera évaluée.

Naturellement, le libre arbitre joue un grand rôle dans le nouveau paradigme. En ce sens, l'individu sera parfaitement capable de manifester tout autant des scénarios désastreux que des scénarios heureux. Et il deviendra profondément conscient du pouvoir de ses pensées, de ses émotions et de son intention focalisée. La manifestation instantanée de la mauvaise volonté ou d'une focalisation négative est le danger potentiel de ce monde où l'on crée énergétiquement. Et ceux qui céderont à la tentation de faire usage de ce pouvoir subiront instantanément des représailles si sévères qu'il leur sera impossible d'ignorer ou d'oublier la leçon. Afin de vous préparer à ces conditions, vous vous équipez présentement d'un mécanisme réactif destiné à contourner les dangers d'une réaction focalisée sur l'ego.

Tandis que la vibration de votre monde continue de s'accélérer à une vitesse sans précédent, le cadeau potentiel de la manifestation instantanée a été placé entre vos mains par ceux d'entre vous qui sont les précurseurs des temps à venir. Alors que chacun en arrive à l'achèvement de ses thèmes de vie et ajoute une plus haute vibration à l'énergie de l'ensemble, les conditions de la collectivité se normalisent et tous en font l'expérience.

Certains manifesteront leur pleine magnificence et s'harmoniseront à l'Unité au moment de leur transition. D'autres refuseront obstinément de céder au mouvement même de la vie vers l'Unité et subiront les affres de la séparation dans des conditions intensifiées. Nul n'échappera à la conscience du changement énorme qui se prépare. Et aucune âme, quelle que soit la profondeur de son déni, ne pourra émerger de cette époque sans avoir appris qu'elle porte la responsabilité de sa réalité. Car tous reconnaîtront que celle-ci reflète fidèlement leurs propres choix.

Ces choix qui sont faits dans les conditions du nouveau monde de la manifestation instantanée proviendront d'une intention consciente plutôt que d'un réflexe circonstanciel issu d'une réalité amoindrie. Quand on l'utilise comme un instrument de manifestation consciente des circonstances reflétant le plus grand bien collectif, la capacité de manifester son plus cher désir sous une forme physique devient le moyen par lequel chaque individu, au plus profond de sa conscience, peut harmoniser sa volonté personnelle avec celle de l'ensemble.

Quand chaque être est parfaitement focalisé sur les effets de ses propres actions sur la collectivité, cette conscience se reflète exponentiellement dans toute la Création, ajoutant une perspective supérieure et une intention harmonieuse à Tout ce qui Est. De même, quand on s'est harmonisé avec la focalisation du cœur de tous sur le bien-être universel, la vibration de l'intention élevée de la totalité se reflète dans ce qui est manifesté par chacun des aspects de l'ensemble. C'est l'illustration ultime de l'expression populaire selon laquelle chaque être « fait avancer les choses ». C'est effectivement le cas, et beaucoup plus que vous ne croyez.

Le défi, dans cet état d'être émergent, c'est d'atteindre l'équilibre entre la vue d'ensemble et les conséquences personnelles de vos choix. Quand ces derniers sont effectués dans la perspective d'un gain personnel ou matériel au détriment du bien collectif, cette vibration de *séparation* met en mouvement une configuration énergétique favorisant la manifestation de circonstances qui augmenteront le sentiment de séparation.

En optant pour des solutions égocentriques, on crée des conditions énergétiques dans lesquelles on vivra des situations désagréables exprimant le message caché de la séparation. Une fois que l'on est engagé dans une telle spirale énergétique, il devient facile de revivre des vieilles croyances qui ont pu se manifester plus graduellement dans d'anciennes conditions vibratoires. Et l'on perd de vue le message sous-jacent à tous les choix du nouveau paradigme : le reflet de son alignement sur le mouvement de l'unification, ou le reflet de son adhésion à l'illusion de la séparation de l'Unité.

Finalement, la focalisation devient claire. Et les options sélectionnées à chaque tournant traduisent des choix qui ont pour effet la plus haute expression de tous. Vu de cette perspective, aucun choix ne bénéficierait moins à l'individu tout en servant le plus grand bien universel. En appliquant maintenant ces principes et en démontrant que vous êtes conscient de créer votre propre expérience, vous êtes à même de mettre en mouvement une nouvelle norme de réaction conditionnée qui reflète et manifeste constamment le meilleur résultat possible de toute interaction.

Alors que vous deviendrez tous conscients de la vraie nature de votre réalité et que vous comprendrez comment vous créez les circonstances qui rappellent votre état d'esprit à un moment donné, vous pourrez prendre du recul par rapport aux circonstances de votre vie et acquérir une vue d'ensemble. Idéalement, cette vision est un mélange de votre histoire dans un secteur d'expérience donné et de vos rêves et aspirations quant au meilleur résultat possible pour vous.

Quand vous vous offrez le *luxe* de fantasmer ouvertement et sans gêne aucune sur ce dont vous rêvez vraiment, vous mettez en branle les paramètres énergétiques de la manifestation de ces désirs. Tant que vous ne laissez pas s'exprimer librement toute la vision que vous nourrissez intérieurement, vous ne pouvez la créer dans votre réalité. Quand vous dirigez votre vie en entretenant la pensée de ne pas mériter la réalisation de votre plus cher désir, c'est-à-dire quand vous n'osez pas demander par votre énergie ce que vous voulez vraiment, de peur d'être déçu, la déception est virtuellement inévitable.

Si vous vous visualisiez dans des circonstances où vos plus profonds désirs se manifesteraient, sans réserve ni compromis, vous pourriez voir un changement radical des circonstances de votre vie, ce qui vous prouverait que vous seul les créez. Si vous osiez renoncer à la pensée limitée qui vous garde ancré dans l'expérience de la déception dans les secteurs qui vous importent le plus, vous pourriez entrevoir votre libération de ces schèmes. Et si vous faisiez le *saut aveugle* qui est nécessaire pour vous catapulter entièrement hors de votre ornière énergétique, vous pourriez éviter bon nombre de répétitions d'événements qui sont la norme dans ce processus. Ce *saut aveugle* ne s'effectue pas dans votre esprit, mais dans les profondeurs de votre cœur. C'est là, au cœur même de votre être énergétique, que réside la connexion qui vous fera finalement parcourir tout le trajet.

Quand vous reconnaîtrez cette haute connexion que vous portez dans votre cœur et que vous expérimenterez l'amour qui se trouve là pour vous, vous aurez fait le premier pas vers ce saut. Car cet acte de confiance ne peut venir d'un déni, ni d'une répression, ni de la peur du « vide », qui est virtuellement universelle. Il vient de l'audace de *faire face* au vide et de voir qu'il est la manifestation de l'illusion de la séparation. Afin de transcender cette peur ultime d'être *seul* dans cette odyssée qu'est la vie, il faut s'*y* abandonner totalement.

Afin de connaître par expérience l'absence de peur que procure l'alignement sur son Être divin, il faut passer par une série d'initiations. Ces manifestations, sous forme d'expériences, de la peur de l'état de *déconnexion* sont en fait des mécanismes illusoires que vous avez créés pour vous prouver qu'il en est autrement. En choisissant consciemment, au plus profond de votre nuit, de rejeter la vision désespérée qui semble inévitable et de croire que le résultat reflètera votre plus grand bien possible, vous ouvrez la porte à la confiance qui vous ramènera au foyer.

Ce *saut aveugle en confiance* a été évoqué depuis des lustres dans toutes les cultures de votre histoire. Pourtant, il est ridiculisé par plusieurs, en regard des circonstances présentes. Ce qu'il faut en cet « instant de vérité », ce n'est pas de la bravoure ni de l'héroïsme, mais un détachement total. Il faut vous libérer de tout attachement au résultat des circonstances. On y arrive lorsque, devant ce que l'on craint le plus, on peut être convaincu qu'il n'y a rien à craindre.

Dans ces moments-là, félicitez-vous du progrès extraordinaire que vous accomplissiez en tant qu'âme à chaque instant d'éveil. Le fait même que vous ayez été attiré par la lecture de ces lignes démontre votre ouverture au mouvement de ce voyage multidimensionnel. Sachez que cela démontre un énorme courage. Et de continuer à le faire malgré la pensée consensuelle vous place au premier rang de ceux qui sont destinés à émerger relativement indemnes dans un monde nouveau.

La possibilité d'éviter certains obstacles que la plupart manifesteront et choisiront de franchir réside dans votre capacité à renoncer, au moment voulu, au besoin de contrôler le résultat de la dynamique de toutes les circonstances dans lesquelles vous êtes. En substituant consciemment à votre intention personnelle la *permission* consciente de manifester le plus grand bien de la collectivité, vous augmentez les chances de créer le meilleur résultat possible pour vous-même. Ce faisant, vous vous assurerez un état d'être débarrassé des erreurs et des épreuves subies pendant des siècles et libre d'explorer les joies de la manifestation de la Volonté divine en accord avec la vôtre.

C'est l'heureux état que vous vous efforcez d'atteindre actuellement. Il est toutefois possible de le manifester sans le moindre effort, simplement en renonçant au besoin d'exprimer la séparation et en épousant de tout cœur la vérité de la multidimensionnalité sur laquelle vous avez aligné votre vision. Il ne s'agit aucunement de renoncer à votre identité, car vous êtes assurément capable de conserver votre autonomie, mais bien plutôt d'exprimer votre connaissance de la pleine dimension de votre être en même temps que de manifester la personne physique que vous savez être *vous*. Ainsi, dans les stades supérieurs du processus de transformation, vous *serez* en réalité l'incarnation physique de tout le spectre multidimensionnel de l'être qui est, en fait, *vous*.

En vous ouvrant à la réalité de cet état d'être supérieur, vous pourrez connaître des perceptions dans l'expression de divers niveaux d'identité tout en conservant votre conscience en tant que *vous*. Et le mécanisme réactif sera celui de la perspective éclairée rendue manifeste. Vous conserverez la connaissance provenant de l'expérience incarnée, tout en recevant la connaissance supérieure issue de la véritable multidimensionnalité.

Chaque individu focalisé sur son voyage vers l'Unité est capable de fonctionner à ce niveau à tout moment. Ce n'est pas un état qu'il atteindra « un jour », après avoir surmonté un certain nombre d'obstacles. C'est un état d'être accessible immédiatement, et, en fait, la plupart d'entre vous le connaissent de temps à autre. Plusieurs ont vécu ces instants de sensibilité accrue où le centre du cœur est ouvert et *connecté*, et où l'on est raccordé à un degré de sagesse et de focalisation qui dépasse l'expérience normale.

En ces moments isolés, la vibration de l'individu s'est élevée au point que ce dernier peut exprimer les plus hauts niveaux de conscience et manifester les réactions normales dans ces conditions. Ainsi, même s'il ne peut alors bénéficier d'une parfaite compréhension théorique des enseignements sous-jacents, il est en mesure d'appliquer ces connaissances instinctivement dans ses réactions aux interactions et aux événements.

La plupart des lecteurs de ces lignes ont assurément vécu des instants de grande clarté où ils jouissaient d'une perspective raffinée. Et la plupart ont aussi connu des expériences où ils parlaient avec une sagesse à la fois simple et profonde. En ces instants, les problèmes apparaissent avec la plus grande évidence. Et l'on se demande alors « d'où vient cette sagesse » qui transcende l'esprit conscient. Ces moments isolés sont un aperçu de l'état d'être vers lequel vous vous dirigez. Vous y exprimez la perspective supérieure de l'aspect éclairé de votre être, auquel vous vous unissez progressivement.

Le processus n'est pas basé sur une « ligne d'arrivée » clairement établie et que vous traverseriez une fois pour toutes, comme après un marathon. Il est permanent. Il s'accompagne de bonds quantiques de vibration et de conscience. Cependant, il comporte aussi des échecs parmi les multiples occasions successives qui se présentent d'appliquer les connaissances acquises jusqu'à ce que les concepts soient réellement assimilés. Tandis que l'individu applique ses connaissances constamment dans sa vie quotidienne, ses sublimes moments de clarté sont de plus en plus fréquents. Finalement, la perception lucide devient la norme et la perspective se stabilise à la plus haute fréquence vibratoire, de sorte que l'état d'être *éclairé* prédomine.

Il faut s'attendre à ce que ces moments de profonde clarté alternent avec des épisodes de réaction inférieure quand la performance de l'individu dans une interaction donnée est inférieure et indique le niveau vibratoire exprimé à ce moment-là. Ne vous blâmez pas pour ces échecs temporaires. Car la pleine intégration des principes sur lesquels vous travaillez aux tréfonds de vous-même est graduelle. Les conditions difficiles dans lesquelles vous vivez présentement vous permettent d'assimiler parfaitement les principes en question. Vous avez toutes les occasions possibles d'appliquer les connaissances afin de les exprimer comme expérience de vie. Vous pouvez atteindre un point où vous *sentirez* si vous êtes *accordé* ou non aux fréquences supérieures et saurez si vous fonctionnez ou non à partir de l'extrémité supérieure de votre spectre énergétique.

Par chacun de vos choix, et à chaque rencontre, vous renforcez votre performance dans la vie quotidienne. Alors que les principes sont intégrés dans votre mécanisme réactif et que les réactions *réflexes* issues d'un conditionnement culturel sont abolies, vous émergez dans un état harmonieux, équilibré, qui vous empêche d'être attiré dans des rencontres qui le mettraient en péril. L'évitement conscient des rencontres douteuses et des environnements risqués contribue au renforcement du haut niveau d'harmonisation et de la capacité de le faire durer. L'individu devient conscient de son autoprotection, laquelle est issue de l'amour de soi, non de la peur, et s'accompagne d'une reconnaissance du droit sacré à cet état d'être.

La priorité consiste dès lors à vénérer le soi, et le maintien de l'état d'harmonie intérieure l'emporte sur toute tendance à s'engager dans des rencontres où le conflit et la discorde amoindriraient cet état. On devient conscient que le besoin de faire valoir son point de vue et d'amener les autres à le partager a moins d'importance que de conserver l'état d'harmonie intérieure. Le désir de paix prédomine et l'on réagit plus souvent qu'autrement par un « détachement indifférent ».

Dans cet état, l'intérêt personnel qui constituait auparavant le « déclencheur » d'une réaction émotionnelle n'existe tout simplement plus. Il n'a plus aucune pertinence. On prend ses distances quant aux choix d'autrui. Et on réalise que se mêler des affaires de quelqu'un d'autre nuit au voyage. Finalement, chacun a droit à ses choix. Et, tandis qu'il est culturellement normal pour un si grand nombre d'émettre leur point de vue sur les actions et les choix des autres, cela distrait de la focalisation sur soi qui est de la plus haute importance présentement.

Vous serez peut-être porté à vouloir partager avec quelqu'un d'autre votre point de vue plus *éclairé*, mais sachez que lorsque ce point de vue n'a pas été sollicité et qu'il n'est manifestement pas le bienvenu, votre sagesse ne sera pas entendue. Ce n'est pas parce que vous avez atteint la clarté sur certaines questions que les autres sont prêts à la recevoir. Chacun de vous a son propre échéancier. Chacun de vous, essentiellement, effectue son propre voyage. Et même si plusieurs font ce voyage main dans la main avec quelqu'un d'autre, le moment de l'éclairement sur certaines questions ne survient que lorsque l'individu est prêt à intégrer pleinement cette connaissance. Attendez-vous à une réaction « évasive » de la part de ceux qui ne sont tout simplement pas prêts à voir la perfection du point de vue que vous avez atteint.

Résistez à l'envie de vous sentir frustré ou déçu quand votre sagesse nouvellement acquise n'est pas adoptée par l'autre personne qui voyage avec vous. Vous ne devez avoir aucune attente quant au point de vue d'un autre être. Présentez simplement le vôtre avec amour et sincérité, tel qu'il s'applique à *votre propre* expérience de vie. Et si les conditions permettent que la semence de votre vérité trouve un terrain fertile dans la conscience de l'autre, vous aurez alors servi de messager portant le catalyseur énergétique qui, conceptuellement, amorcera chez cet être le processus d'intériorisation. Si le point de vue est présenté de façon à interférer avec le libre arbitre de l'autre, la charge énergétique portée par le message se dissipera alors dans le transfert et ne sera ni reçue ni reconnue comme la perle qu'elle constitue peut-être bien.

Il est dans votre plus grand intérêt de vous abstenir de toute tentative d'imposer votre point de vue lorsque le sujet de la discussion représente une question vitale pour quelqu'un d'autre, et ce, même si vous êtes entièrement convaincu de la justesse de votre point de vue. Il ne vous appartient pas de juger un point de vue qui vous paraît erroné. Votre responsabilité se limite à maintenir cette clarté quant à votre propre processus et à votre propre vie. Voilà tout. À moins d'être un enseignant dont on sollicite les conseils, mieux vaut rester intérieurement focalisé sur vos « révélations » et réserver votre opinion pour les situations où elle sera la bienvenue.

Bientôt, votre voyage vous fera traverser le paysage varié d'un nouveau monde radical. Et, en même temps, votre point de vue supérieur sur les mêmes vieux sites leur donnera une apparence si différente que vous aurez l'impression de voir le monde pour la première fois. Ce monde change. Et vous changez avec lui plus rapidement que vous ne l'imaginez. Votre tâche est de prendre soin de votre propre conscience émergente en la focalisant sur les répercussions potentielles de chaque interaction et de chaque échange énergétique avec quelqu'un d'autre. Ce faisant, vous apporterez la plus grande contribution possible à la collectivité et au cercle intime des compagnons de voyage qui marchent à vos côtés sur la route de l'Unité.

chapitre neuf

L'allégorie de l'assiette de la vie.

Affronter la résistance au changement.

En finir avec les priorités désuètes.

Faire de votre vie un joyeux reflet de votre vraie nature.

Il est temps d'imaginer ce que serait la vie si vous étiez capable de manifester ce que vous désirez réellement. Comment orchestreriez-vous votre existence s'il n'y avait aucune limite à ce que vous pourriez faire ou posséder ? S'il vous était possible de repartir à zéro, ou même plus loin, quelle serait votre histoire ? Comment votre voyage se terminerait-il ? Voilà un bon début.

Imaginons que vous êtes à la fin de votre vie et que vous regardez en arrière. Où seriez-vous maintenant si vous l'aviez créée à la perfection, si vous aviez accompli tout ce que vous cherchiez à accomplir, si vous aviez expérimenté tout ce que vous espériez, si vous aviez goûté à tout ce que vous désiriez, si vous aviez manifesté la plus haute expression possible de votre *rêve* de réalité physique ? Si vous en étiez à votre dernier souffle et que vous revoyiez toute votre existence en un instant, que ressentiriez-vous ? De la satisfaction ? De la joie ? Éprouveriez-vous de la réticence à continuer ? Pensez-y un peu.

C'est le temps de rêver votre rêve tel qu'il peut être. Car tout ce qui le constitue *peut* être. Ce qui reste à déterminer, ce sont les possibilités que vous choisirez d'expérimenter. Si vous vous trouvez devant une énorme table couverte de nourriture et que vous avez en main une assiette vide d'une grosseur normale, que choisirez-vous d'y mettre ? Cette assiette ne pourra pas tout contenir. Et il serait malséant de goûter à plus de quelques aliments. Pourtant, vous êtes à même de choisir n'importe lesquels. Tous sont déjà manifestés potentiellement comme possibilités. Lesquels choisirez-vous alors d'expérimenter consciemment ?

Naturellement, on peut se demander à combien d'assiettées on a droit.

En vérité, il n'y a aucune limite au nombre d'assiettes que vous pouvez prendre et remplir à ras bord si vous le désirez. Mais la règle est celle-ci : vous ne pouvez en prendre qu'une chaque fois que vous vous rendez à la table. Et vous devez en prendre une propre si vous y retournez.

Vous n'êtes pas obligé de tout manger ce que vous avez mis dans votre assiette. Par exemple, peut-être avez-vous pris une assiettée complète de fruits, mais à force d'en manger, et malgré leur goût délicieux, vous vous en lassez et vous regrettez d'en avoir pris autant. Vous n'avez pas envie de finir le reste. Vous êtes donc satisfait, à ce moment-là, en ce qui concerne les fruits, mais vous aimeriez goûter à quelque chose d'épicé. Cependant, tant que vous n'avez pas rapporté, vidée ou non, l'assiette qui contenait ces fruits, il vous est impossible d'en obtenir une propre. Et il vous faut aussi un peu de *temps* pour digérer tous les fruits afin de profiter ensuite pleinement d'une assiettée de mets épicés.

Ce rituel peut être accompli indéfiniment. Lorsqu'on retourne à la table pour remplir une assiette, on peut combiner les mets selon d'infinies possibilités. Pourtant, on finit par se lasser de la table. Finalement, on a goûté à tant d'aliments et on s'est satisfait de tellement de variations sur tellement de thèmes qu'on ne sent plus le besoin d'aller à la table. On prend conscience de ne plus avoir autant d'appétit qu'avant pour les mets qui s'y trouvent. En fait, on se rend même compte qu'on peut vivre heureux sans jamais se rendre à la table. Car la plénitude de toutes les expériences qu'elle a procurées nous a nourri infiniment et l'on se sent bien. Être nous suffit désormais.

C'est à ce stade de l'être que plusieurs parmi vous se trouvent en ce moment. Ayant goûté à la joie indescriptible de simplement *Être*, on est moins enclin, au niveau de l'âme, à consacrer encore beaucoup de *temps* à retourner à la table. Car, entre ces voyages à cette table, il y a eu des périodes de repos et de digestion, où vous avez fait l'expérience de divers niveaux de tranquillité, d'*Êtreté*. En fait, vous voici cette fois avec une assiette pleine, mais éprouvant de moins en moins l'envie de manger ce qui autrefois vous faisait saliver.

Plutôt, vous vous souvenez, à un niveau que vous ne pouvez identifier, à quel point c'était merveilleux quand vous n'aviez pas d'assiette du tout et qu'il n'y avait pas de table. Quelque part à l'intérieur, vous êtes capable de recréer les conditions de cet état d'être *intérimaire*. Et vous choisissez par moments de prendre congé de l'assiette pleine, afin d'Être, tout simplement. Finalement, l'expérience de l'*Êtreté* s'avère si satisfaisante qu'elle devient une priorité, qu'il y ait ou non une assiette. Quand on s'en rend compte, il est clair, au niveau de l'âme, qu'on n'a plus besoin de la table. Et on comprend qu'il est tout à fait merveilleux de simplement *Être*, même si, techniquement, on dispose encore d'une assiette.

Avant d'en arriver là, toutefois, on se trouve toujours devant cette table spectaculaire. Et il demeure vrai que l'on peut à tout moment, quand on s'y trouve, créer à volonté et à l'infini des variantes dans son assiette. On n'est pas « pris » avec une assiettée de restes non appétissants uniquement parce qu'on a goûté à quelques-uns des aliments contenus dans l'assiette. Et l'on n'a pas non plus à se forcer à consommer ce qui reste dans l'assiette, tout bonnement par habitude. Il est toujours possible de remplacer cette assiettée par des aliments frais et appétissants. Car l'assiette n'a pas été conçue dans la limitation. Son contenu est seulement tel qu'on le perçoit. Et, tandis que l'on s'élève vers la pleine aptitude à manifester sa réalité et à créer ce que l'on désire vraiment expérimenter, il n'y a aucune limite au contenu de l'assiette.

L'assiette de la vie est le reflet de vos choix à tout moment. Que l'assiette semble pleine ou vide aux autres, cela ne change rien à la quantité dont elle nourrit votre état d'être. Une assiette vide peut être perçue par certains comme le reflet de la privation et constituer un motif d'inquiétude ou de compassion. Pourtant, pour celui qui la tient dans ses mains, sa fraîche vacuité indique son choix de voyager sans être inutilement encombré. L'apparente austérité de cette assiette peut très bien refléter une conscience des richesses d'une expérience non manifestée du monde intérieur, richesses que les autres sont incapables de voir sous leur forme physique.

Pour atteindre ce niveau d'être, il faut, par définition, avoir vidé son assiette du superflu. On doit donc, au cours du processus, se rendre compte de l'impossibilité de voyager aisément si on est focalisé sur le métaphysique tout en portant le fardeau d'une assiette lourdement remplie. En outre, on doit faire des choix radicaux qui permettent d'explorer les possibilités illimitées du vol vers les sommets de l'expérience humaine sans devoir s'inquiéter de son équilibre. En cette époque, plusieurs ont cherché instinctivement à simplifier leur expérience et ils sont prêts à enseigner aux autres, par l'exemple, à faire de même.

D'autres aussi, qui sont à un stade temporaire de leur transformation, ont de la difficulté à intégrer leur nouvelle conscience aux engagements qu'ils ont pris alors qu'ils se créaient une vie complexe. Ceux-là sont au seuil d'une avancée spirituelle. Ayant réalisé rapidement la connexion à leurs aspects multidimensionnels, ce sont ceux qui ressentent le plus intensément les contradictions posées par l'union de deux mondes. Ils peuvent s'attendre, dans les jours qui viennent, à un affrontement avec leur propre connaissance intérieure quant à la direction dans laquelle s'en va leur vie. Et plusieurs céderont à leur réticence à résoudre les complications qui ont défini leur existence jusqu'ici.

Nous ne voulons pas dire qu'il est inférieur d'avoir manifesté au cours du voyage une accumulation d'appartenances. Ce sont là les pièges de l'expérience de l'incarnation. Il importe toutefois de considérer le prix que l'on peut avoir à payer en compromis avec soi-même afin de conserver un mode de vie obsolète, non pertinent désormais. Quand la recherche d'avantages matériels est motivée par l'esprit de compétitivité, qui est une manifestation de l'ego, on ne trouve peut-être pas la satisfaction recherchée ou espérée.

On est donc devant un gain matériel dénué de toute la passion avec laquelle on s'est incarné dans la forme. C'est cette passion qui cherche à s'exprimer, car elle est la force motrice de la création et c'est elle qui donne puissance à toute vie. Quand la joie de vivre, d'exprimer et de créer est absente des activités quotidiennes de l'individu, celui-ci est, essentiellement, déconnecté de sa propre Essence divine et de l'interconnexion avec toute vie. Pour être connecté, il ne s'agit pas d'avoir un vaste choix d'éléments dans l'assiette de sa vie, mais plutôt d'être capable d'exprimer et d'expérimenter la joie de vivre par ces choix.

Plusieurs lecteurs de ces lignes ont réalisé douloureusement que le scénario qu'ils avaient passé presque toute leur vie à bâtir ne leur procure plus la satisfaction escomptée. Mais ils ont investi tellement de temps, d'efforts et de ressources dans ce mode de vie que la perspective d'un changement les rebute. Quand les plus profonds besoins spirituels d'un être sont réprimés ou sacrifiés au profit d'un mode de vie superficiel basé sur l'acquisition de biens matériels, l'énergie qui cherche à s'exprimer finira néanmoins par manifester ce changement, si ces choix ne sont pas effectués consciemment. Quand on s'est ouvert à l'énergie supérieure qui dirige toute la Création vers l'Unité, il est impossible de continuer à manifester les conditions de la séparation dans son monde extérieur.

Si l'on ne s'arrange pas pour diriger sa vie de façon que la joie de vivre s'exprime, l'énergie de la déconnexion déclenchera une réaction en chaîne par laquelle le changement aura lieu malgré tous nos efforts pour préserver le statu quo. En cette époque, il faut s'attendre à ce que le « château de cartes » s'écroule subitement quand on « s'enlise » dans des engagements désuets.

Il est tout à fait possible de modifier ce scénario extrême de transformation énergétique en faisant des choix pertinents pour votre état d'être et en changeant consciemment votre focalisation dès les premiers stades du processus. Car il sera impossible d'éviter les changements énergétiques nécessaires pour suivre le rythme de votre évolution spirituelle. Vous êtes en voie de devenir qui vous êtes vraiment, et ce, malgré vous et en dépit de votre réticence à défier la réalité consensuelle. Cela aussi surviendra au bon moment.

La tâche qui vous incombe maintenant, c'est d'*arriver* à ce moment-là. D'assumer vos circonstances et de modifier tous les aspects de votre mode d'expression créatrice, de sorte que ce mode devienne un joyeux reflet de l'énergie supérieure sur laquelle vous êtes aligné. C'est dans la nature du processus que de soumettre à un examen les questions fondamentales sur lesquelles est fondé votre mode de vie. La reconnaissance de la structure de croyances rudimentaire et des priorités qui sous-tendent vos choix conscients forme une partie fondamentale du processus de restructuration.

La peur de perdre ce que vous croyez avoir construit est un puissant stimulus pour changer cette énergie. Car toute peur peut servir de catalyseur pour la manifestation de ce résultat. Afin de rediriger la focalisation de votre intention de manière à l'aligner sur le mouvement du changement inhérent à la vie elle-même, il est nécessaire d'abandonner tout ce qui ne vous sert plus énergétiquement et de laisser place à la manifestation d'une direction radicalement nouvelle.

La structure de croyances que vous vous apprêtez à réaligner est le véhicule qui fournira l'élan nécessaire à votre transformation.

Il est temps d'examiner honnêtement ces croyances fondamentales et de déterminer si vous êtes toujours capable d'adhérer mentalement à ces concepts sur lesquels vous avez fondé vos choix de vie. C'est possible que vous ayez accepté une grande partie de ce que votre société a gravé dans votre conscience. Et, sans le moindre doute, vous avez émergé de la stupeur de votre existence quotidienne avec une litanie sous-jacente renforçant le concept de séparation qui représente la norme de votre culture.

Les valeurs que vous inculquez à vos jeunes sont issues de l'idée même d'effort et de dépassement de la performance des autres, ce qui crée la fissure énergétique qui vous divise. Quand le triomphe d'un être a lieu au détriment du bien-être d'un autre, il ne peut en résulter qu'un désastre général. La prémisse selon laquelle le gain obtenu par l'un compense la perte subie par un autre constitue la manifestation même de la dualité qui doit être transcendée pour que soit réalisée l'harmonie de l'Unité. Car, dans les circonstances à venir, les efforts de tous manifesteront le bien de tous. Il ne peut en être autrement.

Ceux qui persistent dans leur myope focalisation égocentrique abandonneront quand ils rencontreront et intégreront la fréquence supérieure. La force du mouvement vers l'unification de toute conscience n'en touchera pas certains en épargnant les autres. Tous sentiront et manifesteront les conséquences de leur alignement sur les puissantes énergies du changement, ou de leur résistance à ces mêmes énergies. Tous sauront, en s'élevant vers leur pleine potentialité en tant qu'êtres ou en succombant à leur refus obstiné de reconnaître leur connexion, que la force qu'ils auront rencontrée est inéluctable. Certains l'appelleront Dieu et s'ouvriront, dans la plénitude de leur essence, à l'occasion de ne plus faire qu'un avec Tout ce qui Est. Et certains maudiront leur situation détériorée et blâmeront les autres pour leur sort.

Tandis que le fossé s'élargira entre ceux qui vivront alignés sur l'énergie de l'Unité et ceux qui vivront séparés d'elle, il sera impossible de garder une position de compromis. Au bout du compte, vous devrez réagir à l'énergie d'amour qui cherche à vous inclure en elle. La reconnaissance de cette invitation au plus profond de votre cœur constitue le début du processus. Et, alors que le sourire de la reconnaissance intérieure s'épanouira sur votre visage, vous saurez, sans en connaître le mécanisme, qu'un voyage captivant et sans fin vient de commencer.

chapitre dix

Le flux et le reflux de la conscience.

Le pouvoir du détachement du résultat.

Synchroniser l'achèvement des problèmes fondamentaux.

Utiliser l'énergie comme outil de manifestation
et de résolution karmique.

La clarté atteinte jusqu'ici dans votre voyage vous a conduit jusqu'à ce moment. Ici, au carrefour spatiotemporel qui est votre « aujourd'hui », la conscience de l'humanité est prête. L'inspiration du souffle de vie sera suivie de l'inévitable expiration. Et, tout comme votre rythme respiratoire est anticipé et expérimenté en harmonie avec vos autres fonctions vitales comme un fait de votre existence physique, ainsi en est-il du rythme de votre conscience. Votre conscience émergente possède un flux et un reflux, en harmonie avec l'inspiration et l'expiration de la Création.

La clarté s'intensifie, puis s'estompe, puis s'intensifie encore et ainsi de suite. On expérimente une étincelle de conscience cristalline et, en ce moment exquis, on est convaincu que cette clarté persistera. Puis, alors qu'on tente de la conserver, l'illumination s'évanouit. On se demande alors si on s'est réellement éveillé ou si

on erre toujours sur les petites routes du rêve. Selon toute vraisemblance, lorsque le processus de transformation s'intensifie, on
expérimente les deux états d'être simultanément.

Dans le processus de l'éveil, il ne s'agit pas de franchir définitivement un seuil après quoi on est *illuminé, transformé* ou
ascensionné. Ce voyage comporte beaucoup de récidives. Et il est
très possible que vous ayez soudain l'impression de vous retrouver
au tout début, alors même que vous vous félicitiez d'avoir franchi
un redoutable précipice et que vous pensiez apercevoir enfin le
sommet. Cela fait partie de l'expérience.

Un trop grand souci de l'achèvement vous empêchera de l'atteindre. La croissance spirituelle n'est pas centrée sur une destination, mais plutôt sur le voyage en soi. La réalisation de l'Unité, qui
constitue l'apogée du processus, est un état d'être que vous atteindrez d'innombrables fois. Et, au moment où cet état bienheureux
vous aura encore échappé, sachez que vous ne l'aurez pas *perdu*,
mais que vous vous serez plutôt accordé une autre occasion de le
trouver au tréfonds de votre être.

Quand vous cessez de rechercher la connexion ainsi que des
réponses à l'extérieur de votre Source, les périodes intérimaires de
séparation, où vos plus gros doutes refont surface, deviennent
moins nombreuses et plus espacées. Finalement, vous exprimerez
cette connaissance. Car vous êtes l'Unité dans son essence. Et vous
l'avez toujours été. Quand vous passerez de la croyance à la
connaissance de la vérité fondamentale, vous serez sur le point de
stabiliser le processus de manifestation de cette vérité, de sorte que
vous serez pleinement conscient de votre interconnexion avec
Toute Vie en tout temps.

La vérité que vous cherchez est à l'intérieur de vous. Les
réponses existent avant même que les questions n'aient été entièrement formulées. Vous avez manifesté le nécessaire pour posséder
tout ce que votre cœur désire présentement. Et absolument rien ne
se dresse entre vous et la réalisation de votre profond désir de vous
réunir à l'Unité de Toute Création. Car vous y êtes déjà. Tout ce

qui doit arriver est déjà arrivé. L'Unité Est et continuera d'Être éternellement.

Quand votre perception de l'illusion spatiotemporelle qui représente votre *réalité* est énergétiquement en harmonie avec le mouvement de l'éternel *maintenant*, vous expérimentez ce qui Est. Quand les énergies décroissent, vous expérimentez une fois de plus l'illusion de l'inaccessibilité de l'illumination. Comme la marée, cet état de conscience apparaît sur le rivage de votre conscience, vous amenant à reconnaître la connaissance enfouie au plus profond de vous. Cette connaissance ne s'évanouit pas avec le rythme du processus de transformation ; elle se trouve éternellement dans les profondeurs de votre être.

Lorsque vous avez suffisamment expérimenté la différence entre ces états d'être pour remarquer un schème prédominant, vous êtes prêt à démêler les fils des systèmes de croyances qui renforcent l'illusion et la gardent enracinée. Quand vous avez eu l'occasion de goûter à l'expérience de la Connexion divine au point de pouvoir l'identifier clairement et de ne plus la percevoir comme le fruit du hasard, vous êtes prêt à détacher les couches de limitations qui renforcent l'inaccessibilité de cette expérience. C'est dans ce profond processus que s'inscrivent la plupart de ceux qui sont en pleine transformation.

On établit peu à peu une corrélation entre les moments exquis de connexion et la facilité avec laquelle les événements de la vie se déroulent, puis, soudain, on est bloqué à chaque tournant. La volonté est entravée. Et rien ne semble fonctionner, malgré tous nos efforts. Ce sont là les signes classiques des étapes avancées du voyage. Ce sont là les symptômes d'un état d'être dans lequel l'harmonisation avec les fréquences supérieures se stabilise. Et, alors que l'on se détache des priorités matérielles pour épouser la direction intérieure et la confiance qui transcende ces préoccupations, on peut lâcher prise. C'est dans l'abandon des limitations du premier état d'être que l'on peut réaliser l'illimité du second.

Car ceux qui tentent de jongler avec les deux états d'être pour répartir les risques ne font que prolonger le processus. Et, pour ceux qui lâchent prise totalement en reconnaissant l'inévitabilité de la connexion, le changement peut être instantané. Une fois qu'il est fait et que l'on comprend que la réalité est chorégraphiée vibratoirement, on peut établir les fondements du dépassement des limitations matérielles. À ce stade de l'éveil, il n'y a plus aucun doute sur la corrélation entre la conception d'une pensée et la réalisation de l'expérience. Et l'on se focalise dès lors sur les subtilités de l'harmonisation de sa volonté personnelle avec les rythmes de la Création.

Quand votre énergie est accordée à la plus haute résonance, vous pouvez sentir facilement dans quelle direction va le courant et vous laisser porter par son mouvement afin de manifester des résultats harmonieux. Quand on tente de défier une situation en abordant l'adversité de front, on trouble le mouvement et on crée des résultats moins désirables. On peut contourner le conflit simplement en le laissant passer sans se laisser piéger par lui. On apprend que la tendance à forcer la volonté d'une autre personne, quand celle-ci résiste, ne peut résulter qu'en une plongée énergétique vers le bas et en la manifestation de circonstances conçues pour créer de la frustration. Et l'on cherche alors moins à forcer le résultat qu'à harmoniser son énergie avec les marées de la Création afin d'obtenir le résultat souhaité.

Vous apprendrez à voguer parfaitement sur la vague des énergies, car cela fait partie du processus. Il est crucial de reconnaître l'état de connexion quand vous y êtes, afin de synchroniser vos réactions aux circonstances alors qu'elles se présentent à vous. Quand vos énergies sont à marée basse et que vous rencontrez de la résistance, il faut vous retirer à l'intérieur au lieu d'augmenter l'adversité en confrontant ces circonstances. Quand, par contre, vous flottez sur une vague d'énergie montante, c'est le moment d'entreprendre une action.

Ce faisant, vous laissez dériver dans le courant de l'énergie le résultat désiré et ce mouvement l'amène ainsi à la réalisation. Le non-attachement au résultat accroît la capacité d'avoir un excellent dénouement. Quand l'approche de la vie est basée sur la confiance que le meilleur résultat possible surviendra, c'est ce qui est expérimenté. En refusant de laisser le conditionnement fondé sur la peur diriger vos choix, vous voguerez sur le courant, en toute harmonie.

C'est en renonçant au besoin d'avoir l'air de contrôler la situation à vos propres yeux et à ceux des autres qu'il vous sera possible de franchir ce stade du processus de transformation. Car il n'y a de place ici pour aucun jugement. Vos attentes quant à votre performance peuvent ralentir sérieusement le rythme de votre progression durant ce stade, et au-delà. Une expérience d'adversité ou un accès d'intense émotion ne devraient pas vous amener à conclure que vous n'êtes plus sur la voie. Vous accélérerez le processus de renoncement en laissant l'énergie *traverser* votre champ et en permettant que les manifestations déclenchées ne soient pas entravées.

L'attachement à l'attente d'une réaction *éclairée* dans toutes les circonstances restreint la possibilité de dégager une énergie négative. Quand on limite son mécanisme de réaction naturelle en filtrant mentalement ses réactions émotionnelles, on se prive des bénéfices potentiels du dégagement des charges énergétiques entourant encore certaines questions vitales. En s'accordant la latitude de réagir avec authenticité, on augmente sa capacité d'atteindre l'achèvement par rapport à ces questions. En synchronisant ses réactions avec ces forts déclencheurs émotionnels, on est apte à diriger le dégagement sans le restreindre, permettant ainsi le meilleur résultat possible.

De même, la tendance à éviter certaines situations et certains individus afin de contourner le conflit ne garantit pas automatiquement une montée vibratoire sans obstacles. En fin de compte, les « boutons » *doivent* être activés et la charge énergétique correspondante *doit* être dégagée si l'on veut réaliser son plus haut potentiel en tant qu'être transcendant sous une forme physique. Une charge énergétique qu'on laisse persister continuera d'attirer à elle des occasions répétées de la dégager. L'évitement des questions sous-jacentes et le maintien d'un calme de façade ne favorisent pas la progression, bien au contraire.

Idéalement, on peut choisir son moment pour travailler sur les questions fondamentales avec les acteurs-clés de son drame. Ce faisant, on peut alors affronter les problèmes directement, d'une position énergétique supérieure, et donc apporter la meilleure contribution vibratoire possible à l'échange. La résolution karmique des questions dans lesquelles on est engagé avec les acteurs-clés de son drame peut avoir lieu dans des circonstances idéales, et le résultat optimal peut être atteint quand on est conscient du potentiel que l'on a si on vogue sur les vagues de la vibration accélérée. En surveillant son état vibratoire avant de réagir à une invitation à s'engager dans un conflit, ou dans sa résolution, on peut naviguer sur les eaux tumultueuses précipitées par une histoire karmique étalée sur plusieurs vies et conduire à bon port tous ceux qui sont concernés.

La conscience de ces choix constitue la clé de tout ce que vous accomplirez dans ce délicat processus. En vous harmonisant avec le flux et le reflux de vos propres énergies, vous serez à même de choisir votre moment et de libérer les résidus d'émotion sans aucune douleur pour toutes les personnes impliquées. Quand votre conscience est focalisée sur ce but, vous pouvez soutenir le mouvement de l'accélération vibratoire tout en libérant les charges énergétiques limitatrices qui vous entravent. En voguant sur les vagues d'énergie avec une focalisation claire centrée sur le cœur, vous devenez un phare pour les autres qui sont pris dans les marées de l'accélération énergétique et qui naviguent sur la mer tumultueuse de leur propre histoire.

Lorsque vous transcendez les circonstances de votre drame et que vous exprimez l'énergie de l'Unité, votre harmonisation avec les fréquences supérieures vous guide pour que vous guidiez ensuite ceux qui pataugent à vos côtés. En étant qui vous êtes, où vous êtes, à ce moment du temps, et en partageant honnêtement votre vérité et votre processus, vous aidez ceux avec qui vous voyagez. Nul besoin de camoufler votre processus au bénéfice des autres qui sont peut-être enclins à porter un jugement. Nul besoin de vous excuser d'être qui vous êtes ou de la magnificence de votre voyage personnel vers l'Unité. Si vous êtes totalement authentique dans votre humanité, autant avec votre fragilité que votre force, avec vos échecs apparents et vos victoires, vos moments de désespoir et vos moments d'exaltation, vous préparez le terrain pour devenir le brillant exemple de gracieux triomphe sur l'adversité que vous êtes vraiment.

Personne n'émerge de ce voyage transformationnel sans avoir essuyé une ou deux tempêtes ni avoir échoué de temps à autre sur le rivage en cherchant à reprendre son souffle. Cela fait partie de l'expérience. Il est téméraire de penser que vous devez sortir indemne de votre voyage. Cela ne fonctionne pas ainsi, quand cela fonctionne. Car, pour réaliser le plein potentiel de ce voyage, il faut vouloir vous immerger dans les eaux périlleuses du changement en sachant que vous avez la capacité de nager comme un champion dans toutes les conditions possibles.

N'ayez aucun doute là-dessus, ni peur ni regret. La destination est prédéterminée. Et votre parcours est préétabli. Vous arriverez à destination à temps. Il ne peut en être autrement. Ce qui est encore indéterminé, c'est ce que vous choisirez de créer et d'expérimenter en route. Rien ne sert de vous leurrer en vous faisant croire que vous n'êtes pas prêt. Car il est beaucoup trop tard pour se demander s'il est risqué de tremper l'orteil dans les eaux de la transformation quand on est déjà rendu au large.

chapitre onze

Intégrer le changement en tant que population.

Le catalyseur des guerres, des famines et des désastres naturels.

S'en remettre à sa propre vérité plutôt qu'à la réalité consensuelle.

Il n'existe pas de schème préétabli pour l'éveil des êtres. Chez certains, cette expérience est instantanée et le nombre d'expositions nécessaires à la vérité de leur essence est minimal. L'expérience elle-même est la preuve dont ils ont besoin pour maintenir l'*illumination* initiale. Chez d'autres, qui ont vécu cette réalisation en d'innombrables occasions, l'esprit s'engage dans le processus et l'essence sublimement simple de la vérité est obscurcie par une pluie de questions, de doutes et de soucis intellectualisés.

Nous ne portons ici aucun jugement. Aucune des deux approches n'est préférable à l'autre. Tout est dans l'*expérience*. C'est le voyage que vous choisissez de vous donner à vous-même dans votre cheminement personnel vers l'Unité. Qu'il vous faille goûter à la vérité une seule fois ou des milliards de fois avant que la Lumière s'allume n'a aucune importance pour l'Unité. Chacun fait ce choix pour lui-même. Il n'y a pas deux voyages semblables et personne ne peut présumer que son propre cheminement est aussi le meilleur qui soit pour quelqu'un d'autre. Tout ce qui peut être partagé, c'est votre expérience personnelle du cheminement. Car tout ce qui peut être enseigné, c'est ce que l'élève a choisi d'apprendre au niveau le plus profond.

Ne soyez pas tenté de vous blâmer en voyant à quelle vitesse d'autres voyagent peut-être. Certains peuvent le faire très rapidement et parvenir instantanément à la réalisation, tandis que d'autres qui marchent à vos côtés continuent à glisser et à patauger dans des flaques que vous avez évitées ou dont vous êtes sorti il y a très longtemps. Vous n'avez pas à exulter simplement parce qu'un autre a choisi des visites répétées à la flaque afin de renforcer sa compréhension de certaines choses. Tout cela est parfait comme ça.

Alors que vous maintenez la perspective supérieure que vous avez atteinte, il devient évident que vous n'êtes pas seul à avoir de telles perceptions. Car cette perspective transcende celle de l'esprit conditionné à certaines réactions par une vie entière de programmation. En ayant l'avantage d'une vue d'ensemble, on voit simultanément plusieurs aspects d'une situation. Cette *vision* n'est pas *compréhension*, laquelle est une manifestation de la *pensée* ; elle reflète plutôt la *conscience*, laquelle est tout bonnement l'observation de ce qui est. Ce point de vue avantageux n'a aucun effet sur le résultat, car il représente la perspective détachée, multidimensionnelle, de votre état d'être expansé.

Les octaves supérieures de votre être ne participent pas au résultat des interactions qui ont lieu dans l'« ici-maintenant » que vous percevez comme étant votre réalité. Elles peuvent ajouter une certaine indifférence à l'équation énergétique. Et, tandis que vous vous élevez vibratoirement, vous adoptez une perspective supérieure ainsi qu'un détachement permettant une objectivité qui n'est possible qu'à partir d'une certaine distance. Pendant que vous êtes engagé dans des drames chargés d'émotion qui sont attirés vers vous parce qu'ils font partie du processus, cette perspective élevée demeure désengagée aussi longtemps que l'ego reste engagé. Car, en défendant ou en affirmant l'ego, vous avez adopté une perspective myope et relégué hors d'atteinte la vue d'ensemble. En vous détachant de ce point de vue particulier, vous devenez capable de voir les multiples aspects de tous les drames, ce qui fera reconnaître une perspective qui ne soutient pas l'attitude d'un soi se trouvant toujours dans la servitude de la séparation.

Ce niveau de *compréhension* ne naît pas du processus de la pensée. Et ce n'est pas quelque chose qui peut s'enseigner si l'individu n'est pas prêt à l'apprendre. Cet état transcendant d'éveil vient automatiquement quand on est énergétiquement apte à passer à un niveau de conscience supérieur. Ce niveau n'est pas moins *vous* que vous ne l'êtes. Il ne s'agit pas de devenir « quelqu'un d'autre », car ce quelqu'un d'autre est vous. Et, à mesure que votre processus évolue, vous subissez une accélération par laquelle une connaissance se cristallise si bien qu'elle s'imprime indélébilement dans votre conscience et devient la seule vérité possible à *ce* niveau-là d'éveil.

Voilà la nature expérientielle du processus de réintégration qui a lieu au cours du voyage vers l'Unité. La conscience et l'intégration de niveaux supérieurs de *compréhension* sont les sous-produits du processus. Et le résultat final sera atteint avec ou sans votre aide. La réintégration des aspects fragmentés de votre essence vibratoire est un fait de la vie humaine. Ce qui est optionnel, c'est le niveau de souffrance ou de maladie que l'on choisit d'expérimenter en cours de route.

Quand on s'accroche aux pièges de la vie qui perpétuent la séparation, le processus de démantèlement constitue une entreprise majeure dont la manifestation dans la réalité de l'individu peut s'avérer extrêmement difficile à vivre. Quand on s'abandonne au mouvement d'un processus qui est clairement « plus grand que la vie », on peut supporter facilement les transitions et expérimenter dans toute sa magnitude la joie d'un état d'être supérieur.

Voilà les conditions et les choix qui s'offrent à vous présentement. Car vous *êtes* l'Unité sous chaque aspect de votre essence. Avec chaque infime nuance de votre être, vous êtes la manifestation de l'équation énergétique de la vie elle-même. Vous êtes l'expression physique d'un mouvement qui aspire, de concert avec toute la Création, à se réunir à Tout ce qui Est. Et ce mouvement va dans la direction où il va, quelles que soient les pensées, l'interférence ou la résistance de quiconque.

Si un grand nombre d'individus montrent de la résistance au mouvement vers l'Unité, tout le groupe en subira les effets. Quand la vibration d'une partie de la population résonne à une fréquence inférieure à celle de l'ensemble, le groupe en question subit un dégagement énergétique extrême qui se matérialise par des événements catastrophiques. Énergétiquement, c'est là le catalyseur des guerres, des famines, des séismes et d'autres « désastres naturels ». Certains de ces événements sont en effet des expressions de la nature, mais ils sont déclenchés énergétiquement par la population elle-même.

Il n'y a pas de victimes, même si certains individus semblent subir les effets d'un dégagement énergétique au profit de la collectivité. Car tous sont Un en tant que collectivité énergétique. La force du dégagement provient de l'énergie collective et non nécessairement de celle des individus qui en sont affectés. Ainsi, il est tout à fait possible pour un individu focalisé sur la croissance spirituelle de subir l'effet d'un dégagement énergétique provoqué régionalement. La haute vibration d'une personne ne lui garantit pas d'être épargnée des événements déclenchés par la vibration totale de la région.

Vraisemblablement, la disparition d'une nombreuse population, prédite pour cette époque, ne se produira *pas* avec l'ampleur anticipée. Il s'est passé beaucoup de choses et l'intervention du libre arbitre de la collectivité a servi à transformer une bonne partie du scénario catastrophique qui avait été prédit par plusieurs clairvoyants au cours des siècles au sujet de la présente époque de transformation. Et pourtant, malgré le changement énorme de conscience survenu chez une grande partie de la population, la disparition de certains lieux géographiques semble inévitable.

La transformation dont nous parlons ici n'est pas limitée aux humains de la planète Terre. C'est un phénomène qui touchera chaque aspect de la vie elle-même dans toute la Création. L'ensemble des formes de vie participera au voyage vers l'Unité, et toutes seront affectées énergétiquement par les choix et les actions de tous.

Votre principale obligation, en tant qu'individu ouvert, conscient et focalisé sur la manifestation de l'intention pure, est envers vous-même. Vos choix en cette époque reflètent votre plus grand désir de bien-être personnel. En même temps, votre conscience du mouvement de l'ensemble, parallèle à votre expérience personnelle de transformation, vous guidera dans des choix qui traduiront cette conscience expansée.

Pourtant, votre bien-être personnel n'est pas garanti par le fait que vous effectuez des choix conscients. Vous êtes affecté vibratoirement par les énergies qui vous entourent, et de multiples façons. Votre expérience sera proportionnelle à votre conscience de l'interaction des énergies dans lesquelles vous êtes immergé ainsi qu'à la vulnérabilité à laquelle vous consentirez.

Il est tout à fait possible pour un individu qui est bien situé géographiquement, qui jouit d'un environnement harmonieux et qui est ouvert à la dynamique du changement ainsi qu'à l'émergence de sa Divinité intérieure de manifester une exaltante expérience de transformation. Il est également possible que d'autres qui choisissent le compromis, consciemment ou par manque de conscience, manifestent des difficultés croissantes alors que leur énergie se laisse prendre dans les complexités de l'énergie collective.

Ce que vous appelez le « sens commun » constitue évidemment un facteur dans le choix de votre lieu de vie et des personnes avec qui vous entrez en interaction. Vibratoirement, vous abaissez votre propre énergie chaque fois que vous vous engagez dans une rencontre *négative* avec un autre être. Quand vous choisissez de vivre dans un environnement négatif, vous vous soumettez à l'exposition constante d'énergies qui tirent dans la direction opposée à celle dans laquelle vous vous dirigez consciemment, et elles vous affectent.

Si la perturbation environnementale est trop importante pour être transformée par la dynamique interpersonnelle, reste le choix de s'en aller dans un lieu harmonieux. Vous avez toujours le choix de ne pas vous exposer à un environnement *négatif*. Idéalement, ce choix s'effectue avec la conscience que l'énergie de l'ensemble vous affecte, quel que soit le degré d'élévation que vous croyez avoir atteint.

Nous sommes tous d'une seule essence. Et même s'il est dans la nature du mouvement que les actions de la collectivité affectent chacune de ses parties et que les choix de chaque individu affectent l'ensemble, le mouvement de l'Intention divine domine le processus. L'Unité existera. Et il importe peu, du point de vue collectif de la Création, que les êtres situés à un carrefour spatiotemporel résistent ou non aux énergies du changement. Ces forces puissantes vous entraîneront avec elles dans la direction où va la Vie elle-même et au rythme auquel elle voyage. Votre perception du voyage, l'expérience personnelle que vous en avez, voilà ce que vous êtes venu créer ici.

Toutes les règles sont en train de changer. Votre monde tel qu'on vous a appris à le comprendre a déjà cessé d'exister. La structure cellulaire de chaque forme de vie de votre planète a été modifiée. La vibration de chaque être vivant s'est accrue. Et l'harmonisation de toute conscience avec un niveau supérieur d'existence a été accomplie. En tant que race, la population humaine s'est ouverte au don de la Grâce. Et même si très peu sont conscients de ce changement, tous en manifestent le résultat sous une forme ou une autre.

Certains, qui ont reconnu leur nouvelle aptitude à créer la réalité telle qu'ils la désirent, ont appris à puiser dans leurs forces collectives pour instaurer un changement au profit de tous. Ceux-là, dont le petit nombre s'accroît, ont établi le rythme pour les autres dans l'« ici-maintenant » et continuent à démontrer par leurs choix les possibilités disponibles à tous. Ce sont les précurseurs d'un nouveau paradigme, des pionniers qui annoncent par leur vie un monde dont les règles sont en train de s'établir.

Le changement est un phénomène qui se poursuit sans cesse. La vie ne fait pas que tourner la page pour écrire un nouveau scénario auquel tous doivent adhérer indéfiniment. En fait, le fondement même de la création de votre réalité change constamment. En cette époque, ce changement se produit si rapidement qu'il peut être remarqué non seulement dans le résumé cosmique de votre histoire, ou même en une *génération*, mais en une seule existence. La vôtre.

Votre vie elle-même témoigne de ce changement. Et, tandis que vous prendrez conscience de ne pouvoir compter que sur une seule chose, soit de ne pouvoir compter sur rien, votre état d'esprit passera de l'attente à l'abandon. Vous ne pouvez actuellement rien « contrôler ». En fait, vous êtes totalement « hors du contrôle ». Et ce sont là les conditions optimales pour maximiser le processus d'intégration énergétique et manifester des expériences de vie qui vous sembleront agréables. La résistance au fait que les choses ne soient plus ce qu'elles étaient quand votre éducation vous faisait faussement connaître les règles du jeu ne fera que renforcer les difficultés que vous choisirez de vous créer. L'ouverture au *réel* tel qu'il est démontré par votre propre expérience constitue la meilleure réponse possible aux conditions présentes.

Ce que disent les autres ou ce que les soi-disant enseignants de votre époque proclament comme étant la vérité importe peu. La plus grande vérité, pour vous, c'est votre propre expérience. Et c'est *cette* réalité qui, idéalement, vous sert de phare dans les territoires inexplorés de cette époque. Chacun de vous est un maître en soi. Chacun possède suffisamment d'expérience de vie pour se situer lui-même. La déférence conditionnée pour le leadership des autres au détriment de votre propre expérience ne peut que ralentir votre voyage. Car votre vie témoigne de vos propres choix et des leçons que vous pouvez en tirer. L'habitude de chercher l'approbation des autres ne renforce pas votre autonomie en tant qu'être réalisé. Elle exprime la dépendance et la nourrit. Il n'y a qu'une vérité à laquelle vous pouvez vous fier, quoi qu'il arrive, et c'est la vôtre.

Désormais, tout est possible. Essentiellement, l'ardoise est nettoyée. Voici un monde nouveau. Un monde où les rêves peuvent se réaliser instantanément. Où les déités qui marchent parmi vous peuvent être reconnues comme étant vos propres soi émergents. Où vous êtes en mesure de vous sentir soutenu, heureux, et où vos efforts portent leurs fruits. Un monde où la joie indescriptible d'être en phase avec le mouvement de l'illimité est votre droit naturel. Telles sont les conditions présentes. Ici, maintenant. Non quelque part dans l'avenir, mais en ce moment même. Le voyage sacré de la transformation vous a conduit directement sur le seuil. Il ne reste plus qu'à choisir de le franchir pour en faire l'expérience.

chapitre douze

Le rêve insaisissable de la réalité.

oici le moment que vous attendiez depuis des temps immémoriaux. Votre conscience est au seuil d'un changement radical
auquel vous vous préparez depuis de nombreuses vies. Vous sentez que vous approchez de l'achèvement de vos principaux problèmes existentiels. Vous êtes à même d'identifier les schèmes et les thèmes qui ont
constamment refait surface dans les drames de votre vie quotidienne. Et
vous sentez indiscutablement que quelque chose a changé dans les profondeurs mêmes de votre être. Ce changement est subtil et à peine perceptible,
mais indéniable. L'énergie circule facilement et rien ne lui résiste.

Vous êtes un pionnier d'un territoire inexploré, mais assurément
vous n'êtes pas seul car vous expérimentez une connexion intérieure qui
ne peut être que divine. Vous êtes dans l'Unité de toute la Création. Vous
avez dépassé le point de non-retour de votre voyage sacré et vous vous êtes
entièrement abandonné au mouvement qui vous porte, sans aucun effort.
Votre vie est devenue une joyeuse célébration, un don que vous vous êtes
fait à vous-même. Voici le moment. Vous le reconnaissez, car il a toujours
été là. C'est l'état d'être, éternellement présent dans la conscience, qui se
cristallise dans la forme. Vous avez défini votre plus cher désir. Il ne vous
reste plus qu'à en faire l'expérience.

Le rêve insaisissable décrit plus haut est, en fait, votre réalité. Il s'est déjà produit. Il ne vous reste plus, littéralement, qu'à en faire l'expérience. Et peut-être vous demandez-vous en ce moment pendant combien de temps encore ce rêve demeurera inaccessible. La réponse ? Aussi longtemps que vous le désirerez.

Tant que vous continuerez à vous dire que vous êtes presque rendu – presque, mais pas tout à fait –, vous maintiendrez l'expérience du rêve inaccessible. En fait, le Rêve se produit en ce moment même dans votre réalité. Et la façon d'y être présent, c'est de l'être en ce moment même. Pour vivre instantanément le Rêve, vous n'avez nul besoin que quelqu'un vous en donne la permission ou vous confirme votre progrès. Tout ce qu'il faut, c'est de savoir que vous êtes déjà rendu.

chapitre treize

Embrasser le Moment divin :

*l'accélération du processus de compensation
expérientielle du « passé ».*

*Reconnaître le changement radical des règles de base
régissant la réalité physique.*

Devenir le « rocher » sur quoi tout repose.

Votre résistance intérieure aux changements rendra nécessaire la répétition supplémentaire de certaines catégories d'expériences que vous avez essentiellement dépassées. Tant que vous vous accrocherez à l'idée que la vie doit se passer d'une certaine manière, vous considérerez votre conjoncture comme hors de votre contrôle, ce qui contribuera à la perpétuation de la mentalité de « victime ». C'est là un cercle vicieux : les expériences renforcent les présomptions, lesquelles préparent le terrain aux expériences. Éventuellement, vous vous lasserez de toute cette injustice et, en un moment de désespoir, vous chercherez au fond de vous des indices vous permettant de sortir de l'ornière.

Ayant atteint le point de saturation de la déception et de la souffrance, vous aurez préparé le terrain au changement de conscience qui créera une vie nouvelle. Car, à votre insu, la vie que vous croyez vivre n'est pas demeurée statique. Vous avez beaucoup assimilé de la vibration accélérée vous permettant d'accéder à la perspective supérieure que vous comprenez et exprimez en tant qu'âme élevée ; mais, encore empêtré dans les complexités du script de votre vie, vous avez fait tout votre possible pour résister au changement radical stimulé par cette haute énergie. Et, vraisemblablement, vous avez continué à vous accrocher à l'épave de votre prétendu radeau existentiel alors qu'il commence à s'enfoncer dans la mer turbulente du changement.

Il est vrai que vous n'avez pas été préparé à cette époque, du moins pas comme vous vous y attendiez. On ne vous a pas appris que votre vie allait tout à coup « dévier » de sa route à mi-chemin et que vous vous retrouveriez sans carte ni boussole, ni aucune des autres béquilles extérieures auxquelles vous êtes habitué. Ne restent que les indices qui émergent peu à peu de l'intérieur. Et, en faisant maintenant porter sur ce qui n'a jamais été oublié, plutôt que sur ce qui a été appris, la responsabilité de votre navigation dans ces eaux inexplorées, vous vous retrouvez sur le bon chemin.

Cette fois-ci cependant, le *chemin* a changé. Il possède tous les repères qui vous sont familiers, mais le paysage où vous évoluez change aussi et vous apprenez instinctivement à flotter dans sa fluidité. Ce n'est pas un monde de robots programmés exécutant une routine automatique aux résultats prévisibles. Tout ce qui aurait pu être prévisible a été éliminé du programme. Et, petit à petit, vous goûtez à la magnitude du pouvoir réel qui constitue votre véritable essence.

Stimulé par la vibration accélérée du monde qui vous entoure, vous avez été propulsé vers de nouvelles expériences, à un niveau de réalité parallèle et supérieur vous permettant de transcender votre façon d'expérimenter la vie. Essentiellement, vous avez *ascensionné*. Et mieux vous vous adapterez aux différences subtiles de votre nouvel environnement, plus vous vous acclimaterez facilement aux conditions créées par le changement continuel.

En vous élevant à chaque niveau et en y assimilant chaque série de conditions qu'il comporte, vous affinez vibratoirement votre perception de votre réalité et de la place que vous y occupez. Et vous reconnaissez que vous êtes engagé dans un processus dont la direction est clairement définie et qui n'a aucunement besoin de votre mental pour le diriger. À chaque niveau vibratoire que vous assimilez profondément, la compréhension devient *connaissance* et vous vous familiarisez davantage avec un processus qui met en perspective le passé et les difficultés de la transformation.

Cette connaissance ne se présente pas sous forme de faits que l'on vous aurait enseignés, mais plutôt sous la forme d'un point de vue qui a toujours été en vous. Cependant, jusqu'à cette époque de bouleversements, cette connaissance était dormante, dans l'attente d'un contexte qui la rende pertinente. Ayant transcendé les conditions qui vous maintenaient dans l'aveuglement d'une perception limitée, vous pouvez *voir* désormais ce que vous ne pouviez voir jusqu'ici. Votre monde et la place que vous y occupez ont changé, d'abord très subtilement, et peut-être même ne remarquerez-vous pas tout de suite que vous êtes, en fait, ailleurs. Puis cela se produira, encore et encore, de sorte que vous commencerez lentement à comprendre la nature de ce qui se produit réellement en vous ainsi que dans le monde qui vous entoure et qui le reflète.

L'ascension n'est pas un obstacle unique qui se retrouve derrière quand on l'a franchi. C'est un processus perpétuel dont vous subissez sans cesse les effets. Et c'est un fait de la Vie elle-même, que cela vous plaise ou non. Vous vous êtes procuré l'expérience de l'éveil à la réalité de votre situation afin de pouvoir vous libérer de la prison des conditions nées du karma. Voici l'occasion de changer certains de ces schèmes. De vous élever au-dessus des conditions de représailles expérientielles dues à des choix effectués à des niveaux de réalité que vous considéreriez comme étant « le passé ».

Vous êtes maintenant apte à suivre le mouvement qui unit toute la Création. Et, avec l'aide des énergies qui inondent votre monde, vous avez reçu l'expérience d'un Moment divin, où vous avez l'occasion d'accélérer un processus de compensation expérientielle qui, dans des conditions plus difficiles, aurait pu durer des siècles, ou, dans des cas extrêmes, aurait pu vous entraîner dans un schème d'adversité permanente.

L'appel du but supérieur de l'Intention divine exige un changement radical des règles de base gouvernant la réalité physique. Afin que Tout Vivant puisse avoir l'occasion de goûter à sa Divinité innée et de finalement s'unir dans l'Unité, il était nécessaire que certaines conditions soient changées de manière que les énergies de la stagnation soient transcendées par ceux qui étaient prêts à se libérer.

Voilà la nature de l'expérience de cette époque. Voilà le mouvement sous-jacent aux sables mouvants de votre expérience de la vie. Voilà l'occasion qui est donnée à ceux qui osent risquer tout ce qu'ils *savent* afin d'avoir la chance que leur soit révélé tout ce qu'ils savent *vraiment*.

Vous vous êtes éveillé au milieu d'un rêve sans fin et vous avez toujours l'impression de rêver. Mais cela semble maintenant sans importance, car vous avez eu un éclair d'illumination. Vous avez vu des signes indubitables que tout le drame dans lequel vous expérimentez votre conscience de soi peut être modifié à volonté. Vous avez reçu la preuve que, dans ce rêve particulier, vous n'êtes pas « le chassé », l'innocent qui vit à la merci des caprices d'un monde hostile. Vous avez décrété un répit au milieu de tout ce chaos et vous vous êtes entrevu en sécurité dans ce tourbillon autour de vous.

Selon toute vraisemblance, vous n'êtes pas demeuré plus d'un instant, au mieux, dans ce centre sacré. Vous avez néanmoins découvert que, quelque part dans le domaine du possible, il y avait cet indescriptible sentiment de paix. Et vous avez reconnu cet état d'être, car il est de la nature de votre propre essence. Cette fois, vous n'aurez pas besoin de passer des vies à tenter de retrouver la magnificence de ce moment. Vous vous êtes offert cette expérience, dans ce qui semble peut-être un état onirique, car vous savez que, désormais, vous n'oublierez pas le sentiment de cette connexion.

Finalement, vous vous rendrez compte que vous ne rêviez pas. Car vous ne dormez plus. Vous sentant de moins en moins séparé des situations qui vous contrarient, vous vous sentirez de plus en plus séparé de l'illusion que vous considériez comme votre vie. Vous n'êtes pas ce cauchemar. Et, que vous désiriez ou non continuer de l'exprimer, cela devient une question de choix. Vous avez perçu pendant une fraction de seconde votre essence sacrée comme étant séparée de « tout cela », en sécurité dans le silence de l'œil du cyclone, de sorte que ce choix représente une option susceptible d'être manifestée à volonté.

Vous n'êtes *dans* ce film que si vous choisissez de vous percevoir comme tel. En fait, vous le *regardez*. Et les circonstances implacables que vous subissez sont, en somme, des mécanismes illusoires que vous avez créés afin d'accéder à certains niveaux de conscience et de compréhension. Chaque atteinte à votre orgueil, chaque issue décevante n'est rien d'autre qu'un instrument de votre propre volonté, qu'un accessoire symbolique avec lequel, en tant que scénariste accompli, vous vous tendez un miroir de vous-même. Au moyen de ces puissants symboles expérientiels, vous avez inscrit dans le scénario l'occasion de vous voir en action et de reconnaître les gestes et les répliques que vous savez par cœur, afin de voir au-delà.

Au bout du compte, vous remarquerez la corrélation entre votre intention non réprimée et le changement de situations que vous pouvez susciter comme expérience dans votre vie. Et il ne fera aucun doute que vous avez déjà commencé à manifester des expériences d'un nouveau calibre, issues d'une confiance et d'une satisfaction intérieures, non de la peur et de l'agitation. La preuve de cette transformation fondamentale de l'essence de l'être intérieur se voit partout autour de vous. Vous ne pourrez douter du pouvoir de la paix intérieure, qui, devenu manifeste, constitue maintenant votre expérience de la réalité physique.

La représentation symbolique des formes-pensées qui flottent librement dans votre conscience se manifestera encore durant cette période transitoire. Et le fondement harmonieux sur lequel la vie repose depuis peu continuera d'être parsemé d'épisodes d'adversité et de discorde. Car votre réalité est une vive représentation de tout ce qui réside dans votre conscience, en activité ou en sommeil. Tant que vous n'aurez pas manifesté en tant qu'expériences de vie les occasions de libérer et de conduire à l'achèvement les énergies profondes qui résident en vous, celles-ci continueront d'émerger sous la forme de telles expériences.

Votre conscience n'est pas un canevas vierge, dénué de préjugés et de passion, simplement parce que vous vous êtes engagé profondément dans votre voyage transformationnel et que vous avez conscience de ce que représentent symboliquement les images qui se déroulent devant vous. Vous êtes encore le produit de votre unique essence, de votre conditionnement ainsi que des résidus non résolus des drames et des traumatismes de votre histoire incarnée. Ces facteurs sont encore actifs dans la purification de la résonance de votre réalité expérientielle. Ce qui aura changé tandis que vous chercherez encore, parmi les détails de votre vie quotidienne, des indices du mystère de la vie, c'est l'arrière-plan de l'harmonie intérieure sur lequel, maintenant, tout se déroule.

Les défis qui se présentent naturellement dans la vie de chacun continueront à émerger dans sa réalité. Pourtant, ces conflits ne sont plus perçus comme des catastrophes. Vous vous êtes conditionné à éviter largement la provocation que vous attirez toujours dans votre champ d'énergie et, ce faisant, vous avez commencé à dissiper systématiquement les énergies qui habituellement vous attiraient ce genre de situations. Lentement, vous prenez conscience que les échanges n'y sont plus aussi intenses. Ce qui pourrait soulever une énorme tempête ne génère plus qu'une vaguelette sur vos eaux intérieures.

Vous aurez réussi petit à petit à vous bâtir une nouvelle confiance intérieure sur le fondement d'une preuve expérientielle croissante que, malgré l'accélération des changements ayant lieu partout autour de vous, vous êtes devenu le « rocher » sur lequel tout repose. Tous les pièges de la sécurité extérieure, sur laquelle vous vous appuyiez déjà aveuglément, ont été ébranlés ou détruits, sinon même abandonnés. La pertinence de ce qui fut déjà considéré comme irréfutable est maintenant remise en question. Le rôle que vous vous êtes octroyé dans la passion idéalisée de la jeunesse est cette fois visiblement défectueux. Par suite de toute la désillusion devant la fragilité de ce que vous croyiez bâti sur le roc, vous exhumez votre essence éternelle.

Malgré la preuve du contraire, les séismes symboliques de vos drames de vie personnels ne vous ont pas affaibli. Au contraire, votre débrouillardise s'est accrue. Votre résistance également. Et, en l'absence de presque tout ce sur quoi vous aviez compté, il est resté quelque chose d'indestructible et d'intemporel : votre propre essence sacrée.

C'est cette essence même que vous avez entrepris d'extraire de vos peurs et de votre conditionnement mental. Au plus profond de vos illusions, très loin sous les distorsions de tout ce que l'on vous a appris à croire, se trouve un niveau du soi qui est demeuré inviolable. C'est cette précieuse étincelle de votre Divinité que vous cherchiez à découvrir, intacte à l'intérieur de vous, quand tout le reste échouait, comme vous saviez que ce serait le cas. C'est vous qui avez établi cela ainsi. Quand les lambeaux de l'illusion dont vous vous êtes revêtu seront retombés à vos pieds et que vous serez enfin dénudé à vos propres yeux de tout simulacre, vous serez prêt, peut-être pour la première fois, à la voir.

Certains d'entre vous ont offert plus de résistance que d'autres à la simple vérité de leur véritable nature. Et certains ont laissé dans leur sillage une zone de guerre. Certains aussi savaient qu'il faudrait davantage qu'une légère tape sur la coquille de leur conscience cristalline pour les éveiller à ce qui brille en eux. D'autres étaient préparés à subir un holocauste virtuel dans leur conscience, à cause de la résistance qui y était profondément enracinée. Finalement, quand tous les mécanismes mentaux destinés à entretenir l'illusion de la séparation auront été désamorcés, vous abandonnerez le combat.

Quand, enfin, vous n'aurez plus rien à perdre, vous serez prêt. Car alors seulement, dans un état sacré d'humilité, vous serez capable de reconnaître et d'embrasser ce qui n'a jamais été perdu. Cette précieuse étincelle vous attend. Elle vous a constamment procuré des indices sur son origine. Une petite lueur de temps à autre, afin de vous garder sur la bonne voie. Mais, chez certains, c'est seulement lorsqu'ils sont absolument convaincus d'être désespérément perdus et qu'ils ne savent vraiment plus où se diriger qu'ils se tournent vers l'intérieur et que le véritable voyage débute.

Vous avez orchestré chaque geste afin d'aboutir à ce moment, quoi qu'il ait fallu pour vous y conduire. Votre danse unique est un reflet de votre interaction avec cette résistance intérieure. Et c'est ce qui vous a gardé lié à l'illusion du vieux paradigme et à l'évangile de la limitation que plusieurs d'entre vous avaient épousé. Il vous a fallu subir les éprouvantes expériences de la désillusion pour vous affranchir de certains de ces liens, car le pouvoir de la culpabilité et de la peur continuait à nourrir en vous le sentiment d'impuissance avec lequel plusieurs d'entre vous ont émergé à la conscience de cette réalité. Transcender ce conditionnement n'est pas un exploit qu'il faut sous-estimer.

Puisque vous lisez ces lignes et que vous réfléchissez à ces concepts, vous avez sûrement connu toutes ces difficultés. Et vous avez atteint le point de votre voyage où, virtuellement, tout ce que vous avez déjà tenu pour sacré a été examiné sous l'angle de la pertinence et rejeté. C'est ce plateau qu'il faut avoir atteint pour que s'amorce une véritable ascension.

Quand vous aurez réussi à vous dépouiller de tout ce qui soutient l'œuvre de fiction monumentale que vous avez orchestrée et qui s'appelle réalité, vous serez en mesure de saisir une conception de la réalité, ainsi que de la place que vous y occupez, qui sera indiscutable. Vous avez désormais engagé votre vie dans une direction où votre sens intérieur détermine ce qui est conforme à cette conception et ce qui ne l'est pas. Et la compréhension consensuelle du réel ou de l'irréel n'a aucune pertinence si elle ne peut être vérifiée par *votre* sentiment intérieur.

Il s'agit donc moins de voir ce qui peut être validé par l'analyse et de longs voyages dans les labyrinthes de la logique que de savoir ce qui vous est confirmé par votre propre sensibilité accrue. Vous vous fierez davantage à votre propre *vérité intérieure*, et moins aux cartes routières d'un monde désuet, pour vous guider dans les territoires inexplorés qui s'offrent à vous.

Cette époque représente un carrefour sans précédent pour plusieurs. Car vous avez émergé à la conscience d'un lieu où plusieurs mondes se rencontrent. Vos perceptions, ainsi que les choix qu'elles vous incitent à faire, détermineront la difficulté de la route à parcourir. Ceux qui se sont abandonnés intérieurement à la majesté de l'expérience naissante rencontreront sur leur route un « chemin de moindre résistance » qui les conduira jusqu'à l'étape suivante du trajet. Vous le reconnaîtrez intérieurement, même si vous croyez peut-être qu'il s'agit là de la « grande inconnue ». Car la partie de vous qui s'est enfin ouverte le connaît très bien.

chapitre quatorze

Réunir deux mondes en une seule vie.

Le développement accru des sens physiques et des aptitudes psychiques.

*La perception d'autres formes de vie appartenant
à cette réalité et l'interaction avec celles-ci.*

Imaginez un instant que la vie telle que vous la connaissez n'est
qu'un fragment de la vraie nature de la réalité. Imaginez que
vous avez eu un aperçu privilégié d'un monde où il n'y a
aucune limite à ce qui peut être créé. Imaginez que vous avez reçu
le pouvoir de manifester tout ce que vous désirez, simplement en
voulant qu'il en soit ainsi. Imaginez que vous n'êtes plus à la merci
de circonstances hors de votre contrôle et que la vie est le résultat,
en toutes circonstances, de votre plus haute intention. Voilà, en
fait, la nature de votre réalité. Voilà le potentiel que vous avez reçu,
non quelque part dans l'avenir, mais dans l'« ici- maintenant ».

Lorsque les énergies continueront de s'accélérer et que le
mouvement s'établira davantage, le monde que vous expérimentez
changera en conséquence. Et la vie telle que vous la connaissez
revêtira les caractéristiques raffinées de domaines d'expérience
« autres » que l'« ici- maintenant ». La norme pour la création de
votre expérience différera de ce qui a été accepté jusqu'ici dans
votre monde et en cette vie. Car celle-ci marque un changement

sans précédent dans la nature de ce qui est perçu comme étant la *réalité*. Et vous, qui avez choisi de vous incarner en cette période, êtes de véritables pionniers annonçant le monde tel qu'il deviendra de plus en plus.

Vous ne disparaîtrez pas d'une série de situations pour réapparaître dans une autre. Vos perceptions seront l'expression raffinée de la réalité que vous aurez créée jusque-là et que vous continuerez à parfaire tout au long du processus. Idéalement, ceux d'entre vous qui ont pris conscience de ce qui se passe en effet en cette époque réussiront à contourner certains des pièges du passage à la manifestation instantanée.

Vous aurez tout le temps voulu pour perfectionner les aptitudes nécessaires à la manifestation du meilleur résultat possible avant que leur mauvaise application ait naturellement pour résultat des conséquences désastreuses. Certains de ceux qui lisent ces lignes, dont la vibration supérieure amène le lecteur à un niveau supérieur du processus, expérimentent à l'avance, par rapport à l'ensemble de la population, le résultat malheureux de ces aptitudes. Et plusieurs se débattent contre des situations qui sont le résultat de ces aptitudes nouvellement acquises, mais non perfectionnées.

Dans les temps qui viennent, la population en général se heurtera à son pouvoir de créer instantanément au moyen de l'intention focalisée. Ceux qui n'auront pas libéré leur bagage superflu de négativité avant d'atteindre ce niveau auront créé des conjonctures qui saperont leur capacité de retenir la forme aux niveaux supérieurs. Dans plusieurs cas, le changement sera soudain et dramatique. Et il y aura ceux qui saisiront l'occasion de transformer leur vie d'une façon apparemment miraculeuse, virtuellement du jour au lendemain. D'autres succomberont à leur adhésion conditionnée aux « règles » dont la désuétude est de plus en plus évidente à ceux dont la conscience suit le flux du changement.

Le processus de désherbage de ceux qui pourront avancer sous leur forme présente sera ainsi accompli, non grâce à une détermination extérieure, mais par l'effet de leur propre choix. Ceux qui sont incapables d'assimiler les niveaux supérieurs auront créé des conjonctures leur fournissant une sortie du présent scénario de leur vie et ils auront l'occasion, au carrefour approprié, d'émerger de nouveau dans la forme à des niveaux de manifestation leur convenant davantage. Ceux qui peuvent maîtriser les défis caractéristiques des dimensions supérieures vers lesquelles votre monde s'élève commenceront à expérimenter la capacité de créer comme réalité leur plus cher désir.

En cette période transitoire, la plupart de ceux qui habitent votre sphère réunissent deux mondes. Alors qu'ils continuent, par leurs choix, de raffiner leur domaine d'expérience, ces choix continueront aussi de déterminer qui est capable de retenir la forme. Au bout du compte, quand les énergies se stabiliseront et que les caractéristiques des deux mondes fusionneront pour n'en former qu'un, « ici et maintenant », ceux qui auront renoncé à se restreindre au monde qui était seront les premiers à expérimenter deux mondes en une seule vie.

Plusieurs parmi vous ont entrepris, dans la présente période, d'expérimenter les caractéristiques du monde à venir et ils ont observé de subtils changements dans leur quotidien. Le rythme accéléré de ces changements laisse peu de place au doute quant à la réalité de ce que l'on aurait précédemment écarté comme un pur produit de l'imagination. Oui, ces perceptions et ces aptitudes sont bien réelles. Non, vous n'avez pas perdu la raison. En réalité, vous avez commencé à la trouver.

Des aptitudes qui auparavant semblaient réservées aux « clairvoyants » seront courantes dans la population en général. L'aptitude à percevoir ce qui n'est pas perceptible aux cinq sens physiques tels que vous les avez identifiés sera désormais naturelle et normale. Tous sont dotés de ces aptitudes et chacun les développera dans une plus ou moins grande mesure.

La vision s'améliorera de manière à inclure la capacité de *voir* les schèmes énergétiques et le mouvement de l'énergie parmi les formes de vie, en réaction aux pensées et aux émotions. Il en résultera une communication plus facile, non camouflée par la parole ou le geste. La clarté avec laquelle l'individu pourra communiquer dans ces conditions garantit que son intention ne sera pas mal interprétée. Finalement, les formes-pensées auront la préséance sur l'interaction verbale en tant que mode de communication, comme c'est le cas dans d'autres sphères d'existence. Au cours de nombreuses générations futures, le mode de communication entre les êtres passera de la dépendance par rapport aux échanges parlés ou écrits à une culture maîtrisant la communication non verbale.

Dans les temps à venir, vous aurez renoncé à la dépendance par rapport aux limites qui divisent culturellement l'humanité en segments isolés et vous aurez effectué le saut quantique dans les sphères d'interaction éliminant les barrières qui assurent à ce jour la séparation. Dans la quête de l'humanité progressant vers l'expérience de l'Unité, l'application universelle des aptitudes naturelles que l'on croyait auparavant réservées à la pratique « occulte » constituera un progrès nécessaire et fondamental. Dans la période de transition, qui s'étendra sur plusieurs générations, vous expérimenterez peu à peu ces aptitudes à divers degrés.

Vous prendrez graduellement conscience de votre aptitude à percevoir les couleurs qui entourent toute forme de vie. Vous verrez assez facilement les schèmes vibratoires qui vous permettront d'identifier l'émotion et l'intention sous-jacentes des êtres avec qui vous serez en interaction. Il sera de plus en plus difficile de dissimuler son motif ou sa position véritable en utilisant habilement le langage. L'honnêteté de l'expression sera un sous-produit garanti du processus. Tandis qu'une série d'aptitudes complétera l'autre, les deux formes de communication fonctionneront simultanément et deviendront la norme de l'interaction humaine. En définitive, le langage sera entièrement remplacé par les formes-pensées, qui offrent une riche subtilité d'échange présentement impossible dans votre réalité.

Les cinq sens physiques dont vous êtes équipé atteindront de plus hauts niveaux de perception alors que les vibrations s'accéléreront encore. La nourriture procurera des plaisirs exquis puisque les sens du goût et de l'odorat fourniront leur plein rendement. Vous remarquerez, peut-être accidentellement tout d'abord, que certains repas sont exceptionnellement savoureux. Vous en donnerez peut-être le mérite au chef cuisinier. Pourtant, il vous deviendra de plus en plus évident que le plaisir de manger a augmenté substantiellement et que vos sens se sont améliorés. Les vibrations continuant de s'accélérer, le niveau de plaisir possible augmentera en conséquence. Ces catégories d'expériences du plaisir servent à ouvrir vos centres supérieurs d'énergie, que vous appelez chakras, et vous facilitent le haut niveau d'intégration énergétique nécessaire pour progresser sans cesse dans le processus ascensionnel.

Le sens de l'odorat dont vous êtes doté est un portail de la conscience supérieure que vous vous efforcez d'atteindre, sciemment ou non. La capacité, accrue, de percevoir les subtilités des odeurs vous ouvrira des avenues nouvelles d'expression et d'expérience. La nature sensuelle, qui est la condition humaine naturelle, a été culturellement inhibée sur d'innombrables générations dans votre monde dit civilisé. Chez des civilisations que vous considérez comme primitives, la sensualité humaine est un aspect estimé de la nature de l'individu, que l'on exprime ouvertement et avec une grande joie.

Lorsque les sens de l'individu atteindront de plus hauts niveaux de perception, il sera difficile de réprimer le plaisir procuré par le simple geste de humer une fleur, par exemple. Les barrières culturelles s'écrouleront petit à petit tandis que les plus simples plaisirs de l'existence deviendront des moments privilégiés de la vie. La joie de vivre connaîtra sa pleine expression et sera universellement indéniable. Les priorités liées à l'acquisition de biens matériels s'éroderont, cependant que la sensibilité accrue de l'individu ouvrira sa conscience à des avenues de focalisation très différentes. Et les complexités de l'existence présente céderont le pas à la simplicité et à l'amour.

On reconnaîtra la signification de la vibration sonore comme moyen de transmettre l'émotion et elle deviendra une clé pour ouvrir la nature sensitive de l'individu. Des thérapies sonores émergeront ; ce sera là un domaine d'une importance majeure pour le maintien du bien-être physique de la forme humaine. La santé émotionnelle représentera la clé du maintien de la forme physique dans un état de vibration optimal. L'ouverture et le dégagement des centres énergétiques encombrés et réprimés seront facilités par l'exposition constante à certaines formes de *musique*. Plonger les sens dans les schèmes rythmiques de vibration fournis par des types de musique choisis augmentera la capacité d'intégrer les vibrations supérieures et d'accélérer le processus ascensionnel.

L'utilisation de ce don vibratoire deviendra un processus par lequel on s'harmonisera à son propre mécanisme de réaction émotionnelle pour déterminer quels schèmes vibratoires pourront le mieux dégager les énergies bloquées et stagnantes qui affaiblissent la condition humaine. Alors que la sensibilité de l'individu s'améliorera par suite de l'intégration énergétique, celui-ci prendra conscience que certains schèmes sonores stimulent les émotions auxquelles il accède par tel ou tel chakra. La corrélation deviendra facilement identifiable. Et le domaine de la musique émergera comme l'intégration d'une forme d'art et d'une science thérapeutique, dans la quête de l'humanité pour perfectionner la santé du corps physique.

En stimulant l'expérience de certaines émotions, on pourra ramener à la surface et dégager les énergies stagnantes qui sont la cause sous-jacente de la maladie. Souvent ces émotions sont endormies dans les corps subtils, résultat d'une négligence accumulée depuis plusieurs existences. Même sous la surface du plus conscient d'entre vous existent des expériences s'étalant sur des siècles et qui, pour des raisons culturelles, n'ont pas été intégrées dans le tout énergétique. Il n'est pas nécessaire de refaire l'expérience du contexte de ces épisodes qui résident en vous sous forme énergétique, car le dégagement vibratoire prescrit ne requiert pas la compréhension de l'esprit, mais plutôt la connaissance du corps sensitif.

Par exemple, il n'est pas nécessaire de savoir qu'une certaine tristesse fut instillée par un chagrin non résolu dans une vie antérieure. Les circonstances qui ont précipité le blocage émotionnel n'ont aucune pertinence quant au fait qu'il y a peut-être une aura de tristesse sous-jacente dans le champ énergétique d'un individu. Bien sûr, cela peut exciter la curiosité, et l'on peut effectivement être fasciné par la découverte, au moyen des états altérés de conscience, des détails d'autres incarnations, mais on passerait entièrement à côté du but de l'exercice si l'on n'identifiait pas le fil commun de l'émotion et si l'on n'en tenait pas compte.

Il est tout à fait possible d'accéder aux couches d'émotions bloquées et réprimées, accumulées en plusieurs vies, en devenant conscient et sensible aux catégories d'émotions qui sont stimulées par les expériences de *cette* vie. Quand on s'accorde la permission d'exprimer pleinement ce qui est ressenti au plus profond niveau du corps émotionnel, on favorise l'évacuation de ces blocages et l'ouverture à une sensibilité supérieure. La stimulation des sens physiques en toute conscience de leur corrélation avec des catégories particulières d'émotions constitue un moyen direct et hautement efficace de dégager les énergies qui inhibent le progrès effectué à d'autres niveaux.

L'accroissement de la vibration est crucial pour tout ce que l'on désire accomplir en cette époque de transition. Il serait bien d'éviter toute interaction allant à l'encontre de ce but. En exerçant son aptitude naturelle à sentir les énergies, on ferait mieux d'être sélectif quant aux lieux et aux personnes avec qui l'on entre en interaction dans ses activités quotidiennes. Les individus dont l'énergie est en discordance avec la vôtre abaissent votre niveau vibratoire pendant une interaction.

Il devient donc moins important, alors que le processus transformationnel s'accélère, d'être poli ou de s'affirmer quant à ce que l'on perçoit comme une injustice, que de focaliser sa conscience défensivement sur le piège énergétique inhérent à une interaction potentielle. On finira par s'apercevoir qu'il est préférable d'éviter complètement certains environnements et certaines personnes plutôt que de s'exposer à une énergie discordante. Votre mission n'est pas de tenter de convertir les autres ni de changer tout mode d'être différent du vôtre. Quand on surveille, avec une conscience éveillée, l'énergie que l'on apporte à toute situation, on apporte la meilleure contribution possible au bien-être de tous.

Tandis que votre vibration continuera de s'accroître, vous prendrez conscience de changements subtils dans votre perception de tout ce qui vous entoure, car tout ce qui se trouve dans votre monde est composé d'énergie. Devenu extrêmement sensible à votre environnement, vous sentirez le besoin de vous placer dans des lieux dont la vibration est élevée. Obéissez à ce besoin. Vous vous sentirez sans doute enclin à passer beaucoup de temps dans la nature. Ce faisant, vous découvrirez que vous êtes devenu sensible aux subtilités de l'interaction avec d'autres niveaux de conscience qui cohabitent avec vous dans votre sphère.

Vous deviendrez hautement conscient de tout un domaine d'existence dont les subtilités vous ont échappé au niveau vibratoire inférieur auquel vous avez émergé à la conscience en cette vie. Maintenant, alors que les mondes inclus dans votre monde se chevauchent, les véritables réalités vont émerger avec une précision saisissante. Vous découvrirez dans le sanctuaire de vos forêts toute la richesse du monde de la nature. Voici un large spectre de conscience qui prend vie quand on s'est élevé vibratoirement et qu'on acquiert l'aptitude naturelle à interagir, en conscience et en pensée, avec des formes de vie considérées auparavant comme inanimées.

La conscience éveillée – ce que certains considèrent comme de l'*intelligence* – est inhérente à toute forme de vie résidant dans votre monde. Certains parmi vous ont déjà pris conscience de leur aptitude à voir l'énergie – l'aura – qui entoure la forme physique de toute matière. Certains peuvent même percevoir avec une étonnante facilité le monde des esprits de la nature, dont la joie de vivre apporte une toute nouvelle perspective à l'expérience que vous appelez « la vie ».

Avec le temps, vous serez capable de voir, quasi physiquement, des formes de vie imperceptibles auparavant aux sens physiques de la plupart des humains. Et ces aptitudes seront tenues pour *normales* par les générations futures. Il régnera une entente du genre « vivre et laisser vivre » parmi toutes les créatures vivant au carrefour spatiotemporel de votre monde. Et l'harmonie naturelle, dont cette sphère fut dotée originellement, sera rétablie.

C'est vers ce monde que vous voyagez présentement, à une vitesse sans précédent. Ce ne sont là que quelques-unes des aptitudes dont vous disposerez en cette incarnation physique. Voilà l'aventure qui vous attend alors que vous vous aventurez hors de la prison de l'illusion que vous prenez pour votre réalité. Et un petit avant-goût de ce que vous connaîtrez quand vous vous détacherez du passé familier pour vous ouvrir aux possibilités expérientielles de l'éternel « ici-maintenant ».

chapitre quinze

La prescription vibratoire pour le maintien du bien-être physique

dans une réalité rapidement changeante.

En cette époque, on accorde beaucoup d'importance à la condition physique de l'individu. La purification de la forme physique en tant que véhicule d'ascension est l'un des objectifs les plus cruciaux sur lesquels on peut focaliser son intention. Voilà pourquoi nous désirons attirer votre attention sur ce point. Votre forme est le reflet direct de votre niveau vibratoire à tel ou tel moment, car le corps humain est simplement la manifestation de l'énergie en tant que forme.

Pour maintenir le corps physique dans un état de santé optimal, il est nécessaire de voir au-delà de la sagesse consensuelle fondée sur des vérités du passé. Car votre monde physique limité ne vous fournit des indices que de ce qui est scientifiquement vérifiable. La sagesse nécessaire à cette époque est fondée sur un monde spirituel non accessible aux sens physiques.

La forme sous laquelle vous vous aventurez dans ce voyage sacré porte en elle ce que l'on pourrait appeler une « mémoire cellulaire ». Dans cet encodage vibratoire réside la clé de la transformation physique et métaphysique dans laquelle vous êtes engagé. La « mémoire cellulaire » évoquée ici ne contient pas simplement l'histoire linéaire des expériences passées, sous forme d'énergie influençant l'état physique. L'encodage dont il est question est porté dans ce contexte temporel à partir de ce que vous appelez le futur et se manifeste au moment encodé de l'éternel « ici-maintenant ». Les changements moléculaires qui s'opèrent dans votre forme physique sont déclenchés énergétiquement à la fois par vos choix personnels et par les changements énergétiques qui surviennent autour de vous.

Votre défi consiste désormais à intégrer dans la réalité de la vie quotidienne telle que vous la comprenez les énormes changements cellulaires qui ont lieu en chaque être existant sur la planète. Les règles de base de votre sphère changent à chaque instant. Étant donné la vitesse de cette transformation, vous vous sentirez peut-être isolé en terrain inconnu si vous n'êtes pas préparé à vous abandonner entièrement au processus et à accepter le fait que beaucoup de choses n'ont tout bonnement pas de sens. Du moins, pas encore. Le temps ajoutant l'expérience à l'équation, la connaissance deviendra évidente. Et les événements, qui sont bien *réels*, mais difficiles à expliquer selon un certain système de référence, prendront soudain toute leur envergure dans le contexte d'une réalité aux paramètres nouvellement établis.

Dans l'intervalle où vous êtes actuellement, la meilleure approche est de voir sa propre expérience comme sa vérité, même si elle défie souvent la logique et les règles établies de votre monde. Mieux vaut reléguer ces règles à une histoire qui change à chaque instant et qui continuera ainsi durant tout votre voyage sous forme physique. Car le monde physique, par définition, est structuré de façon à s'accommoder du changement.

Dans votre monde, rien n'est jamais constant. Mais jusqu'ici le changement se produisait si lentement qu'il s'avérait impossible de le mesurer et que la condition humaine donnait la fausse impression d'être statique. Maintenant que les énergies qui vous entourent s'accélèrent dans un mouvement que votre monde n'a jamais connu auparavant, l'*humain* connaît une véritable renaissance.

Votre science médicale actuelle ne pourra ignorer ces changements, car elle sera aux prises avec des énigmes programmées dans votre forme qu'il lui faudra résoudre alors même que l'interrelation entre les aspects physique et non physique de la vie deviendra indéniable. Le personnel médical s'en remettra de plus en plus aux « guérisseurs » lorsque le savoir technique sera remplacé par la connexion spirituelle. Une véritable guérison en résultera inévitablement si l'on aborde l'infrastructure non physique sur laquelle se fonde la vie.

Les techniques basées sur l'intuition donneront des résultats souvent instantanés là où des méthodes médicales éprouvées ne créaient que de la déception et un sentiment de futilité. La population a déjà commencé à reconnaître la validité de ces guérisons apparemment miraculeuses. Elle sent d'instinct que les solutions recherchées transcendent ce qui est disponible par les méthodes traditionnelles.

La médecine vibratoire remplacera les techniques traditionnelles, dont l'apprentissage cédera le pas devant l'émergence de jeunes êtres doués de facultés de guérison qu'ils ne comprendront d'ailleurs peut-être pas toujours. Certains parmi vous ont un pouvoir de guérison jugé comme très rare dans l'ensemble de la population. Et ceux-là, dont la connexion énergétique leur est devenue apparente, seront guidés dans l'enseignement des techniques de purification aux êtres qui présentement prennent forme dans des corps physiques beaucoup plus complexes.

La purification de votre forme physique est l'activité la plus signifiante sur laquelle focaliser actuellement votre énergie. Car vous portez depuis des lustres dans votre structure cellulaire des empreintes vous gardant enraciné énergétiquement dans une sphère qui devient rapidement une relique vibratoire. Afin de vous libérer de ces chaînes, il vous faut reconnaître que d'énormes changements ont lieu en vous, et ne pas y faire obstacle. Il est contreproductif, compte tenu de l'objectif que vous espérez tous atteindre, d'inhiber de quelque façon que ce soit les *symptômes* pouvant survenir en un sous-produit naturel du processus de purification.

Les énergies accélérées qui vous entourent ont un effet d'épuration sur la structure cellulaire humaine, puisque vous faites partie naturellement de tout ce qui vit et respire. Certains aspects de votre forme physique réagissent à ces stress d'une manière traditionnellement appelée « maladie ». Pourtant, tenter de soulager les signes de ce nettoyage cellulaire résulterait, selon toute vraisemblance, en une détérioration insidieuse du bien-être physique.

Le maintien de l'équilibre physique et émotionnel est essentiel à la longévité que vous souhaitez atteindre. On doit reconnaître les symptômes physiques bénins pour ce qu'ils sont, soit des signes de purification, et les laisser suivre leur cours malgré l'inconfort mineur qu'ils occasionnent. Si on les inhibe, le corps, dans presque tous les cas, fera d'autres tentatives pour se purifier et il en résultera un inconfort croissant.

L'utilisation d'herbes médicinales pratiquée par certaines civilisations indigènes peut avoir pour effet d'accélérer le processus de purification. L'ingestion de substances reconnues pour augmenter le penchant naturel du corps à éliminer les impuretés de sa structure est fortement encouragée. Par contre, les substances dont le seul but est de camoufler les symptômes et de procurer un faux bien-être nuisent au processus de purification et sont donc potentiellement dangereuses. Vous ne devez pas conclure que des symptômes physiques insignifiants sont un signe que quelque chose va mal. Bien au contraire. Vraisemblablement, ces symptômes indiquent que le corps physique se prépare à assimiler une énergie supérieure et à conserver une santé éclatante malgré une altération radicale des conditions vibratoires.

Le bien-être du corps physique dépend de plusieurs facteurs. Chacune de ces variables œuvre en interaction avec d'autres formes d'énergie présentes dans la structure cellulaire, pour cocréer l'état de santé physique. Certains enseignants qui sont maintenant à la fine pointe de la médecine énergétique dans votre monde fournissent de l'information établissant clairement l'influence des pensées et des émotions sur la santé.

Par contre, même si ces enseignements constituent certainement un jalon important sur le sentier, la plus grande partie de l'information ainsi présentée limite toujours la portée du sujet à ce qui est mesurable et expérimentable. La pleine création du bien-être doit englober la programmation énergétique que l'individu apporte en cette vie, autant que l'énergie qui, sous forme d'expérience, est attirée dans le champ énergétique par les aspects simultanés du soi existant dans des réalités qui coexistent parallèlement à celle que vous reconnaissez comme étant votre monde.

Ces concepts sont peut-être difficiles à saisir dans un contexte linéaire, car leur définition même défie la logique sur laquelle est fondée la condition humaine à votre niveau d'existence. Néanmoins, il est nécessaire d'être sensible aux indices reconnaissables en tant que schèmes expérientiels afin de transcender la programmation que l'individu porte dans sa structure cellulaire et qui fournit automatiquement un lien vibratoire avec les formes de vie parallèles et la conscience qui est essentiellement *vous*.

Il est tout à fait possible pour quiconque d'effectuer les meilleurs choix conscients quant à son bien-être physique et d'avoir pourtant à lutter énergétiquement contre l'adversité se manifestant comme impureté ou maladie. Et, tandis que la cause de certaines conditions adverses peut résider partiellement dans des circonstances au-delà du monde physique, de même la prescription pour transcender ces conditions réside dans la capacité de l'individu d'aborder sa forme physique d'un point de vue énergétique.

Les réalités parallèles dans lesquelles *vous* cocréez le monde que vous expérimentez dans l'« ici-maintenant » exercent une forte influence, énergétiquement, sur ce que vous considérez comme étant cette réalité. La manifestation de l'expérience, que ce soit sous forme d'événement ou de condition physique, est prédéterminée dans une certaine mesure par l'énergie résiduelle apportée dans l'« ici-maintenant » par des choix faits dans le passé ou dans le futur. Car tout se passe en réalité *maintenant*, énergétiquement.

La sensibilité aux schèmes expérientiels aidera à isoler les énergies profondes qui s'attirent une vibration s'exprimant par une condition physique particulière. Quand on aborde une condition énergétiquement, que ce soit par le véhicule de la pensée ou par l'administration d'une thérapie focalisée vibratoirement, on écarte un élément de la charge magnétisante qui prédispose l'individu à une condition particulière.

La thérapie vibratoire, si elle est appliquée correctement, constitue potentiellement la percée la plus significative dans le domaine du bien-être, dans votre réalité présente. Car cette approche peut cibler ce que certains appellent une « prédisposition » à certains états d'être. Cette prédisposition, inscrite dans la structure cellulaire de l'individu, se manifeste au moment approprié de la vie, quand les toxines vibratoires accumulées atteignent un niveau tel que des symptômes physiques s'ensuivent. L'élévation de sa vibration, par une focalisation consciente, peut grandement contribuer à soulager des conditions que l'individu était prédisposé à manifester depuis sa venue dans cette réalité sous une forme physique.

Tandis que la vibration de l'individu continue de s'accélérer, il est crucial d'évacuer énergétiquement les couches de toxines *karmiques* accumulées. Car le véhicule physique dans lequel vous voyagez est le reflet de tout ce que vous avez été et de tout ce que vous n'êtes pas encore, énergétiquement. Les choix effectués maintenant exercent une influence vibratoire sur l'ensemble et déterminent ce qui est expérimenté à tous les niveaux.

Pour vous manifester physiquement aux niveaux vers lesquels vous voyagez, il est nécessaire de soulager le corps physique des résidus vibratoires que vous portez depuis des lustres, par inadvertance. Il est impossible de maintenir la vie aux niveaux supérieurs si vous êtes alourdi par la densité de votre structure cellulaire. Il est nécessaire de *traiter* votre bagage énergétique afin d'isoler les

schèmes des choix et des réactions, physiquement, émotionnellement et au niveau de la vibration profonde que certains appellent
l'esprit. Car tous les niveaux s'harmonisent et résonnent comme la
somme vibratoire qui émerge sous la forme de votre expérience.

Quand l'énergie que porte l'individu à ces niveaux interdépen-
dants est déséquilibrée, celui-ci s'attire vraisemblablement des
expériences qui paraissent inappropriées. On se demande alors
pourquoi un être qui semble évolué spirituellement peut montrer
de l'adversité émotionnelle ou physique à des niveaux extrêmes.
C'est peut-être bien parce que cet individu porte dans sa structure
cellulaire un bagage de résidus émotionnels qui lui attire un
schème d'adversité malgré son haut niveau de développement spirituel.

Mieux vaut s'abstenir de juger le progrès atteint par les autres
dont vous faites partie du drame. Car certains parmi vous sont des
contradictions ambulantes : ils règlent des questions au plus haut
niveau tout en créant des scénarios extrêmes qui peuvent facilement
être mal interprétés. Mieux vaut réserver votre jugement pour votre
propre processus et rechercher intérieurement des indices des
schèmes qui vous retiennent dans une spirale de répétitions expérientielles qui a peut-être été transcendée à d'autres niveaux.

Il est rare de rencontrer un être qui, à ce stade du voyage
transformationnel, est équilibré dans ses corps spirituel, physique
et émotionnel. Dans la plupart des cas, les questions vitales qui ont
fait surface en tant qu'expériences se sont manifestées comme le
résultat du déséquilibre énergétique, au niveau cellulaire, d'un
aspect non en harmonie vibratoire avec un autre. Il est rare qu'un
individu harmonise l'accélération vibratoire de tous les corps à ce
stade de la transformation. Car une combinaison très complexe de
facteurs établit le niveau auquel les énergies se stabilisent dans chacun des corps.

Une fois que le processus de purification est amorcé et que la
conscience en a fait sa priorité, l'individu peut s'attendre à expérimenter une rapide accélération dans les secteurs où il a focalisé son

attention. Il aura l'impression de progresser, puis de reculer, en alternance, lorsque les questions fondamentales feront surface et qu'il les réglera. Comme des pelures d'oignon, les couches de toxines accumulées sur des thèmes de vie majeurs se détacheront à mesure que la personne prendra conscience des schèmes expérientiels ayant suscité tout au long de sa vie des représentations supplémentaires des drames en question. En se permettant d'expérimenter une profondeur de sentiments sur des thèmes particuliers, l'individu parvient à libérer, en séquences, une quantité de la charge énergétique qu'il porte, et à réduire les probabilités que des variations extrêmes sur des thèmes donnés se manifestent comme expériences de vie.

Au bout du compte, quand on a sondé les profondeurs de certaines catégories d'expériences et qu'on a pris le temps d'aborder toutes les manifestations toxiques de la forme physique, on peut atteindre le niveau où l'équilibre est réalisé. On se retrouve alors à la fine pointe d'une vague énergétique tandis que l'humanité poursuit sa montée. Quand ce stade est atteint, les perceptions commencent à s'altérer, d'abord subtilement, et l'individu prend conscience de sa présence simultanée dans plusieurs réalités.

Dans votre condition actuelle, il peut s'avérer difficile pour vous de concevoir cet état d'être. Pourtant, vous aurez vraisemblablement des aperçus de ce stade d'ascension tandis que votre processus s'intensifiera. Plusieurs ont déjà de telles expériences. Et cet état d'être sera de plus en plus fréquent, jusqu'à devenir la « norme », alors que la transformation de votre sphère progressera encore. La réalité que vous avez déjà qualifiée « d'immuable » aura alors fait place aux subtilités de nouvelles perceptions. Et il deviendra évident, pour tous ceux qui demeureront dans une forme physique, que le fondement *solide* de votre réalité et les preuves physiques de la matière sont vraiment des formes-pensées énergétiques pouvant être modifiées à volonté. À ce stade, la vie se met à adopter une perspective très différente.

Quand il devient évident que la réalité peut être créée par la subtile manipulation des énergies à plusieurs niveaux, des champs complets d'expertise émergent petit à petit, focalisés sur l'équilibrage et le maintien des catégories vibratoires. On découvre alors son aptitude à créer à volonté ce que l'on désire manifester et on expérimente le résultat en tant que réalité physique. Le défi est alors d'être conscient du mouvement sous-jacent à certaines actions. La pureté d'intention devient un facteur-clé de la réussite de la personne dans le maintien de son niveau et la réalisation de ce qu'elle désire expérimenter.

En cette époque de transition, vous pouvez vous attendre à entrevoir un monde où ce genre d'aptitudes est la norme. Et vous remarquerez avec fascination qu'il y a des jours où tout semble aller « bien ». Vous aurez l'impression, dans ces moments-là, d'être « dans le courant » de tout ce qui vous entoure. Et vous le serez littéralement.

Quand votre énergie est en harmonie avec celles de votre environnement, vous *manifestez* de fait votre intention et votre volonté dans une forme. Dès lors, vous comblez le vide entre les mondes et expérimentez les plus hauts niveaux de l'« ici-maintenant ». Car « ici » n'est pas un lieu statique et « maintenant » n'est pas un temps statique. La réalité dont vous faites l'expérience est un champ de force constamment en mouvement, réagissant aux combinaisons infinies des subtilités qui vous entourent.

Peut-être aurez-vous l'impression que votre monde s'harmonise de manière imperceptible puis, l'instant d'après, que les choses sont entièrement différentes du souvenir que vous en avez. En vous immergeant toujours plus en profondeur dans le processus, vous réaliserez qu'un seul facteur demeure constant dans ce que vous percevez comme étant votre réalité. Une conscience. Le sentiment de n'être pas séparé de tout ce qui vous entoure et de vous reconnaître comme l'intégration parfaite de tout ce qui est perçu et de tout ce qui perçoit. C'est vers cette expérience de l'Unité que vous voyagez. Et elle constituera votre réalité bien plus tôt que vous ne l'imaginez.

chapitre seize

La science sacrée de la manifestation.

Transformer la possibilité en probabilité.

Dépasser le conditionnement karmique.

La manifestation comme forme d'art émergente.

Poser les fondements de la maîtrise.

Alors que vous vous engagerez de plus en plus profondément dans le processus de transformation, vous deviendrez intensément conscient des signaux fournis par les circonstances de votre vie et par votre état de santé physique quant à votre niveau vibratoire par rapport à tout ce qui vous entoure. Il sera assez facile de déterminer où vous en êtes dans votre processus, à n'importe quel tournant, simplement en prenant conscience de la facilité ou de la difficulté avec laquelle vous manifestez votre plus cher désir au quotidien.

Vous vous rendrez compte que vous êtes devenu à la fois l'observateur et l'objet de cette conscience. Et les processus d'évaluation de votre état d'être et de modification de vos choix en conséquence feront désormais partie intégrante de votre vie. C'est cette approche que plusieurs qualifient de « consciente ». Car, dans les conditions qui s'établissent maintenant, on ne peut s'offrir le luxe d'une action aléatoire non soutenue par l'intention focalisée. Chaque action, chaque pensée et chaque nuance de chaque choix s'ajoute à l'ensemble vibratoire et contribue à la création de la réalité que vous expérimentez.

Le processus s'intensifiant, vous sentirez constamment le besoin d'évaluer dans quelle direction va votre vie. Et vous vous sentirez peut-être forcé d'y apporter des changements radicaux qui auront pour résultat de rompre les liens avec des situations qui ne servent plus vos meilleurs intérêts, à la fois sur le plan professionnel et interpersonnel. Il deviendra évident pour vous que certaines relations et certaines activités sont devenues désuètes au regard de votre évolution spirituelle. Et il deviendra de plus en plus clair que vous ne pouvez continuer à justifier la perpétuation de situations qui drainent votre énergie.

Il sera peut-être nécessaire d'interrompre des relations qui ne sont plus harmonieuses. Ce voyage ne comporte aucune récompense pour le martyre. Il n'existe absolument aucun avantage à prolonger ce qui ne sert plus votre plus grand bien. Et il n'y a pas d'autre instrument de mesure pour le déterminer que votre savoir intérieur. Le temps est venu de vous brancher sur les priorités de votre vie et d'éliminer avec discernement les individus et les activités qui ne sont pas inspirants.

Rien ne vous oblige à entraîner d'autres personnes sur le chemin où vous voyagez. Ceux qui voyagent à vos côtés doivent être autonomes énergétiquement pour que l'association soit mutuellement avantageuse. Ceux qui tentent encore de vous forcer, contre vos inclinations naturelles, à satisfaire leurs préférences personnelles ne font que drainer votre énergie et détourner votre focalisation. En obéissant à votre vérité personnelle et en résistant à votre tendance au compromis diplomatique, vous servirez la plus haute expression du tout énergétique auquel vous êtes connecté.

Il est fortement recommandé de vous discipliner dans le choix des lieux et des personnes avec qui vous choisissez d'entrer en interaction, de sorte que ces choix ne soient pas déterminés pas le jugement subjectif des autres, mais plutôt par votre focalisation sur votre plus grand bien. Jusqu'à ce que vous développiez une imperméabilité vibratoire, mieux vaut être conscient que votre état énergétique est influencé par votre environnement et par tout le monde que vous rencontrez.

Quand, avec le temps, l'aptitude à retenir votre énergie se stabilisera, la vulnérabilité caractérisant ce stade du processus de transformation diminuera vraisemblablement. Une fois ce niveau atteint, le détachement naturel adopté comme mécanisme protecteur dans les premiers stades du processus laisse place au sentiment d'avoir fusionné consciemment avec Tout ce qui Est. Pour certains, le processus entier est instantané. Pour d'autres, qui sont focalisés sur l'abandon de leurs multiples contraintes, ce stade de vulnérabilité énergétique est susceptible de se prolonger douloureusement. L'individu peut continuer à se faire ballotter dans des montagnes russes vibratoires tout au long du processus de transformation. Ou il peut choisir de débarquer et de dominer un état d'être vibratoire dont il a saisi l'autodétermination.

Il vous faudra un peu de pratique pour vous acclimater au nouveau niveau et aux techniques permettant de maîtriser votre conscience des énergies changeantes alors qu'elles surviennent dans votre quotidien. Vous vous habituerez à sentir les accroissements d'énergie et à reconnaître ces moments comme des occasions d'exprimer, sous forme de pensée focalisée ou d'intention verbalisée, ce que vous souhaitez manifester en tant que forme. La facilité avec laquelle le résultat semblera tomber du ciel vous étonnera tout d'abord. Et, tout en devenant de plus en plus à l'aise avec vos nouvelles aptitudes, vous trouverez très naturel d'orchestrer la danse de votre existence et d'observer en même temps la performance.

On développe un sens instinctif de la synchronie pour saisir consciemment les occasions. Et le résultat obtenu concrètement ne laisse planer aucun doute sur le fait que la nature de votre réalité et les règles de base pour obtenir ici une performance optimale ont changé radicalement. Ce n'est plus le monde dans lequel on vous a appris à survivre il n'y a pas si longtemps. La page est tournée. Et une version radicalement différente du script de votre vie s'écrit désormais en caractères gras sur une nouvelle page de réalité qui apparaît devant vous partout où vous regardez.

Bien sûr, vous pouvez le nier et vous accrocher à ce que l'on vous a enseigné. Mais vous pouvez aussi oser reconnaître ce qui est indéniable pour vos propres sens et irréfutable en tant qu'expérience personnelle. Et vous serez peut-être parmi les premiers à connaître les merveilles d'un monde dans lequel vous êtes vraiment un pionnier. Les guides pour le parcourir n'ont pas encore été rédigés. Car ceux d'entre vous qui se sont aventurés en terrain inexploré auront ouvert, par leur propre expérience quotidienne, un chemin que tous ceux qui marcheront sur leurs traces suivront à la lettre.

La vérité que vous exprimerez en partageant votre expérience de vie avec ceux qui marchent à vos côtés en cette époque extraordinaire de transition constituera le fondement d'une réalité à la fois nouvelle et intemporelle. Votre monde aura changé radicalement au carrefour spatiotemporel où vous jouez ce drame particulier. Pourtant, les aptitudes que vous avez commencé à manifester et que vous manifesterez de plus en plus sont monnaie courante dans les sphères de réalité vers lesquelles votre monde évolue énergétiquement.

L'expérience de l'ascension, dont vous faites partie intégrante, est un processus éternel. C'est le mouvement de l'Unité cherchant l'achèvement de son plus cher désir, jouissant de la réunion et de la fusion avec Tout ce qui Est et tout ce qui continue de devenir. Vous êtes de cette essence à chaque niveau de la Création. Et, dans cette vie, vous avez choisi de vous donner les expériences qui graveront indélébilement la vérité du changement dans la pierre de votre conscience. Vous avez choisi d'être présent et de participer au voyage. De vous aventurer plus loin et d'affronter la grande expérience de l'inconnu afin de relayer cette connaissance à d'autres qui n'ont pas encore atteint le rivage de votre réalité.

Vous êtes parmi les précurseurs d'un nouveau paradigme qui établiront les précédents sur lesquels seront fondées les règles de base du nouveau monde. Vous vous êtes identifié à vous-même et vous avez osé vous tenir seul dans la Lumière de votre vérité intérieure tandis que d'autres, toujours engoncés dans la complaisance de la pensée consensuelle, lancent des pierres alors même que le tissu de cette réalité se défait. Et vous avez eu la sagesse de maintenir votre vérité et d'observer la redistribution des cartes pendant que la vie des autres est bouleversée par le changement.

Il ne s'agit pas de savoir qui a tort ou qui a raison. Car chacun est convaincu de la validité de ses croyances. Et c'est là exactement la réalité et les paramètres à l'intérieur desquels chaque individu fonctionne. Ce qui séparera ceux qui grandiront dans la nouvelle énergie et ceux qui périront, c'est le contexte pour lequel ils opteront devant ce qui se présentera à eux. Ceux qui s'accrocheront avec entêtement à un monde désuet éprouveront de plus en plus de difficultés même s'ils en observent les « règles ». Ceux qui reconnaîtront que ces règles sont en train de se redéfinir seront les mieux équipés pour suivre le courant dans la bonne direction.

Une réceptivité sans jugement est essentielle pour traduire la pure conscience en action inspirée, sensible aux énergies qui lui feront porter ses fruits. L'harmonisation aux énergies, qui atteignent un sommet puis décroissent, vous aidera à contrôler le potentiel de manifestation et à éviter la marée basse de la pensée, de la parole et de l'acte. La simple conscience du flux des énergies qui vous entourent, ainsi que la facilité avec laquelle vous sentirez une réaction aux *senseurs* créatifs que vous émettez quand vous créez un concept, vous permettra de fusionner énergétiquement avec le moment et de faire Un avec lui.

La synchronisation de votre réaction avec une suite de circonstances données peut faire une énorme différence dans l'efficacité de vos efforts. L'aptitude à sentir à quel moment vous devez évaluer vos énergies et à quel autre vous devez les retenir représente un puissant atout à développer. Pour contrôler le pouvoir qui vous a été octroyé à ce jour, il est crucial de savoir quand vous devez lâcher prise par rapport à une situation et laisser les énergies réaliser le potentiel inhérent aux circonstances.

Il n'est pas suffisant de reconnaître le potentiel du flux et du reflux des énergies pour bien synchroniser ses actions. Il faut aussi être sensible à l'équilibre entre l'action et l'inaction comme instrument de manifestation de la volonté. Souvent, la meilleure action possible se ramène à ne rien faire sur le moment et à laisser les variables inextricablement enchevêtrées d'une situation se mettre en place naturellement. C'est là la différence entre manifester un résultat et le laisser se manifester. Souvent, la deuxième approche est la plus efficace et donne lieu au dénouement le plus désirable. La patience est un outil puissant et vous auriez avantage à l'exercer souvent tout en renforçant votre aptitude à l'harmonisation avec les énergies environnantes.

Il n'est pas toujours possible d'exploiter le potentiel d'un haut niveau vibratoire pour obtenir le résultat désiré. Car, même si vos efforts augmentent vos chances de manifester ce résultat, l'issue d'une vibration supérieure est souvent prédéterminée par des facteurs échappant à votre contrôle conscient. Dans la sphère des possibilités, toutes les variables sont présentes et luttent vibratoirement pour avoir la chance d'éclore dans la réalité dont vous faites l'expérience. En fait, elles sont toutes matérialisées en tant que formes ou expériences, dans le champ infini des possibilités se rapportant à toute question ou tout carrefour.

Les schèmes karmiques jouent un rôle important dans la détermination de la combinaison de variables qui portera la plus forte charge électromagnétique et qui, par conséquent, se matérialisera. Les réactions conditionnées, préprogrammées par les choix de vie de tous ceux qui sont concernés par une situation donnée, pèsent considérablement dans la transformation d'une possibilité en probabilité. Vous pouvez faire beaucoup pour contrebalancer l'influence de tels facteurs, mais ils constituent le fondement de la création de la réalité et il est impossible de les écarter dans vos efforts pour manifester un résultat peu probable.

N'ayez pas l'impression d'avoir échoué dans votre quête pour accroître votre vibration et réagir d'une manière consciente, simplement parce que le résultat tant escompté ne se présente pas instantanément. Il faut beaucoup de temps et une réaction contrôlée pour induire un résultat particulier et annuler la probabilité préprogrammée dans certaines variables préexistantes.

Alors que vous progresserez comme praticien conscient de la manifestation, cet art fascinant devra être soumis, dans toute sa portée, à un examen minutieux. Et, à l'instar de toute forme d'art, l'art de la manifestation invite à la maîtrise, comme dans d'autres réalités. Les circonstances mêmes de la vie d'un individu témoignent de son aptitude dans ce domaine ultime de créativité. Car le médium est illimité et le mode d'expression épouse la perfection de l'équilibre entre le cœur et le mental, entre la compréhension des aspects techniques de l'équilibrage et du contre-équilibrage de l'énergie et la passion que chacun apporte à l'occasion en question.

Le canevas sur lequel est créé le chef-d'œuvre contient en lui-même tous les dangers potentiels associés à cette question dans ce que vous appelez le passé ou le futur. En fait, chaque canevas se produit dans le « maintenant » et porte la charge électromagnétique appropriée qui s'ajoute à l'équation. On peut influencer l'équilibre de cette combinaison complexe de facteurs et attirer un résultat très peu probable en s'harmonisant avec les énergies du moment, de l'environnement et de son propre être, en synchronisant une action ou une expression d'intention focalisée.

On peut acquérir une grande habileté à transformer les réactions conditionnées, et vaincre ainsi des facteurs profondément ancrés que l'on peut considérer comme *karmiques*, inversant des schèmes qui se sont manifestés durant plusieurs vies. Quand cette aptitude est utilisée avec succès, on peut disperser la charge électromagnétique dominante entourant une question donnée et modifier le champ des probabilités. Une telle réussite constante sera la marque de la maîtrise et le fondement du champ de manifestation.

Plusieurs abordent la manifestation comme une science tandis que d'autres la regardent comme la plus haute forme d'art qui soit. Dans le futur, la fusion des deux approches donnera naissance à une génération de praticiens hautement compétents qui établiront la norme pour transcender la forme entièrement. Au présent carrefour spatiotemporel qui forme votre réalité, vous êtes à la frontière de ce nouveau monde de possibilités.

Très bientôt, il sera reconnu universellement que chaque individu crée la réalité de sa propre expérience de vie. Et l'état d'esprit que vous appelez « conscience de victime » sera relégué à l'obsolescence, par définition. Il ne sera plus possible de blâmer quelqu'un d'autre ou « des circonstances hors de votre contrôle » pour une situation donnée. Car toute expérience sera reconnue comme autodéterminée, à des niveaux d'une fascinante complexité. Et il sera nécessaire à chaque être d'assumer sa responsabilité quant au rôle joué par chacun dans la cocréation de la réalité d'une expérience mutuelle. Quand il n'est plus possible de nier qu'on a pris part à cette création, on n'a pas d'autre choix que de reconnaître son rôle de *créateur* et de franchir un seuil majeur dans le voyage vers l'Unité.

Le monde nouveau au bord duquel vous vous trouvez actuellement représente un stade transitoire qui intègre le monde de la forme physique et celui de la manifestation instantanée. Le soin que chacun démontrera dans l'application de ses nouvelles aptitudes déterminera le degré de joie ou de frustration qu'il expérimentera. Et un sous-produit de l'exercice est de savoir qu'il n'y a personne d'autre que soi à remercier ou à blâmer.

Dans le présent contexte temporel, qui constitue un carrefour entre deux mondes, il vous faut être gentil envers vous-même. Vous n'améliorerez aucunement votre situation en vous blâmant de l'avoir créée. De même, vous ne serez utile à personne en soulignant avec complaisance des observations et des réalisations tirées de votre propre expérience. Le fait même qu'un autre puisse être aux prises avec des circonstances que vous avez transcendées démontre que cet individu est en apprentissage expérientiel par rapport à certaines questions.

La véritable connaissance ne peut procéder que de l'expérience de vie. Certes, on peut intellectualiser le processus et tenter d'assimiler des connaissances présentées par d'autres ou puisées dans des livres. Toutefois, il est impossible de maîtriser réellement la leçon et de la transcender tant qu'elle ne s'est pas manifestée comme expérience de vie. On n'aide personne en étalant avec condescendance des connaissances acquises par le biais d'une expérience douloureuse. Il est contreproductif d'énoncer des truismes que l'on a acquis mentalement et qui sont loin d'avoir été intégrés comme expérience de vie.

Nul besoin d'excuser ou de condamner quelqu'un pour une conjoncture de vie se trouvant peut-être au-dessous de son niveau de compréhension sur une question donnée. Le fait même qu'un épisode traumatisant se soit manifesté dans le scénario de la vie d'une personne indique clairement que cette dernière travaille à la maîtrise d'une question particulière. Les êtres qui sont enclins à conseiller les autres doivent prendre conscience des subtilités de l'approche employée. En énonçant des truismes théoriques ou en s'immisçant dans le processus des autres, on annule leur croissance possible si on les laissait expérimenter pleinement ces circonstances et ressentir les émotions déclenchées par un drame donné.

Quand on rencontre un individu qui est empêtré dans un drame majeur, mais au seuil d'une prise de conscience importante, vaut mieux le guider, par des questions soigneusement choisies, vers la découverte des réponses en lui-même. Ainsi, la leçon sera puissamment apprise, et non perdue ; elle aura donc peu de chances de se répéter pour que la compréhension soit intégrée comme connaissance. La connaissance s'acquiert en *vivant* la leçon, non uniquement en l'intellectualisant théoriquement. Méfiez-vous de vos bonnes intentions et assurez-vous de ne pas

saper le progrès d'un autre en devançant son processus d'intégration par des conseils bien intentionnés.

Vous n'êtes ici que pour vous-même. Et, bien que vous pensiez
peut-être avoir transcendé cette époque de transformation simplement parce que certaines connaissances métaphysiques ont trouvé
en vous une résonance, il reste que votre propre processus doit
être expérientiel pour fournir une base solide aux conditions à
venir. Respectez votre processus de transformation dans toute la
richesse qu'il recèle pour vous. Et respectez la magnificence du
processus des êtres qui voyagent à vos côtés, en leur laissant exprimer pleinement leur humanité et en vous laissant exprimer la
vôtre.

chapitre dix-sept

Une diète pour une nouvelle réalité.

Maintenir le bien-être dans des conditions de vibration accélérée.

La signification du travail énergétique.

Le concept de purification cellulaire.

S ur les plans supérieurs d'intégration énergétique, dont vous avez eu un avant-goût, certaines personnes éprouveront à divers degrés un inconfort et des symptômes qu'elles auraient tort d'interpréter comme de la maladie. Alors que le niveau s'élève et que vous y êtes exposé plus intensément, il faut vous attendre à ce que le processus naturel de purification s'accentue. Il deviendra de plus en plus difficile d'ignorer les changements radicaux qui s'opèrent dans votre corps ; si vous n'en tenez pas compte, votre santé pourra se détériorer, au point même de mettre votre vie en danger.

La forme dans laquelle vous vous êtes incarné a été conçue en fonction du niveau de densité des conditions environnementales normales de votre sphère à ce moment-là. Les polluants environnementaux aujourd'hui présents dans toutes les substances qui se mêlent à vous énergétiquement – votre air, votre eau, votre nourriture – ont ajouté tellement de densité à votre corps que l'humain est une espèce menacée.

Quand ce fond d'impureté est affecté par des vibrations qui amplifient et accélèrent le processus naturel de purification, le corps est soumis à un taux extrême de déchets toxiques qu'il ne peut éliminer normalement. Dans plusieurs cas, votre condition physique subit déjà le fardeau du processus de désintoxication accéléré déclenché par les énergies accrues qui vous entourent. Sous les nouvelles conditions vibratoires, on ne peut plus maintenir le niveau d'impureté qu'il était possible de supporter auparavant. La tendance naturelle du corps à rejeter les débris toxiques a tellement augmenté qu'elle provoquera, alors que les énergies continueront de s'accélérer, le dégagement de déchets cellulaires à un rythme pouvant entraîner un arrêt systémique si l'on n'est pas conscient du processus.

La conscience focalisée et la participation consciente au processus de purification du corps physique sont requises pour conserver la santé en cette époque de transformation que vous vivez présentement. Il n'est plus possible d'être insouciant quant à l'alimentation du corps physique si l'on espère demeurer en santé. Mieux vaut éviter d'ingérer des substances contenant des polluants chimiques. Et les substances qui créent une dépendance physique nuisent au maintien d'une haute vibration.

Il est, au mieux, hasardeux de boire des fluides contaminés comme ceux qui sont offerts à la consommation publique dans la plupart des régions du monde. Vous devez ingurgiter davantage de fluides pour évacuer les déchets toxiques qui sont émis en plus grande quantité dans votre corps physique. Il est important alors de boire de l'eau de source pure ou de l'eau distillée, et d'éviter de boire de l'eau traitée chimiquement. Quant aux substances contenant un fort pourcentage d'alcool, elles ne sont pas compatibles avec le maintien d'une haute vibration, ni recommandées.

Le lait des animaux domestiques peut être considéré comme une saine alimentation s'il n'a pas été contaminé par des polluants et des additifs chimiques et s'il est consommé en petites quantités. Les jus de fruits traités naturellement et dérivés de sources non polluées sont recommandés. Il est absurde de consommer des produits fruitiers nourris à l'eau contaminée. Vous devez être conscient de tout ce que vous consommez, car chaque bouchée devient une partie vibratoire de votre être et, potentiellement, une toxine supplémentaire que le corps devra traiter.

La diète recommandée pour cette époque est une alimentation simple et non contaminée par les efforts de votre culture « civilisée » pour l'améliorer chimiquement. Une diète composée d'aliments non traités est excellente pour nourrir le corps humain en cette période de transformation. La plupart des produits animaux ne sont pas recommandés tels qu'ils existent dans votre société dite « civilisée », en grande partie parce que ces créatures ont subi une contamination dans leur propre structure cellulaire. En ingérant leur chair, vous ne faites qu'aggraver la toxicité de votre propre corps physique.

La plus grande partie de vos océans est contaminée et les créatures qui y vivent ont intégré cette saleté dans leurs cellules mêmes. Les créatures qui font office d'éboueurs et qui traitent les débris laissés au fond des eaux douces ou salées ne sont pas recommandées comme source de nourriture pour les humains. Cependant, les créatures aquatiques élevées dans des conditions non polluées peuvent être une source alimentaire pour ceux qui sentent le besoin d'inclure davantage de protéines dans leur diète. Il n'est pas nécessaire de consommer de grandes quantités de protéines animales, et, idéalement, les créatures marines ne doivent pas être tenues pour un élément important de la diète humaine.

La chair des animaux terrestres n'est généralement pas conseillée, à cause d'une complexité vibratoire qui ne ferait qu'ajouter aux difficultés avec lesquelles la forme humaine est présentement aux prises. Les animaux domestiques élevés comme source alimentaire et dont la chair est bourrée d'additifs chimiques devraient être éliminés de la consommation humaine. Les œufs et les sous-produits de ces créatures sont également impropres pour ceux qui aspirent à une alimentation saine.

Le maintien de la vitalité de la forme dans laquelle vous voyagez présentement doit faire l'objet de votre attention alors que les énergies s'accélèrent autour de vous. L'air que vous respirez devient partie intégrante de chaque cellule de votre être et porte la pureté ou l'impureté vibratoire correspondant à l'environnement d'où il provient. Une fois intégré dans vos cellules, il s'ajoute à la densité contre laquelle votre corps lutte dans le but de s'en débarrasser. Il est très indiqué de prendre conscience de l'environnement dans lequel vous avez choisi de vivre, et de changer de lieu si de l'air propre et frais n'y est pas disponible facilement.

Vous devriez être prêt à rejeter, si nécessaire, toute autre considération susceptible d'influer sur une telle décision. Car la survie même de l'espèce est en jeu. Et le souffle est vital pour maintenir la vie dans les conditions à venir. Les régions offrant la simplicité de la non-industrialisation et de la non-urbanisation sont préférables à celles qui offrent des avantages culturels plus élaborés.

Nous vous encourageons à évaluer soigneusement les mérites relatifs des options à examiner en vue d'une éventuelle relocalisation, si votre environnement actuel s'avère impropre. Les environnements simples et peu peuplés, où la pluie et l'eau fraîche abondent, sont grandement suggérés. Les lieux où l'air se régénère naturellement par une circulation rapide constituent l'environnement idéal. Les régions nettoyées par des pluies fréquentes offrent d'énormes avantages par rapport aux lieux enclavés, où l'air est stagnant.

Les schèmes climatiques vont s'intensifier dans les temps qui viennent, et les régions qui souffrent présentement d'une extrême adversité environnementale subiront sans doute une intensification de ces conditions quand le processus s'accélérera. On doit s'attendre à ce que les températures extrêmes deviennent la norme dans certaines régions où l'équilibre naturel a été rompu par des agents polluants et par d'autres formes d'adversité vibratoire. Il est probable que la planète elle-même, dans son propre besoin de désintoxication, fournira les conditions de la purification dans les régions les plus contaminées. On peut prévoir que des températures extrêmes continueront à se manifester dans les régions très populeuses et grandement polluées, comme moyen naturel de purifier l'environnement. Ces régions ne sont pas les lieux idéaux dans l'avenir immédiat pour ceux qui cherchent à se relocaliser dans des conditions plus adéquates.

Les meilleurs endroits pour vivre en cette époque de transformation sont ceux où la population est restreinte et où les ressources naturelles sont abondantes. Un tel choix peut impliquer un réexamen complet de la focalisation de votre vie. Il peut être dans votre meilleur intérêt d'envisager sérieusement l'abandon d'un environnement inapproprié, en faveur d'un lieu offrant un cadre plus sain, malgré les sacrifices économiques qui découlent d'une telle décision.

Votre bien-être général est influencé par des forces puissantes qui se combinent avec complexité pour créer la santé physique dans des conditions changeant rapidement. Les choix que vous effectuez à ce jour influeront fortement sur les conditions que vous affronterez dans un proche avenir. Il serait téméraire de penser qu'il est possible de perpétuer le statu quo dans votre style de vie quand les preuves d'un changement radical dans chaque aspect de l'existence s'accumulent autour de vous.

Il faudra beaucoup de courage à certains, qui jugent que l'enjeu est grand, pour dévier radicalement du scénario anticipé de leur vie et en forger un nouveau. Car ce qui peut sembler mal avisé lorsque les priorités sont basées sur l'accumulation des richesses matérielles pourrait bien représenter le meilleur choix quand on voit le monde d'un point de vue conscient.

En vous éveillant aux changements qui surviennent dans votre monde physique, et ce, dans les conditions invisibles qui l'englobent, et en y étant sensible, vous vous rendez apte à vous libérer des limitations qui autrement vous emprisonneraient dans le passé. Il peut être nécessaire de vous soustraire à l'emprise des attentes conditionnées et d'examiner soigneusement les conséquences de certains choix que vous avez effectués en portant des œillères. Quand vous regardez attentivement le monde tel que vous reconnaissez qu'il est, il est clair que les règles fondamentales ont changé et que la vie s'en trouve modifiée. Et qu'il est tout à fait approprié de faire des choix de vie qui suivent le mouvement de ce changement.

Faites confiance à votre intuition en déterminant la direction à prendre dans les conditions transitoires actuelles et préoccupez-vous moins de l'apport de votre esprit rationnel, sans doute conditionné à vous alimenter de facteurs basés sur la peur. Sachez qu'au plus haut niveau vous avez choisi d'être présent dans la réalité que vous considérez comme l'« ici-maintenant ». Et, du point de vue de *votre* plus haute expression, tout est en bon état divin. En ce moment, vous ne comprenez peut-être pas la perfection des circonstances dans lesquelles vous êtes. Pourtant, de ce point de vue supérieur, il ne peut en être autrement.

Servez-vous de votre esprit rationnel pour effectuer les meilleurs choix possibles en ce qui concerne le soin et l'alimentation de votre corps physique. Et fiez-vous à votre profonde connaissance intérieure pour naviguer dans les plus difficiles passages du sentier. Car ici les faits laissent place aux sentiments. Et la vérité que vous portez au tréfonds de votre être vous est accessible comme la boussole de l'âme, afin de vous guider par la sagesse intemporelle tout au long des défis qui vous attendent. Vous n'avez pas à acquérir les aptitudes nécessaires pour accéder à cette sagesse, car vous les possédez déjà. Ce qui est requis, c'est le courage de laisser émerger ce qui a été programmé en vous et d'accepter, en guise de réponse à vos prières, ce qui sera indiscutable vibratoirement.

Sachez qu'en cette période vous êtes assisté au plus haut niveau par des aspects de votre être intéressés à votre survie physique. Il est dans le plus grand intérêt de tous ceux qui sont concernés que vous traversiez les transitions à venir et que vous émergiez intégralement et en force dans le monde à venir. Au cours de la période intérimaire, votre forme physique subira des changements grâce auxquels vous pourrez vous maintenir sur d'autres niveaux d'existence et être présent énergétiquement dans des sphères auxquelles vous n'êtes connecté que marginalement à l'heure actuelle.

En focalisant votre attention sur le maintien de votre forme dans un état de purification, vous maximiserez vos chances de parachever le processus de parfaite interconnexion avec la conscience parallèle qui est *vous*, par essence, à d'autres niveaux. La pleine conscience à ces niveaux ne sera possible que lorsque vous aurez atteint l'intégration totale, dans votre champ énergétique, de chacun des points d'énergie que vous appelez chakras.

À chacun de ces points, il y a des questions à affronter et à transcender, car chacun est la manifestation, dans la forme physique, d'un réseau interdimensionnel d'énergie et de conscience. En étant conscient du besoin de l'ensemble énergétique de dégager ces lignes de communication interdimensionnelle et en y étant sensible, vous apporterez la meilleure contribution possible à l'ascension du spectre énergétique de tout votre être.

Le processus englobe le microcosme de votre réalité et celui de chaque nuance de cette réalité, allant jusqu'à inclure le macrocosme de tout votre être, qui est, par essence, Tout ce qui Est. Tout ce qui Est ne peut être tout ce que c'est sans que tout ce que *vous* êtes soit présent et interconnecté de toutes les façons. Un grand soin est pris à des niveaux au-delà de votre conscience éveillée afin de faciliter votre entrée dans ce processus sans rompre le fragile équilibre énergétique et la perfection de votre forme physique.

Chacun de vous possède une série unique de variables avec lesquelles s'ajuster énergétiquement dans une sphère. Alors que la vibration de cette sphère s'élève, les changements radicaux ayant lieu à l'intérieur de votre forme physique – laquelle s'efforce de s'adapter – ajoutent exponentiellement d'autres facteurs à une équation déjà complexe. Au bout du compte, il ne sera pas possible pour plusieurs de maintenir leur présence dans une forme physique, dans les conditions actuelles. Le taux d'accélération est tel que la densité retenue au niveau cellulaire aura pour résultat un arrêt systémique dans le corps de tous les êtres, exception faite des plus conscients parmi vous.

Ceux d'entre vous qui se comptent parmi les candidats à la transformation de leur corps physique au cours des temps qui viennent sont guidés soigneusement à de multiples niveaux. Rien ne sert de déployer de grands efforts à l'élargissement de votre compréhension mentale du processus d'ascension si vous ne mettez pas tout autant l'accent sur les conditions du véhicule grâce auquel vous êtes à même de participer.

Parmi vous, plusieurs êtres ont développé la capacité de véhiculer dans leur forme physique des fréquences électromagnétiques accrues. Il existe d'innombrables techniques à cette fin, qui se rejoignent par leur effet d'élever la vibration au niveau cellulaire et de désintoxiquer incrémentiellement les énergies qui y résident. Quand la forme physique est exposée à ces vibrations supérieures, l'effet se répercute dans les corps subtils autant que dans le corps physique et il en résulte un dégagement de densité karmique autant que physique.

Aucune méthode n'a préséance sur les autres dans ce travail de « guérison », bien qu'il y ait d'énormes différences entre les techniques et dans leur résultat, dans des conditions idéales, quand elles sont utilisées correctement. Le facteur déterminant dans l'évaluation des méthodes de guérison énergétique actuellement pratiquées dans votre réalité, c'est votre propre sentiment du résultat qui pourra survenir ou non. Il serait bon, pour tous ceux qui désirent maximiser leurs efforts de purification de leur corps physique, d'examiner les diverses thérapies offertes, à la fois du point de vue du bénéficiaire et du praticien. Car l'effet purifiant du passage de ces énergies dans votre champ énergétique alors qu'elles sont transmises à un autre ne doit pas être sous-estimé ; il constitue un sous-produit précieux de ce qui peut être considéré comme un service à l'humanité.

L'exposition régulière de votre forme physique à des fréquences vibratoires supérieures est hautement recommandée, car elle aura pour effet ultime d'accélérer le processus de purification, et ce, quelle que soit la méthode de guérison énergétique choisie. Votre connaissance intérieure est le meilleur baromètre pour savoir si telle ou telle méthode est efficace et significative pour vous. En évaluant votre sentiment de bien-être, particulièrement dans la région de votre chakra du cœur, vous serez en mesure de déterminer assez facilement s'il vaut la peine de vous soumettre à telle ou telle méthode ou de vous confier à tel ou tel praticien.

En somme, quiconque se considère comme un participant à part entière à cet effort interdimensionnel est capable de porter, et de transmettre, une haute énergie de guérison thérapeutique. Et en cette époque abondent les enseignants désireux de vous transmettre cette connaissance. Ayez confiance en votre propre capacité intuitive d'être dirigé vers la thérapie qui convient le mieux à votre situation.

Votre vibration fondamentale est celle que vous avez apportée en cette vie. Cette configuration vous identifie ; elle est la marque de *qui* vous êtes. Et l'exposition à l'énergie transmise par quelqu'un d'autre ne la détériorera pas. La vibration fondamentale d'un individu ne peut être qu'améliorée ou accélérée de cette façon-là. On devient davantage ce que l'on est déjà dans chaque aspect du processus de nettoyage et de purification. Et, tandis que chacun se débarrasse des couches de densité vibratoire et de débris accumulés qu'il transporte dans les formes énergétiques de tous les êtres qui prennent place dans sa réalité, il peut entrevoir la véritable nature de l'humanité et expérimenter ce qui est possible dans un contexte physique.

Ce qui maximise le processus d'assimilation de l'énergie, c'est l'état de votre intention focalisée quant à cette énergie. Si vous approchez l'expérience en désirant *vous accaparer* l'énergie de l'autre, cette attitude, par essence, annihile les effets bénéfiques possibles de l'exposition aux énergies. Car on n'adopte pas l'énergie de l'autre quand on pratique ce travail correctement. Par l'exposition à la vibration accrue qui traverse un autre être, le niveau vibratoire de votre essence s'élève.

Il est avantageux de recevoir de l'énergie par le véhicule d'un autre avec l'intention de dégager de la densité physique et non physique, au lieu de soulager des symptômes physiques particuliers. Le soulagement des symptômes peut très bien résulter de ce travail, mais ni le patient ni le praticien ne doivent se focaliser là-dessus s'ils désirent un bénéfice optimal. Finalement, quand on s'engage dans un travail énergétique régulier, une évacuation toxique significative aura un effet cumulatif et procurera un nouveau sentiment de bien-être physique. Dans les conditions à venir, on ne peut espérer atteindre un tel niveau de bien-être par des tentatives sporadiques pour exercer de telles pratiques.

Le maintien de la santé physique dans des conditions de vibration accélérée requiert la révision et l'adaptation de vos priorités. Il ne sera plus possible de conserver des normes optimales de santé uniquement par des moyens physiques. Les conditions contre lesquelles vous vous débattez au quotidien requièrent de compléter les pratiques de base, visant à garder la santé, par des pratiques énergétiques ayant pour but de nettoyer de la densité résiduelle les corps subtils. En fin de compte, la forme physique reflétera la somme vibratoire de tous les aspects de votre corps énergétique, comme résultat de vos efforts.

Cette forme que vous habitez est le véhicule dans lequel vous voyagerez jusqu'aux plus hauts niveaux d'existence qui vous attendent. Pour créer la vibration que vous espérez expérimenter en cette époque, il est nécessaire de comprendre que votre forme transcende le niveau physique. En fait, votre forme physique est la manifestation de niveaux vibratoires aux niveaux de perception correspondants. *Tout cela est énergie.* Vous servirez mieux le corps tangible en le voyant comme le résultat de vos efforts plutôt que l'objet de votre focalisation. Car si vous vous concentriez sur le reflet physique limité d'une totalité dont le fondement est énergétique, le résultat serait également limité et la santé éclatante souhaitée serait impossible.

Vous pouvez vous attendre à des symptômes de maladie quand vous vous soumettez à un programme intensif de guérison énergétique. N'en concluez pas que ce travail est inefficace si votre condition physique empire à la suite d'un régime de purification. Les symptômes mêmes qui indiqueraient la présence d'une maladie à ceux qui sont conditionnés à se focaliser sur le physique révèlent en fait un *nettoyage* quand ils sont vus en tant qu'énergie. Le dégagement toxique est en soi la preuve qu'il y a évacuation et que votre champ énergétique est soulagé d'un fardeau porté dans une région particulière de votre structure cellulaire.

De même, quand vous êtes exposé à de hautes vibrations, les toxines contenues dans les corps émotionnels de votre forme sont libérées. On peut dès lors s'attendre à ce que ce processus renouvelle l'expérience de l'émotion réprimée, souvent avec une grande intensité. On sera tenté de conclure que l'on était émotionnellement déséquilibré, à cause des épisodes de libération émotionnelle qui, selon toute vraisemblance, suivront l'exposition à une haute énergie curative. En fait, une telle expérience montre que l'équilibre a été rétabli et que certaines couches d'émotion réprimée – laquelle est de la densité énergétique retenue dans le corps émotionnel – ont été dégagées.

Lorsque le processus s'intensifie, on approche des profondeurs du fardeau karmique émotionnel puis on commence à éliminer les couches de schèmes qui ont caractérisé les expériences et les réactions tout au long de ses multiples existences. Quand vous émergerez de cette phase transitoire, vous éprouverez un sentiment de libération des contraintes du conditionnement émotionnel avec lesquelles vous avez été aux prises durant votre vie. Il devient évident, dans vos réactions à la provocation et aux stimuli émotionnels, que le réflexe de réaction émotionnelle a été transcendé et que vous n'êtes plus à la merci des sentiments qui ont déjà dominé votre expérience.

Libérer les énergies négatives entourant les questions de votre vie, en les stimulant énergétiquement par des pratiques curatives, est une façon de maximiser les effets de ces thérapies et de briser la chaîne vibratoire qui vous attirerait encore des expériences d'une vibration similaire. N'offrez aucune résistance pendant ces épisodes de profonde libération émotionnelle. Car les réactions qui ont été déclenchées sont symptomatiques d'une histoire que vous portez en vous et qui n'a pas été racontée. Et, alors que chaque niveau successif sera révélé et dégagé, vous vous sentirez vraisemblablement libéré de plusieurs vies d'emprisonnement émotionnel. Les déclencheurs habituels cesseront de conduire à la même réaction émotionnelle. Et, enfin, le cercle vicieux qui vous retenait dans une spirale de conditionnement émotionnel sera rompu.

Vous pouvez vous attendre à ressentir un détachement des émotions elles-mêmes et du genre de situations qui les déclenchaient. Vous vous percevrez désormais à l'écart des scénarios qui vous amenaient à répéter constamment des drames éprouvants. Et c'est un subtil sentiment d'indifférence qui vous indiquera que votre énergie intérieure a changé et que vous êtes libre d'orchestrer la danse de votre expérience de la manière que vous avez choisie.

Nous vous encourageons à prendre le temps de fouiller profondément dans les schèmes émotionnels résiduels qui caractérisent votre expérience en cette époque de transformation et à vous engager dans des activités qui stimuleront les souvenirs cellulaires de votre corps émotionnel. Car, sous le calme apparent d'un extérieur parfaitement contrôlé, se cache une structure de densité multicouche qui doit être évacuée si vous désirez transcender le niveau des vibrations à venir. Il vaut mieux ne pas vous juger au cours de ce processus. L'espérance d'avoir fait un certain progrès peut camoufler un conditionnement profondément ancré à l'intérieur et compromettre le progrès même que vous présumez avoir observé.

Sachez qu'il s'agit d'un processus permanent. Les conditions de l'épreuve et le schème qu'elles sont censées provoquer sont cycliques. N'allez pas croire que vous avez franchi un échelon et transcendé votre humanité simplement parce que vous avez atteint un certain niveau de conscience et accompli un certain travail de focalisation sur le raffinement de votre identité transcendante émergente. Cette attitude mentale puise sa source dans le déni, quel que soit le degré d'élévation que vous avez l'impression d'avoir atteint. Et son application ne peut que ramener dans les schèmes habituels que vous pensiez avoir dépassés. Attendez-vous à des situations qui vous offriront l'occasion d'exercer votre corps émotionnel et de le garder libre de la densité déjà programmée en vous.

Le travail énergétique comme pratique courante est recommandé pour ceux qui sont consciemment focalisés sur le processus d'ascension. Comme l'exercice physique régulier et une saine alimentation, un style de vie riche en pratique énergétique thérapeutique contribue au maintien du bien-être physique tout au long des nombreux stades de la transformation. Il est fortement conseillé d'examiner sérieusement les avantages de la pratique thérapeutique, à un certain niveau, afin d'en prodiguer les bienfaits, ou d'en recevoir. Tous sont dotés de ce don. Et il est erroné de penser que certains êtres sont en quelque sorte *spéciaux* parce qu'ils peuvent dégager une énergie curative par les mains ou par d'autres centres énergétiques. Ceux-là ont tout bonnement pris le temps de maîtriser cette aptitude et se sont ouverts au bénéfice qu'ils reçoivent quand ils offrent cette énergie aux autres.

Il importe aussi de tirer profit des énergies thérapeutiques que l'on génère soi-même. Cette même aptitude, qui est dirigée vers le corps physique des autres, peut être appliquée à sa propre forme physique pour produire des résultats bénéfiques. On ne doit pas présumer que le travail de guérison énergétique ne peut être reçu que d'un autre individu. Chaque personne a tout ce qui est nécessaire pour dégager de l'énergie curative et en tirer profit. Cela étant, personne n'est contraint de demeurer dans une région où des guérisseurs sont facilement disponibles. Une parfaite autosuffisance dans ce domaine est tout à fait possible et peut constituer une option de choix pour plusieurs.

Les temps qui viennent vous procureront l'occasion de vous préparer à tout ce qui se déroulera énergétiquement dans votre monde. Vous êtes mûr pour vous équiper des aptitudes et des connaissances qui formeront une base pour le mouvement vers l'ascension. À l'heure actuelle, ceux qui sont sur la crête de cette vague subiront peut-être le contrecoup des énergies accrues qui surgissent autour d'eux avec une intensité surprenante. La conscience du processus et de la place que vous y occupez, voilà ce qui équipe le mieux chacun d'entre vous pour réagir avec grâce aux conséquences du processus de transformation. Et cette conscience vous procure l'aptitude de voguer sur la vague et d'expérimenter les merveilles du monde qui vous attend.

chapitre dix-huit

Achever les relations et s'éloigner avec un affectueux détachement.

Perdre l'accoutumance aux autres.

La signification des expériences de vie sommaires.

Laisser les autres vivre ou mourir en toute liberté.

Une fois que le processus de transformation est bien engagé, accorder une importance particulière aux petites choses qui arrivent remet en perspective les priorités qui étaient les vôtres dans certains secteurs de votre vie. Vous deviendrez conscient de vos réactions aux incidents et reconnaîtrez la démesure de celles-ci devant certains types de scénarios. Et c'est votre réaction émotive qui vous indiquera quelles catégories d'émotions sont dissimulées dans votre champ énergétique. En réalité, vos réactions n'ont pas grand-chose à voir avec les individus ou les situations en question. Ces véhicules de votre croissance ont été inclus stratégiquement dans votre drame pour catalyser votre attention sur les questions profondes retenues énergétiquement à l'intérieur de vous.

Quand vous prenez conscience des scénarios récurrents qui déclenchent une forte réaction émotionnelle, prenez le temps de vous distancier de la situation et d'examiner soigneusement ce qu'elle peut représenter. Car, à défaut de le faire, vous continuerez de manifester ce thème récurrent. Les situations qui vous blessent le plus sont celles qui comportent le plus fort potentiel d'évolution quant aux réactions conditionnées qui vous gardent enfermé dans la répétition constante des mêmes situations. Pour vous libérer d'un schème répétitif sur un thème donné, il est nécessaire d'atteindre un certain niveau de détachement.

L'importance que vous accordez à un thème particulier est directement proportionnelle au degré de répétition que vous pouvez anticiper comme expérience de vie. Pour transcender ce schème et interrompre le cycle, il est nécessaire de s'abandonner au processus et de ne plus résister à ce qui se présente. L'affrontement et les tentatives d'imposer sa volonté aux circonstances ne peuvent conduire qu'à leur répétition. Quand l'adversité persiste à se manifester même si vous comprenez théoriquement que vous créez votre réalité, il est temps de chercher le fil commun qui relie toutes ces expériences en une seule histoire.

L'unique façon de vous libérer des liens qui vous retiennent captif de certains thèmes de vie, c'est de vous extraire énergétiquement du scénario, et ce, complètement. Tant que vous investissez émotionnellement dans l'issue potentielle d'un affrontement, vous y êtes engagé énergétiquement. Quand vous vous soustrayez au drame et que vous vous en éloignez, vous contribuez de la meilleure façon possible à l'achèvement de ce thème. Car le non-attachement à tout ce qui est matériel ne se limite pas aux *choses* matérielles ; il englobe toutes les *situations* possibles dans lesquelles vous vous investissez mentalement et émotionnellement.

Une attitude réceptive, combinée à une ouverture aux occasions qui se présentent, manifestera les situations reflétant le mieux ce que vous désirez au plus profond de votre cœur. Car ce que vous avez souhaité au plus haut niveau se trouve souvent sous vos yeux sans même que vous vous en rendiez compte, simplement parce que vous êtes focalisé sur la manipulation de situations où l'énergie ne circule pas facilement. On ne peut espérer transcender le monde physique et, simultanément, y demeurer lié. En cette époque, il s'avère impossible de forcer un résultat qui ne vient pas facilement, et les tentatives en ce sens ne font que prolonger le temps requis pour transcender ce conditionnement.

Le non-attachement au résultat constitue la clé de votre libération du rêve ou du cauchemar récurrent qu'est peut-être votre vie actuelle. Car les situations que vous créez sont des illustrations éloquentes de ces thèmes, destinés à attirer votre attention sur eux malgré tout le déplaisir que cela peut comporter. Tant que vous investirez émotionnellement dans le résultat, vous perpétuerez votre emprisonnement.

L'attachement à certains individus, que vous avez peut-être introduits vous-même dans votre scénario, doit également être examiné. Certains êtres sont là pour ramener au premier plan de votre conscience des questions particulières et les manifester sous forme de drame. Ces gens sont là pour une raison bien précise. Quand vous en aurez terminé avec ces questions, leur présence ne sera plus nécessaire. Prolonger le contact avec eux ne fera que vous assujettir à la répétition inutile d'une situation inharmonieuse.

Vous devez être prêt à éliminer de votre scénario les acteurs qui ont joué leur rôle dans l'histoire partagée qui a été cocréée. Il est probable qu'au niveau de transcendance où vous en êtes, ni vous ni eux n'avez intérêt à prolonger le schème d'interaction. Vous devez vous en apercevoir lorsque vous continuez à participer à des interactions tout bonnement par habitude, ou lorsque la relation est toujours viable et mutuellement enrichissante.

La dépendance à un autre être est fréquente en cette époque. Il faut parfois beaucoup de courage pour cesser la fréquentation familière de certains individus. Pourtant, quand l'interaction est chargée d'adversité, il devrait être absolument évident que le bénéfice potentiel de la connexion a été obtenu depuis longtemps. L'harmonie est le mot-clé de toute relation dans laquelle vous souhaitez vous engager. Quand elle ne survient pas, malgré tous vous efforts pour la créer, mieux vaut vous éloigner de cette relation, rompre les liens, et cela sans animosité, mais simplement avec détachement. Car le bénéfice potentiel de mettre fin à une relation est anéanti si l'on quitte la scène dans un déploiement d'émotion. Le but de l'exercice est de disperser énergétiquement la situation partagée avec cette personne. Et cet objectif ne sera sûrement pas atteint si l'on s'engage dans une scène qui ne fera que jeter de l'huile sur le feu au lieu de l'éteindre vibratoirement.

La véritable indifférence ne peut être feinte, bien que plusieurs d'entre vous vont initialement dans cette direction. Car l'indifférence n'est pas l'absence de souci de l'autre. Elle représente plutôt le désir de ne plus demeurer prisonnier d'un certain schème énergétique. Elle est le non-attachement au drame dans lequel vous avez été mutuellement engagés. Et elle matérialise votre reconnaissance du bénéfice mutuel de la non-interaction. La fausse indifférence met fin à la relation sans en abolir la charge énergétique.

Feindre l'indifférence tout en nourrissant intérieurement le ressentiment ne vous libérera pas du schème en question. Cela ne fera que préparer le terrain à de nouvelles répétitions du drame, éventuellement avec d'autres acteurs. Tant que vous portez la vibration du ressentiment pour des méfaits commis, à votre avis, contre vous, vous établissez les conditions préalables à une nouvelle représentation du drame. Quand on est véritablement libéré de ce cycle, on peut expérimenter pleinement ce drame sans s'y investir émotionnellement. Les paroles caustiques et les actions malicieuses ne s'enregistrent alors pas comme de la douleur infligée, car elles sont reconnues uniquement comme des paroles et des actions. On ne porte aucun jugement sur leur mérite ou leur démérite.

L'acceptation inconditionnelle de ce qui se présente, sans ressentir le besoin de le changer pour l'intégrer dans son propre système de valeurs, constitue le moyen de se libérer de tout arrangement contractuel qui peut avoir été conclu avec certains êtres. En cette époque, personne ne doit porter un autre individu sur son dos, énergétiquement. Et ceux qui tenteraient de vous retenir dans un schème d'interaction contre votre volonté ne servent qu'à prolonger pour eux-mêmes les thèmes de vie et les drames qu'ils sont conditionnés à jouer. Quand vous reconnaissez le schème et l'obsolescence d'une relation, vous seul décidez si ces individus continueront de jouer leur drame avec vous, ou avec d'autres.

Quand on est capable de rompre les liens sans altérer l'amour et l'affection que l'on a encore pour la personne en question, on peut alors transcender vraiment le besoin de toujours jouer cette scène, que ce soit avec cette personne ou une autre. La leçon à maîtriser ici, c'est de s'éloigner avec un détachement affectueux. Et le cadeau que l'on reçoit gracieusement, c'est celui de sa propre libération, dans l'amour de soi.

Les leçons à apprendre dans le processus de rupture d'une relation sont une importante partie du travail que vous êtes capable d'accomplir en cette époque. Le défi de ce processus, c'est de vaincre votre résistance aux aspects prosaïques de la rupture de votre connexion à certains êtres. Car la plupart des gens aux prises avec cette situation ont été conditionnés à se soumettre à l'attrait émotionnel d'un schème familier et à se laisser attirer dans le drame qui a formé le thème central de cette relation.

C'est uniquement en transcendant l'émotion associée à ce drame que l'on peut se détacher des circonstances en question. Pour ce faire, il est nécessaire d'identifier les thèmes sous-jacents à certains épisodes et de sonder les profondeurs de votre connaissance afin de révéler la toile complexe des questions connexes qui ont contribué à leur création.

Lorsque l'on saisit ce qui se passe réellement au cours de ces rencontres, une partie de la charge énergétique contenue dans le drame est écartée. Et, à la lumière de la compréhension, on parvient à un certain détachement. Après plusieurs épisodes dramatiques qui souvent se produisent simultanément, ou en succession rapide, on émerge avec un sentiment de libération.

On se rend alors compte, parfois très soudainement, que l'énergie a changé. Et des questions qui auparavant déclenchaient un conflit passent maintenant sans troubler aucunement les eaux de la conscience. On éprouve un sentiment d'acceptation de certains schèmes et de la futilité de toute tentative pour leur imposer sa volonté. Lorsque les situations récurrentes se dispersent une à une, le besoin de continuer à les manifester diminue, et l'impulsion à continuer d'interagir avec les êtres qui les provoquaient habituellement se dissipe naturellement.

De longues périodes de solitude sont recommandées durant la phase de reconstruction qui suit. On prend conscience du besoin intérieur de se distancier des circonstances dans lesquelles on a été empêtré. Et l'on doit s'attendre à un changement radical de situation. Une fois qu'un changement majeur de conscience a eu lieu, il faut un certain temps pour intégrer les connaissances. Et il est fortement conseillé, dans la période initiale, de s'abstenir de remplacer les distractions obsolètes par d'autres.

On s'aperçoit de son besoin réel de solitude et de la rareté des options de remplacement des vieilles connexions. Puis on commence à trouver un profond bien-être dans la tranquillité et dans l'intimité de son propre processus. En outre, la nécessité d'interagir avec d'autres êtres n'est plus prioritaire et le plan de reconstruction des situations personnelles est établi.

S'extraire de son conditionnement est un processus laborieux qui peut prendre des mois, même des années, à se réaliser. Ne vous blâmez pas si vous vous apercevez que vous réagissez toujours à des signaux familiers. La reconnaissance des schèmes et des thèmes est une majeure partie de ce travail et elle doit précéder l'extraction de leur emprise. Trouver le fil commun qui relie vos questions de vie n'est que le début du processus. Il ne faut pas vous attendre à pouvoir vous éloigner simplement d'une vie de théâtre sans devoir prononcer les répliques que vous connaissez par cœur.

Vous finirez par quitter la scène. Et quand vous le ferez, ce sera avec grâce et beaucoup de joie car *vous* reconnaîtrez la magnificence de votre performance. Vous aurez maîtrisé votre rôle et vous pourrez l'abandonner facilement, car vous aurez alors appliqué les leçons de vie à chaque aspect de votre soi émergent. Vous aurez reconnu, avec une profonde gratitude, l'importance de cet entraînement pour la formation de l'être que vous serez devenu.

En cette période transitoire, donnez-vous la latitude d'explorer pleinement votre processus. Il ne s'agit pas d'une course se terminant à une ligne d'arrivée où l'on regarde les autres qui connaissent une expérience similaire. Nul besoin de vous comparer à quiconque quant au progrès que vous effectuez. Car chacun de vous a son échéancier personnel. Accordez-vous le luxe d'explorer pleinement la richesse de votre voyage personnel, cueillant en route les fruits précieux de la compréhension dont vous nourrirez votre soi émergent.

Le sentier sur lequel chacun voyage est unique. Et, bien qu'il puisse comporter des schèmes similaires, les subtilités du processus de chaque individu forment une empreinte expérientielle unique. Aucun jugement de valeur ne doit être porté ici, ni par vous ni par les autres. Car le mérite réside dans la magnificence du voyage lui-même et non dans la vitesse à laquelle on parvient à destination.

Une fois que vous aurez émergé de ce stade du processus de transformation, vous serez capable de reconstruire votre style de vie. Plusieurs parmi vous choisiront d'écarter les pièges de la vie qu'ils auront connus auparavant. Et vos priorités seront désormais radicalement différentes. Votre focalisation sur les acquisitions et la sécurité matérielles aura laissé place à une perspective où vous vous percevrez comme libre de toute contrainte. Vous serez moins concerné par le confort matériel que par la facilité avec laquelle vous pourrez manifester les scénarios par lesquels vous exprimerez votre raison de vivre.

Il est vital d'avoir confiance en la perfection du processus pour atteindre un état de direction intérieure qui soit libre de toute restriction. Il n'existe littéralement aucune limite à ce qui pourra être créé, dans les conditions à venir, par ceux qui auront déposé le fardeau qui en fait chanceler plusieurs à l'heure actuelle. Fiez-vous à votre propre capacité de manifester précisément les occasions qui susciteront en vous un sentiment d'achèvement. Et ayez le courage d'abandonner les schèmes conditionnés qui limitent votre aptitude à participer pleinement à la reconstruction de votre focalisation.

Quand le besoin de sécurité est enraciné dans la peur, les circonstances mêmes qui établiraient cette sécurité pourraient bien se dématérialiser et faire naître un sentiment de sécurité reposant sur une base intérieure d'amour. Car la seule vraie sécurité en cette époque est l'indéniable sentiment de bien-être ressenti quand on est en harmonie avec le flux des fréquences supérieures. Quand vous résonnez avec la vibration accélérée qui imprègne votre monde, vous éprouvez un sentiment de profonde connexion avec tout le monde et tout ce qui existe. Et vous savez, à un niveau qui transcende l'esprit, que vous êtes en sécurité et sur la bonne voie.

Les détails du dénouement sont moins importants que le sentiment d'harmonie avec votre but supérieur. Car, une fois que vous vous êtes aligné sur le mouvement des fréquences accélérées, votre vie suit le courant. Et le stade du processus où vous vous trouvez reflète l'intégration de votre compréhension de celui-ci dans les circonstances de vie pertinentes qui surgissent.

Il est capital, pour réaliser tout ce que vous espérez dans ce contexte temporel, de vivre ce processus dans l'instant. Il n'est pas nécessaire de vous demander comment les choses s'arrangeront ; soyez simplement dans un état de réceptivité confiante. Les situations se dérouleront en séquences, d'une manière peut-être bien inattendue, quand vous consentirez à laisser la synchronie œuvrer à votre meilleur avantage. Laissez la situation se dérouler et observez la perfection du processus.

L'achèvement des questions de vie est un exercice fascinant quand vous vous laissez diriger par le processus au lieu de tenter de le diriger. Et la volonté de renoncer au « besoin de savoir » vous sera avantageuse, même si cela vous semble difficile. Car les connaissances à glaner ne sont pas disponibles sur demande, mais remontent sans effort à la surface de la conscience quand on laisse le processus se dérouler naturellement. L'effort que vous pourriez accomplir en tentant de prévoir un dénouement complexe pourrait être épargné si vous vous abandonniez au moment dans lequel vous vous trouvez et à la perfection de la séquence des événements tels qu'ils surviennent.

Sachez que l'orientation d'où vous avez tiré votre expérience de la vie changera considérablement dans les temps qui viennent. Cela est vrai non seulement pour ceux qui se sont identifiés au flux du changement qui s'opère en cette période de votre histoire, mais pour tous les êtres existant dans une forme physique. Certains subiront les changements radicaux que nous évoquons, sans bénéficier de la vue d'ensemble qui mettrait en perspective le bouleversement. Ceux-là, qui incluent la population en général, connaîtront dans le scénario de leur vie des changements sans précédent. Et plusieurs auront de la difficulté à composer avec la démolition des fondements sur lesquels ils ont structuré leur vie. Le processus donnera lieu à beaucoup de peur. Et il faut s'attendre à ce que la violence et les épreuves résultant de la panique soient très répandues dans les temps à venir.

Il importe que vous conserviez une vue d'ensemble quand se déroulent des événements mondiaux qui reflètent un retour à la peur dans la population en général. Il n'est pas nécessaire d'intervenir dans le scénario de ceux qui subissent de telles épreuves, bien que vous choisissiez sûrement de le faire. Car le but supérieur ne serait pas servi si l'on aidait simplement à altérer les circonstances des épreuves des autres sans leur fournir les connaissances qui rendent pertinentes ces situations.

Quand on intervient dans la crise d'un autre, on ne fait que faciliter la répétition du drame en question pour cet autre. Les circonstances elles-mêmes ne sont qu'une invitation, et quand elles sont graves, l'invitation est attirante et la tendance à ignorer la leçon est progressivement moins probable. Si l'on compose avec le drame sans reconnaître le symbolisme qui en émane, une nouvelle performance est virtuellement garantie.

Dans certains cas, l'aveuglement de l'individu quant à la nature du processus est tel que les scénarios créés menacent la vie et que les possibilités de transcender les défis sont minces. Sachez que cet individu a créé ces situations au niveau de l'âme, afin de ponctuer un thème de vie particulier. Il est sans doute dans son meilleur intérêt de laisser le drame se dérouler jusqu'à une conclusion apparemment désastreuse. Ainsi, cet être – cette âme – sera capable de reconstruire l'histoire de sa vie après avoir quitté sa forme physique. En outre, il sera à même de percevoir d'un point de vue supérieur le fil commun reliant les situations.

Sachez que plusieurs feront ce choix. Et plusieurs choisiront une sortie apparemment violente de cette vie afin d'expérimenter un exemple d'une question qui ne peut être ignorée. Ces expériences sommaires sont de sérieuses occasions pour les êtres concernés d'apporter une conclusion à des thèmes de vie qu'ils ne pourraient pas maîtriser d'une façon moins dramatique.

Pour ceux d'entre vous qui seront témoins de tels événements, ce sera l'occasion d'honorer la perfection du processus de l'autre et de résister à la tentation d'intervenir pour essayer de le *sauver* de ce qu'il tente d'accomplir en tant qu'âme. S'en tenir à cela peut sembler une attitude insensible dans des circonstances graves. Pourtant, se retenir de sauver quelqu'un de sa leçon parfaitement créée est le plus beau cadeau à lui faire. Car la préservation de la forme physique n'est sûrement pas la base ultime de l'action dans tous les cas. Il se peut bien que certains individus se soient mis dans une situation expérientielle suffisamment insoutenable, et la souffrance que pourrait causer le maintien dans la forme physique l'emporterait largement sur les avantages d'un sauvetage héroïque.

Pour ceux qui sont connectés par le cœur à un tel être, il s'agit de reconnaître le cadeau que constitue le point culminant de son processus. Et de savoir que le bien supérieur de cette personne sera servi si on laisse le processus se dérouler jusqu'à sa conclusion naturelle. Car le concept de *non-attachement au monde matériel* n'est pas limité aux possessions et s'applique à la vie elle-même. Au moment de tels drames, votre leçon se résume à pouvoir abandonner votre attachement à la vie physique d'un autre et à savoir que la *vie*, au sens le plus élevé, transcende l'identité qui peut choisir de renoncer à la forme.

Ceux d'entre vous qui affrontent des scénarios menaçants pour la vie, que ce soit celle des autres ou la leur, se sont fait un énorme cadeau. Car affronter la mort et la percevoir comme le portail qu'elle est réellement vous habilite à transcender la limitation de l'attachement à la forme et à saisir la sagesse éternelle qui est possible dans l'acte d'abandon.

Plusieurs auront cette occasion en ces temps de profonds changements. Plusieurs choisiront de renoncer à la forme et de récolter les connaissances que recèle cet acte d'abandon. Et plusieurs se tiendront à leurs côtés, dans une acceptation affectueuse et inconditionnelle de la sagesse de ce choix. Soyez émancipé par le rôle que vous avez choisi de jouer dans de tels drames. Et félicitez-vous de posséder la sagesse et la force requises pour laisser un autre être vivre – ou mourir – en toute liberté.

chapitre dix-neuf

L'expérience de l'ascension interdimensionnelle.

Rebondir entre les réalités.

Refocaliser sa conscience parmi des niveaux de réalité simultanés.

L'« extinction » et l'émergence de « nouvelles » formes de vie végétales, animales et minérales.

Jamais, dans toute son histoire, votre monde n'a connu une telle période de transformation. Cette époque marque la fin d'un cycle dont les effets se font ressentir dans toute la Création. Ce qui se produit dans l'« ici-maintenant » n'est pas moins intense que les changements intégrés par les êtres vivant dans d'autres dimensions. Car la Création entière est plongée dans le mouvement du changement. Et tous, sur un plan personnel, sont aux prises avec les répercussions de l'intégration d'une vibration accélérée et expérimentent les merveilles d'un nouveau monde de perceptions.

Dans votre monde, ce temps marque la fin d'une ère caractérisée par un changement sans précédent. Dans une période relativement courte, la race humaine de la planète Terre est passée de la subsistance matérielle à un avancement technologique complexe qui se raffine chaque jour. En même temps, votre sensibilité innée et votre éveil à la réalité du monde situé au-delà de la matière sont passés au premier plan de la conscience de l'humanité, sans égard aux différences culturelles.

Partout dans l'« ici-maintenant » de votre monde a lieu un éveil spontané. Et ceux qui ont le privilège de vivre parmi une population où la conscience de ces changements est reconnue ouvertement ont accès à plus de camaraderie et de soutien. Quant aux autres qui vivent dans un environnement culturel moins libre, l'expérience de l'assimilation d'énergie est plus personnelle. Les individus qui traversent cette époque dans de telles conditions subissent le changement majeur de conscience d'une manière profonde et émancipatrice, même si plusieurs ne se rendent pas compte que tous vivent cette expérience.

Pour ceux-là, les occasions de transcender les limitations imposées par leurs traditions culturelles indigènes sont exceptionnelles. Chacun a pu se heurter à son propre système de croyances et a eu un excellent aperçu du processus de manifestation de la réalité qu'il expérimente. Chacun a été muni des outils nécessaires pour tirer des conclusions identiques, malgré les « règles » de la réalité consensuelle de sa culture. Et chacun a émergé de l'exposition aux démonstrations flagrantes de cause à effet qui marquent son histoire récente avec un sens des responsabilités inévitable.

La conscience de victime qui caractérise votre monde est rapidement remplacée par le fait de réaliser qu'il y a une connexion entre l'attitude mentale de la personne et ce qu'elle manifeste comme expérience. Et ce changement est universel, partout dans votre réalité, que la conscience soit suscitée par une ouverture culturelle à de tels concepts ou par un éveil personnel spontané, déclenché par l'expérience de la vie.

Il ne fait aucun doute dans l'esprit de quiconque qu'un changement sans précédent est sur le point de s'accomplir. Ce que plusieurs se demandent, c'est *pourquoi* et *vers quoi* ce changement les entraîne. Il n'est pas nécessaire de comprendre le processus, et encore moins d'en avoir une vue d'ensemble, pour en intégrer les effets sur plan personnel. Il est toutefois d'un grand intérêt pour plusieurs, dans votre culture particulière, de sonder le mécanisme du processus. Mais le résultat final demeure le même, que l'on se soit éveillé ou non au « tableau général ».

Le rappel spontané d'incidents de l'existence qui sont liés se produit chez tout le monde et mène à l'identification du fil commun qui les unit tous. Les gens tombent sur des réponses sans même les avoir cherchées. Et, pour ceux-là, le processus d'acceptation des vérités indéniables qui leur sont présentées est moins compliqué que pour ceux dont l'esprit est conditionné au scepticisme.

L'expérience personnelle constitue une *preuve* beaucoup plus significative de ce qui existe que les lieux communs de la logique rationnelle que l'on a appris à répéter tel un perroquet et dont on se sert souvent pour évaluer sa réalité. La nature de ces changements transcende votre prétendue logique, car elle est basée sur l'Intention divine, qui est indubitable. Ne vous attendez pas à ce que les conclusions inévitables que vous tirerez de vos expériences soient « sensées ». Souvent, elles ne le seront pas. Pas tout de suite. Mais, lentement, une clarté cristalline en émergera quand vous abandonnerez des vies de conditionnement, au profit de l'indéniable vérité de ce que vous *ressentez*.

Ce que vous appelez le *savoir intérieur* est attisé dans la conscience de chaque être de votre monde. Et, alors que chacun commence instinctivement à s'harmoniser à la résonance supérieure de cette conscience, les *réponses* qui auparavant lui échappaient émergent de l'intérieur. Soudain, vous connaissez les réponses sans même avoir formulé les questions. Car vous puisez à même des connaissances profondes qui n'étaient pas disponibles à votre esprit à un niveau de vibration inférieur.

Une fois que votre fréquence se sera stabilisée à un niveau supérieur, vous prendrez conscience d'une haute connaissance qui n'a pas été formellement *apprise*. Les concepts y acquerront une clarté et une portée qui ne pourront être justifiées par la logique linéaire. Et vous vous rendrez compte que vous êtes devenu un tout nouvel être, pour des raisons que vous ne pourrez expliquer.

Nul besoin d'expliquer quoi que ce soit à quiconque. Car chacun a son propre échéancier dans ce processus et ne peut comprendre la réalité d'un autre tant qu'il n'a pas eu une expérience de vie semblable. Chacun s'éveillera aux niveaux supérieurs exactement au bon moment pour que cet éveil se cristallise. Jusque-là, plusieurs intellectualiseront le processus et tireront des conclusions partiellement correctes à partir de données incomplètes. Pour ces individus, ce sera là leur processus. Et de ce schème d'intégration résultera naturellement une récidive.

Ce processus ne se prête à aucun jugement. Chacun de vous est ici pour effectuer son propre voyage, non pour synchroniser celui d'un autre. Résistez à la tentation de vous laisser séduire par votre ego, qui a toujours besoin de validation. Car la vérité que vous cherchez ne se trouve pas sur le chemin d'un autre, mais à l'intérieur de votre processus d'émergence personnel. Accordez-vous la latitude d'expérimenter ce processus pleinement et d'explorer les répercussions des révélations particulières sur l'éclairage de l'histoire que vous avez accumulée. Tout doit être assimilé et les limitations correspondantes doivent être dégagées afin que vous soyez pleinement fonctionnel en participant au niveau suivant.

La perfection de la synchronisation de votre voyage particulier deviendra apparente alors que la *synchronie* qui déclenche vos percées les plus significatives pourra se manifester. Offrez-vous le luxe de savourer cette expérience de transformation. Il ne s'agit pas de vous hâter, même si plusieurs le feront. Car le résultat final se manifestera naturellement au moment voulu, quand vous vous laisserez diriger par le processus au lieu de le diriger.

Lorsque les couches d'énergie réprimée se dégageront en suivant une séquence et que chaque couche subséquente sera stimulée et remontera à la surface pour être examinée, vous reconnaîtrez la perfection de la synchronisation des expériences majeures. Les événements se déroulent donc dans un ordre particulier, les réalisations occasionnées par l'un formant la base de la résolution du suivant. Alors que les couches d'expériences se révèlent, le schème énergétique sous-jacent peut être dispersé par la recréation du catalyseur émotionnel correspondant.

Vous ne récidivez pas dans votre processus simplement parce que vous ressassez encore une fois des questions que vous présumiez avoir résolues. En fait, vous progressez parfaitement quand vous laissez le processus vous révéler les dernières traces d'un schème énergétique, expérimenté sous forme d'émotion, et que vous vous donnez le droit de ressentir pleinement la profondeur de la charge énergétique qu'il doit libérer. La répression de telles sensations ne fera qu'entraîner la nécessité d'une nouvelle répétition du même schème, qui doit être entièrement complété avant que la couche suivante puisse remonter à la surface sous forme d'expérience de vie. Ainsi, les thèmes majeurs de cette vie-ci, et souvent les traces énergétiques d'autres vies, peuvent être menés à l'achèvement.

Des événements d'une grande intensité sont souvent nécessaires pour illustrer le véritable point culminant du travail d'une vie sur un thème particulier. Car la densité retenue au niveau cellulaire ne peut être portée jusqu'aux niveaux de réalité vers lesquels vous vous dirigez. Tous devront être conduits à l'achèvement avant que l'éventail complet du mouvement de l'ascension puisse se manifester en tant que forme.

Ceux qui seront incapables de supporter l'intensité des épisodes créés dans ce processus choisiront peut-être, dans les temps qui viennent, de se retirer entièrement du processus et de renoncer à leur forme physique. Ces individus auront l'occasion de se recréer énergétiquement aux niveaux vibratoires nouvellement définis auxquels ils sont entrés en cette vie. Dans cette nouvelle forme, ils seront autorisés à manifester des expériences de vie qui les rendront aptes à continuer à travailler sur des questions irrésolues en cette vie. La sphère dans laquelle de tels êtres émergeront de nouveau sera celle qui est partagée par la conscience ayant réussi à s'élever de sphères de réalité inférieures présentement définies par divers degrés de densité.

Il n'existe aucun *lieu* spécifique où certains êtres sont présentement manifestés avant d'accéder au niveau auquel vous avez émergé à la naissance. Car les couches de réalité possibles sont infinies et se *personnalisent* de façon à refléter le niveau de densité avec lequel cette conscience expérimente la reconnaissance de soi. De même, le niveau auquel vous pouvez choisir de vous élever sera fonction de votre composition énergétique au moment d'une éventuelle matérialisation en tant que forme. Ainsi, la réalité à laquelle vous émergez en tant que conscience matérialisée est conçue pour vibrer selon votre somme énergétique.

Pour ces êtres dont les leçons de vie ont porté leurs fruits, des sauts quantiques dans le calibre de l'expérience possible sont à prévoir. Pour d'autres qui ont choisi de s'accorder davantage de temps pour résoudre les questions importantes, le niveau auquel ils émergeront de nouveau en tant que consciences sera fonction de celui auquel ils se trouvent présentement.

Le mouvement est en cours. Le processus n'a ni début ni fin. Il n'y a pas de « jour du jugement ». Il n'y a ni succès ni échec. Le processus *est*, tout simplement. Le mouvement de l'ascension est perpétuel. Et le processus se déroule depuis le début de la Création. En cette époque, le rythme de ce mouvement s'est accéléré. Et les êtres physiques sont confrontés au fait que la forme qu'ils habitent doit soutenir le monde physique au niveau supérieur auquel l'environnement où ils vivent s'est élevé.

Chaque être est présent simultanément à d'innombrables niveaux. Et il est aussi naturel que de cligner des yeux d'émerger avec conscience au niveau suivant de densité, une fois le travail accompli. La conscience de la transition n'est peut-être pas apparente tant qu'il n'est pas clairement évident que les règles du « jeu » ont changé radicalement. Finalement, l'individu se rend compte qu'il n'est plus présent dans le même monde qu'auparavant.

Dans ces conditions, les changements sont beaucoup trop sérieux et le contexte temporel beaucoup trop condensé pour que la transition ascensionnelle se fasse *en douceur*, comme ce serait typiquement le cas. En fait, les êtres qui sont activement en voie de résoudre un thème de vie sont théoriquement *en ascension* constante. Et la réalité que l'individu perçoit comme l'« ici-maintenant » est un reflet personnalisé et toujours changeant de son état vibratoire.

Votre niveau de résistance aux diverses *catégories* de vibrations que vous considérez comme étant vos « dimensions » est le reflet de la résonance de votre densité en juxtaposition avec la réalité en général. Ainsi, un être expérimente simultanément toute la gamme des possibilités et tout l'éventail de la facilité ou de la difficulté de manifester son plus cher désir ou sa plus haute pensée pour lui-même à un nombre infini de niveaux. La focalisation sur un scénario particulier et la perception de *cette* réalité-là comme étant l'« ici-maintenant » est déterminée par la capacité de l'individu à composer avec les leçons de vie présentées à un niveau de conscience donné. L'individu est alors capable de *s'accorder* séquentiellement à toute une gamme de réalités possibles et de percevoir cet ensemble d'expériences comme un tout cohérent. En théorie, il rebondit constamment entre des réalités, selon son état d'être du « moment maintenant ».

Quand la conscience de l'individu, en tant que présence matérialisée, a comblé le fossé entre les grandes catégories de vibrations, connues sous le nom de « dimensions », le passage est plus dramatique et la transition, plus évidente. Ce qui pourrait être perçu comme une récidive expérientielle est en fait la preuve d'un passage majeur à des sphères d'expérience où l'individu possède une plus grande densité relativement à l'environnement en général. L'ascension interdimensionnelle est marquée par d'intenses expériences de difficulté là où il semblait que, à peine quelques jours ou quelques semaines auparavant, la vie avançait avec une facilité sans précédent.

Ce phénomène de la manifestation d'une facilité, puis d'une difficulté dans les efforts est caractéristique d'une ascension qui a eu lieu. Pour ceux parmi vous qui vivent des expériences extrêmes de facilité et de difficulté, cet état même indique des sauts entre des niveaux de réalité en une succession rapide. Ces *symptômes* indiquent qu'un individu complète un travail de vie sur plusieurs niveaux simultanément et expérimente l'ascension à un rythme accéléré.

Alors qu'il approche du seuil séparant les dimensions au cours du processus d'ascension, des chapitres se ferment souvent si rapidement qu'il est virtuellement catapulté des hauteurs d'une dimension aux réalités du « niveau d'entrée » de la suivante. Il importe d'être préparé à composer avec les conséquences de ce changement majeur. Il est probable qu'en l'absence de clarté quant à la nature du processus, l'individu interprète mal les signes d'un tel changement et conclue qu'il a *échoué* dans son progrès. Il n'y a pourtant aucune possibilité d'échec dans ce voyage. Il y a tout bonnement des variations dans la perception de ce qui *est*. Et il devient de plus en plus apparent que c'est vous qui créez tout cela.

Il est dans le plus grand intérêt de vous tous qui êtes au seuil du changement interdimensionnel d'assumer votre pouvoir de créer votre expérience. Dans la mesure où vous pourrez perfectionner ces aptitudes, vous connaîtrez moins de difficulté lorsque le changement aura eu lieu. Car, dans la prochaine grande catégorie de réalité, la manifestation est comparativement instantanée. Des erreurs dans l'application des principes que l'on a maîtrisés sont susceptibles d'être douloureuses et coûteuses. Avant d'effectuer le passage à la dimension suivante, il est nécessaire de s'habituer aux conséquences de ses pensées et de ses paroles manifestées en tant qu'expériences.

Lorsque vous approchez du seuil, votre expérience commence à revêtir les caractéristiques de la dimension supérieure. Le laps de temps entre la création de la pensée et sa manifestation est minimal du point de vue de votre conscience présente. L'obtention d'un résultat qui n'a pas été consciemment désiré sert à souligner pour vous le pouvoir de votre pensée, de vos paroles et de vos actions. Idéalement, vous vous entraînerez soigneusement à surveiller vos pensées et vos actions afin d'éviter de créer pour vous-même des résultats non souhaités. Et vous avez amplement l'occasion, à ce carrefour, de parfaire ces aptitudes.

Finalement, alors que vous franchirez le seuil qui délimite les dimensions, votre expérience de manifestation deviendra beaucoup plus intense. Et la verbalisation d'idées ne s'adressant pas au cœur aura des résultats dramatiques, souvent au détriment de toutes les personnes concernées. L'occasion d'éveil que comporte cette époque a pour but de vous rendre conscient de vos capacités avant qu'elles soient soumises au test de la manifestation instantanée. Votre expérience sera fonction de votre volonté à vous abandonner au processus et à aller dans la direction où la vie vous entraîne. Ceux qui résisteront aux changements programmés énergétiquement dans leur script mettront plus de temps à achever le processus.

En même temps que chacun de vous approche du seuil de l'ascension interdimensionnelle, la planète elle-même approche d'un changement similaire à plusieurs niveaux. Alors que la fréquence vibratoire s'accélère dans tout le champ énergétique de la Terre, la nature de la réalité qui sera expérimentée, simplement en demeurant sur place et en ne progressant pas du tout, sera marquée par un changement radical. La planète elle-même subit des changements jamais vus dans sa composition énergétique. Et la vie qui peut se maintenir à chacun des divers niveaux sera affectée en conséquence.

Vous prenez conscience que des espèces se sont éteintes tout au long de votre histoire. Ces formes de vie n'ont pas du tout cessé d'exister ; elles ont choisi de demeurer aux niveaux de fréquence vibratoire qui leur conviennent naturellement. Alors que s'accélèrent les niveaux d'énergie dans la réalité que vous percevez comme votre « ici-maintenant », plusieurs de ces formes de vie tentent de conserver la vie sur les plus hauts niveaux, et leurs populations diminuent. Finalement, on ne les verra plus dans les sphères où elles vivaient auparavant, car elles ont émergé de nouveau comme de *nouvelles* formes de vie dans les dimensions ascendantes où elles sont *descendues* et avec lesquelles elles sont compatibles vibratoirement.

De même, on prendra conscience de l'arrivée de *nouvelles* espèces de plantes et de vies animales adaptées énergétiquement aux conditions nouvelles de votre réalité ascendante. Ces formes de vie ont migré de dimensions où elles ne peuvent plus maintenir la vie, dans des réalités qui se sont élevées dans leur spectre énergétique. Ces *nouvelles* espèces continueront d'être *découvertes* dans votre « ici-maintenant » alors que les énergies de la Terre poursuivront leur accélération, puis se stabiliseront.

Les minéraux que l'on croit *nouveaux* ou provenant de *l'espace interplanétaire* ne sont rien d'autre que des formes de vie ayant choisi de se matérialiser dans des réalités qui leur sont compatibles vibratoirement. Ils constituent la preuve, pas tellement du « voyage interplanétaire », qui est un phénomène physique, que de la capacité de chaque forme de vie existante de chercher un environnement vibratoire approprié et de s'y matérialiser. De telles découvertes minéralogiques seront d'abord présumées *rares* parce qu'elles n'ont jamais été faites auparavant par des êtres qui se sont élevés d'un environnement vibratoire inférieur. En fait, ces catégories particulières de vie minérale sont peut-être prévalentes dans les conditions auxquelles la Terre et votre propre conscience se sont élevées jusqu'ici. Et plusieurs d'entre vous seront déroutés et étonnés que personne n'ait semblé connaître leur existence auparavant.

Telles seront les preuves subtiles qui émergeront comme confirmation physique d'un phénomène défiant la logique linéaire. Plusieurs mettront en doute ce qui deviendra de plus en plus évident avec l'intensification du processus, en affirmant que ces théories ne peuvent être démontrées scientifiquement. C'est exact, elles ne peuvent l'être par les méthodes développées au cours de votre vie, qui sont basées sur des vérités devenant rapidement désuètes. L'état de votre monde et les formes de vie qui luttent à ce jour pour s'y maintenir physiquement sont la preuve vivante qu'un changement radical est en cours.

Vous serez relativement peu nombreux à comprendre le mécanisme du processus. Pourtant, plusieurs effectueront le changement de regard nécessaire, car ils auront eu le courage de s'en tenir à leur connaissance intuitive et auront résisté à la tentation de s'en remettre aux autorités qui restent obstinément attachées à une structure démodée. Ces prétendues autorités poseront un défi majeur au progrès de plusieurs. Et l'épreuve de la connaissance de soi sera appliquée au mépris de beaucoup de dogmes entretenus par vos communautés scientifique et philosophique. L'occasion qui s'offre ici, dans les conditions présentes et à venir de la transition, vise à reconnaître pour soi ce qui est tel et à respecter cette vérité, même dans l'adversité.

L'esprit d'aventure a séduit l'imagination de plusieurs parmi vous qui se reconnaissent comme de véritables pionniers à la frontière d'un territoire inexploré. Pour vous, le besoin de s'accrocher au monde familier a fait place au sentiment indéniable d'être sur la bonne voie, malgré les preuves du contraire. Et, alors que l'intensité de l'expérience s'accroît et culmine par le changement qui vient, votre assurance, basée sur votre propre expérience, l'emportera sur le besoin de points de référence externes. C'est maintenant qu'il vous faut développer et renforcer cet équilibre intérieur afin de pouvoir appartenir à l'« ici-maintenant » qui vient.

chapitre vingt

Devenir votre propre système de référence.

Percevoir une réalité que tous présument partagée.

Orchestrer la réaction du monde à vous-même.

Comment des aspects d'identité alternés affectent votre humeur.

La nature de l'expérience remémorée.

Le soi supérieur.

Les changements considérables qui ont lieu dans votre structure cellulaire provoquent des symptômes qui en déroutent plusieurs dans les présentes conditions de transformation profonde de votre monde. Chacun de vous découvre la preuve du processus ascensionnel dans chaque aspect de sa vie quotidienne. Et même si vous comprenez très bien théoriquement la base de ces phénomènes, votre conditionnement, dû à une éducation sous la pensée consensuelle, vous amène à mettre en doute constamment ce que votre propre expérience vous a démontré.

Il n'existe aucun système de référence auquel vous puissiez vous reporter pour une partie de ce dont vous faites l'expérience. Car la vie telle que vous la connaissez se met à diverger radicalement de ce que vous avez appris à anticiper. Vous vous retrouvez sur un territoire inexploré dans le contexte de votre conscience linéaire.

Votre conception de la réalité aura changé d'innombrables fois au cours de votre cheminement. Des personnes de votre entourage auront reflété dans une certaine mesure la validité de ces changements. Pourtant, vous mettez en doute une bonne partie du chemin parcouru. Même si vous voyez que plusieurs connaissent un bouleversement similaire dans leur propre vie, il fait partie de ce processus de dériver encore une fois dans les eaux du doute.

Vous éprouverez plusieurs fois ce sentiment de récidive alors que vous commencerez à vous habituer aux accroissements d'énergie qui vous incitent à regarder au-delà de tout ce que vous connaissez et croyez. Vos priorités auront changé si radicalement dans cette phase supérieure de votre processus transformationnel que vous aurez souvent à choisir entre votre propre point de vue et celui d'un autre. Vous comprendrez alors que vous ne pouvez vraiment pas faire de généralisations quant à la nature de votre voyage. Et vous aurez vos propres perceptions, auxquelles vous tiendrez, même si vous recevez une information contradictoire en provenance d'autres sources.

Le temps est venu de cesser de regarder à gauche et à droite pour vous assurer que ceux avec qui vous présumez partager cette expérience de transformation sont toujours à vos côtés. Selon toute vraisemblance, ils ne le sont pas. Ils auront suivi leur propre route divergente, renforcés par leurs expériences personnelles. Les guides écrits par ceux qui ont eux-mêmes fait ce voyage ne peuvent vous être utiles que dans une certaine mesure, car chacun ne peut documenter que sa propre expérience. Personne n'est à même de prédire ce qui vous arrivera.

Le temps est venu de renoncer une fois pour toutes au besoin de chercher une validation. Le temps est venu de cesser d'avoir recours à la sagesse d'un autre être incarné pour vous assurer d'être toujours sur la bonne voie. Vous savez que vous l'êtes, ou que vous ne l'êtes pas. Aucune confirmation d'un autre « chercheur » ne peut sérieusement vous aider quand vous doutez encore du fondement de votre propre vérité.

Les stades supérieurs du voyage de l'ascension sont aussi variés qu'il y a de chercheurs effectuant ces sauts transformationnels. Chacun de vous apporte au moment présent un ensemble unique de circonstances, d'histoire personnelle, et une certaine ouverture au phénomène du changement. Chacun est aux prises avec des variables complexes qui détermineront le degré de difficulté avec lequel il naîtra à chaque niveau supérieur de conscience.

Certains, qui semblent rester à la traîne, enlisés dans leur résistance à ces changements, peuvent soudainement, en un éclair aveuglant de conscience, faire le saut quantique sous vos yeux. D'autres, qui semblent avoir saisi la nature de ce qui se passe, peuvent traîner infiniment, ressassant sans cesse des questions qui semblaient avoir été résolues depuis longtemps. Aucun de ces stéréotypes ne doit servir à mesurer votre propre progrès, car aucun d'entre vous ne fera un voyage ressemblant même de loin à celui d'un autre.

Vous souhaiterez être vous-même votre propre système de référence, sans être enclin à imposer vos réalisations aux autres. Il y en a tellement parmi vous qui atteignent un niveau de compréhension rarement vu à votre niveau de conscience présent. Et, tandis que vous êtes loin d'être les seuls à faire l'expérience de cette époque, vous êtes, en même temps, plus seuls que jamais.

Personne n'aura besoin de vous tenir la main tout au long des stades progressifs qui vous attendent. Et vous ne le voudriez pas non plus, car cette expérience n'est pas une illumination par consensus. Aucune camaraderie, si grande soit-elle, ne pourra vous exempter des risques à prendre au tréfonds de votre être lorsque les réalisations supérieures vous seront révélées. Aucun ami cher ou compagnon ne peut vous accompagner où vous avez choisi profondément d'aller. Ce voyage se fait dans la solitude. Vous avez choisi de l'expérimenter ainsi, comme tous ceux qui l'ont effectué depuis des temps immémoriaux.

Quand vous retrouverez la conscience et ferez de nouveau votre apparition dans cette réalité, ce sera d'une perspective modifiée. Vous vous verrez différemment, bien que votre apparence extérieure n'ait pas changé. Votre perspective aura pris la teinte des sphères supérieures auxquelles vous vous serez accordé, tandis que plusieurs de ceux qui vous percevront verront la vie à travers les mêmes lentilles qu'auparavant. Et vous réaliserez que tout a changé, mais qu'en même temps rien n'a changé.

Les différences qui seront perçues parmi les couches de réalité seront attribuables uniquement aux lentilles à travers lesquelles l'individu sera capable de les voir. Et il pourra s'ensuivre des débats passionnants sur ce qui est ainsi et ce qui ne l'est pas, avec des acteurs ayant choisi l'immobilité vibratoire tout en demeurant parfaitement présents dans votre monde. Ceux-là servent à ancrer un point de référence vibratoire grâce auquel vous êtes en mesure de comparer votre propre conscience émergente. Aucune compréhension supérieure de votre part ne convaincra ceux-là que le changement est à l'ordre du jour. Pour eux, les risques sont trop grands. Et vous leur paraissez une menace à tout ce qui, pour eux, est sûr et vénéré.

À leurs yeux, vous qui avez peut-être bien vécu une rencontre authentique avec la Divinité intérieure, vous êtes le blasphémateur. De leur point de vue – bien que vous ayez brièvement goûté la transcendance de l'identité linéaire –, vous êtes celui qui est enraciné dans l'ego puisque vous avez de telles pensées. Pour eux, vous êtes celui qui n'appartient plus à ce monde, car vous avez goûté à un monde qu'ils ne peuvent voir ni même imaginer. Et pourtant vous pouvez le voir. Vous avez commencé à le voir vraiment, peut-être pour la première fois.

Ces incohérences flagrantes dans la perception d'une réalité que tous présument partager indiquent la possibilité que cette réalité ne soit pas partagée du tout. Et une enquête, même auprès des êtres dont la pensée est très près de la vôtre, confirmerait que la seule personne présente dans cette réalité, c'est vous. Pourtant, très peu sont prêts à envisager une telle éventualité.

Le fait est, cependant, que la réalité dans laquelle vous expérimentez la conscience de soi en ce moment est un phénomène fluide. Elle est sujette au mouvement toujours présent et toujours changeant des variables vibratoires infinies qui la renferment. La version de ce kaléidoscope illimité de possibilités, accessible à votre point de vue limité, n'est visible qu'à vous. Il se peut que d'autres voient la *vie* à travers le même éther sans pourtant la percevoir de la même façon que vous. Mais comment le pourraient-ils ? Ils ne sont pas vous. Et c'est vous qui créez tout cela, comme eux.

Laissez à chacun la grâce de la perfection de sa vision de l'existence, même si, de votre point de vue, cette vision est erronée. Aucun d'entre vous n'a « tort ». Chacun a « raison », selon la réalité qu'il est capable de percevoir. Et sur le plan collectif, tous ont « raison ». Car tous les points de vue coexistent simultanément, aucun n'annulant l'autre, quel que soit le niveau de conflit représenté. C'est là la nature de cette Création. Tout ce qu'elle comporte existe, tout simplement. Y choisir ce que vous désirez y expérimenter, voilà l'option éternellement présente. Et ces options sont de moins en moins attrayantes à mesure que vous progressez dans votre voyage.

Vos centres d'intérêt antérieurs ne vous disent plus rien, car vous avez compris qu'ils ne sont que des moyens de gratification de l'ego. Ils constituent les points de référence d'un monde fondé sur le plaisir égoïste et la recherche de l'approbation des autres. Ce sont des buts qui ont pu vous paraître accessibles grâce à beaucoup de travail et de ruse. Mais, une fois atteints, ils semblent tous vains. Aucun d'entre vous qui a récolté le plus grand « succès » matériel n'en a été pleinement heureux. Il y manquait toujours quelque chose. Vous avez donc repris la quête de ce *quelque chose* pour vous apercevoir finalement que ce nouveau succès était également vain.

À ce stade de votre voyage, vous avez renoncé à investir dans la recherche de ces *glorioles*. Et, du point de vue du détachement heureux, vous voyez les gens qui vous entourent tournoyer sur des myriades de carrousels, cherchant à atteindre par tous les moyens, y

compris la tricherie, le vol et le meurtre, ce sur quoi ils se sont focalisés. Tous ne songent qu'à atteindre ce *quelque chose* qui leur échappe
constamment, éternellement inaccessible, que la plupart continuent
à percevoir comme « quelque part là-bas ». Peut-être avez-vous fini
par vous rendre compte qu'*il* n'est pas du tout « *là-bas* ».

Au moment de lire ces lignes, peut-être même avez-vous
atteint un point où vous avez reconnu la futilité de tout cela. Et,
tout en continuant à regarder le monde qui vous entoure contourner le périmètre de ses espoirs et de ses rêves, vous reconnaissez
que vous ne faites plus vraiment partie du jeu. Ce fut amusant. Ce
fut intense. Ce fut peut-être même parfois intéressant. Mais pas
dans l'ensemble. Ce fut surtout décevant, non seulement pour vous
personnellement, mais virtuellement pour vous tous. C'est l'enjeu
de ce jeu. C'est ce qui vous incite à tenter votre chance encore une
fois.

Au bout du compte, vous atteignez un point où les prix à
gagner dans ce carnaval ne vous attirent plus du tout. C'est alors
que vous vous mettez à chercher tout à fait ailleurs ce *quelque chose*
qui vous échappe. Vous savez maintenant, sans le moindre doute,
qu'*il* n'est nulle part *là-bas*. Qu'il est à l'intérieur.

Plusieurs d'entre vous savent très bien, quand ils se retrouvent
parmi la masse, qu'ils sont focalisés sur autre chose que le sont la
plupart. Ayant beaucoup goûté de ce que la *vie* peut offrir, vous
avez refusé son invitation à en consommer davantage. Plusieurs se
sont éloignés de tout ce qui est familier et prévisible, sur une route
que les autres ne comprennent pas, une route qui, pour l'observateur ordinaire, ne mène nulle part. Ces routes abondent dans votre
réalité, croisant celles, plus achalandées, du monde matériel.

Vous n'avez pas besoin de vous réfugier au sommet d'une
montagne pour entendre l'appel de votre cœur, à moins d'avoir
choisi cela. Les autoroutes et les voies secondaires de ce monde
conduisent toutes potentiellement aux carrefours-clés où il vous
est possible d'explorer un tout autre paysage, ici même dans votre
voisinage. Et vous finirez par reconnaître que votre vision supé-

rieure de la réalité comporte une puissante résonance parmi l'imagerie plus prosaïque qui vous entoure.

Même si vous sentez souvent que le sentier que vous tracez dans votre propre voisinage est examiné avec scepticisme et moquerie, celui-ci ne passe pas inaperçu. Ceux d'entre vous qui ont choisi d'expérimenter leur éveil parmi la masse sèment les germes de cette perspective supérieure au vu et au su de tous, là où le monde en a le plus besoin. Même si les autres sont incapables de voir leur monde de votre point de vue, ils vous auront observé. La vie de ceux que vous touchez, même au passage, ou à qui vous prêchez par l'exemple en suivant votre propre route intérieure en leur présence, en sera transformée.

Alors que les variations de votre vie se manifestent sous diverses nuances selon vos choix, vous commencez à pouvoir diriger la nature et le moment des expériences.

Quand le résultat escompté ne survient pas facilement, vous savez contourner les circonstances et vous tourner vers l'intérieur pour calmer les turbulences qui se manifestent sous forme de discordes dans votre monde extérieur. Vous savez dématérialiser une série de circonstances et lui substituer une autre variation sur le même thème, simplement en modifiant votre état intérieur. Vous êtes devenu habile à sauter entre les réalités, à vous émerveiller de l'amélioration soudaine d'une situation ou à grogner quand votre bulle éclate encore. Vous êtes devenu maître dans l'art de l'ascension, et la plupart ne s'en sont même pas aperçus.

L'imagerie toujours changeante des possibilités expérientielles se présente à vous sous la forme d'une situation à la fois. Les acteurs et le décor que vous avez établis sont là, quels que soient les personnages qui prononceront telle ou telle réplique. Ces éléments restent essentiellement les mêmes et fournissent l'aspect de continuité qui donne à la *vie* l'apparence d'une série statique de circonstances linéaires. Ce qui change, ce sont vos interactions avec les variables qu'elle comporte. La nature de ces choix détermine la série de possibilités qui se manifestera dans votre réalité à tel moment et que vous reconnaîtrez comme étant *survenue*. En fait, tout cela est *survenu*. Tout cela continue à survenir ici même, dans un monde de réalités incluses les unes dans les autres.

Alors que vous suscitez une série de circonstances donnée, avec l'unique formule inscrite dans votre champ énergétique, d'autres circonstances parallèles sont stimulées. Ces réalités de rechange sont toujours là, dans les coulisses de l'infinie possibilité, attendant le signal vibratoire qui les incitera à se manifester. Vous seul déterminez la série de circonstances que vous reconnaîtrez comme expérience, selon vos choix, à tel ou tel moment. Vous seul décidez du degré de facilité ou de difficulté que vous connaîtrez dans la réalisation de vos rêves. Et comme vous seul choisissez vos réactions aux stimuli fournis par le monde, vous seul orchestrez les réactions du monde à votre endroit.

Votre propre champ énergétique est le catalyseur qui établit, dans une large mesure, la réaction que vous êtes en mesure d'obtenir des autres. En n'importe quelles circonstances, toutes les variantes sont des réalités possibles viables susceptibles de se manifester avec la formule vibratoire correspondante. Les actions et réactions des autres ne font pas exception à ce principe de base. Quand vous projetez votre énergie dans l'éther, d'autres sont guidés pour réagir en conséquence, sciemment ou non. Et vous pouvez modifier le résultat de presque toute interaction uniquement en vous accordant à l'énergie que vous y apportez.

Votre propre monde est unique. Il est composé d'une série de variables qui reflètent les nuances de vos choix établis en juxtaposition avec la résonance de l'environnement dans lequel vous avez choisi de les exprimer. Et même si vous pouvez partager des circonstances parallèles avec plusieurs des êtres qui habitent le théâtre de votre conscience, votre drame se joue devant un auditoire composé d'une seule personne. Vous êtes seul à accueillir le monde comme vous le faites. Vous êtes seul à déterminer durant combien de temps vous assisterez encore à la même performance prévisible.

Les acteurs qui font partie de votre scénario sont là pour vous, quels que soient vos choix ou la combinaison de réalités possibles que vous créerez comme expérience de vie. Ces êtres sont préparés pour interagir avec vous au niveau de conscience de soi qui est le vôtre à tel ou tel moment. Et leurs réactions sont régies par la résonance collective sur laquelle une scène particulière est établie, dans une réalité faite sur mesure pour *vous*.

Quand vous avez suffisamment accru votre champ énergétique, vous êtes à même de changer votre conscience et de participer à une série de situations collectives de rechange qui reflètent davantage votre résonance vibratoire. Ce qui se présente alors sur l'écran de votre conscience est une variante supérieure de l'identité que vous considérez comme étant *vous*. Les autres avec qui vous êtes en interaction sont ces mêmes acteurs avec lesquels vous auriez pu jouer une scène donnée dans un environnement inférieur. Ils sont présents, dans votre réalité sur mesure, en tant qu'une manifestation de leur propre composition vibratoire, et ils interagissent alors à partir de la série supérieure de variables que vous avez suscitée.

De même, du point de vue des autres qui occupent votre cercle intime, chacun de leurs mondes est fait sur mesure pour *leurs* propres yeux seulement. Votre présence est suscitée pour interagir avec eux au niveau auquel ils expérimentent la conscience de soi. Vos réactions sont influencées vibratoirement, dans chacun de leurs mondes, de la même façon que les leurs le sont dans le vôtre. Ainsi, des variantes multiples d'une même scène *se produisent* réellement, quoique chacun les perçoive de son point de vue unique.

Alors que chacun d'entre vous *crée* des variantes de l'identité de ceux avec qui il interagit à son propre niveau personnel de conscience, ces divers aspects de conscience et les situations qu'ils vivent se combinent pour influencer le champ énergétique de chacun. Voilà pourquoi il est possible et souvent probable que votre humeur change très soudainement sans raison apparente.

Une réaction adverse de la part d'un autre aspect du soi qui joue un rôle dans un environnement inférieur ajoute une note grave à la résonance de l'identité du *vous* collectif. Soudain, vous découvrez que vous êtes « de mauvaise humeur » sans savoir pourquoi. De même, quand vous vous sentez harmonieux et euphorique sans raison apparente, il y a des chances que vous soyez sous l'effet d'une résonance accrue d'un autre aspect du soi qui joue une performance dans la réalité supérieure de quelqu'un d'autre.

Quand chacun de ces fragments entrelacés de votre identité ajoute sa résonance au *vous* collectif, chacun de vous s'efforce de demeurer centré et équilibré au point de convergence de conscience que vous considérez comme étant *votre vie*. Vous êtes grandement inconscient de la complexité de l'ensemble composite qui crée votre expérience de la réalité.

Sachez que, chaque fois que vous vous aventurez dans une interaction avec quelqu'un dont la vibration est inférieure à la vôtre, vous jouez simultanément la même scène dans sa réalité vibratoire à lui (ou elle). Un aspect de vous devient présent dans son monde sur mesure afin d'interagir avec cette série unique de variables. Le résultat de sa variante sur l'interaction qui a lieu entre vous peut être très différent de la scène que vous percevez sur votre propre terrain. Pourtant, vous portez en vous une partie de cette interaction et, sans même savoir pourquoi, vous vous sentez soudain moins optimiste que quelques instants auparavant.

Ceux d'entre vous qui sont portés à s'engager dans des discussions animées, par besoin compulsif de « bien » paraître à leurs propres yeux, ressortent parfois d'une victoire apparente avec un sentiment de défaite, sans comprendre pourquoi. Ceux qui demeurent dans une relation abusive longtemps après que l'adversité a été résolue se demandent pourquoi l'énergie de la peur et de la méfiance subsiste. Ceux qui continuent d'expérimenter une dépression chronique sont souvent simplement sous l'effet de l'adversité rencontrée par des aspects parallèles du soi dans la réalité vibratoirement inférieure de quelqu'un d'autre.

Plusieurs parmi vous sont « d'humeur changeante » et sujets à des fluctuations inattendues de leur état d'être qui n'ont pratiquement aucun rapport avec les circonstances de leur vie. Il y a des possibilités qu'ils ressentent l'influence des couches multiples d'*input* vibratoire fournies par les innombrables niveaux de réalité dans lesquels ils sont présents. Quand vous comprendrez comment vos sentiments, votre environnement et vos choix fusionnent en vous et se reflètent sous la forme d'expériences de vie, vous deviendrez sélectif quant aux lieux et aux personnes avec qui vous entrerez en interaction.

Finalement, vous vous éloignerez de toute discorde, sachant que le prix à payer est trop élevé, quel que soit le trophée à remporter. Vous vous en remettrez à votre propre équilibre intérieur pour vous guider vers les gens et les situations qui vous nourriront vibratoirement et pour vous avertir de celles qui ne le feront pas. Vous consoliderez votre identité fragmentée en choisissant soigneusement les circonstances dans lesquelles vous vous placerez et en sélectionnant les réalités parallèles des autres.

Tandis que chacun de vous s'élève dans les circonstances supérieures de niveaux de réalité accrus, votre perception du fil commun qui traverse ces circonstances, comme des variantes d'expériences dont vous vous rappelez, se modifie en conséquence. Là où, précédemment, un aspect du soi a pu participer à une variante supérieure d'une interaction en faisant une apparition dans la réalité de quelqu'un d'autre, ces circonstances sont absorbées par le fil mémoriel quand l'individu s'élève lui-même à ces niveaux. Ainsi, ce dont il se *souvient*, c'est, en fait, la variante sur le thème en question au niveau auquel il a réellement participé quand il a atteint lui-même ce niveau.

Des variantes inférieures d'interactions qui auraient pu précédemment commander la focalisation de la conscience de l'individu cèdent le pas à la variante supérieure du thème en question alors que les aspects fragmentés du soi fusionnent dans l'ensemble composite de la conscience collective. Ce que l'individu *se rappelle* et ce qu'il croit être *arrivé*, ce n'est rien de plus qu'un aspect d'une situation à multiples facettes portant une charge électromagnétique supérieure et qu'il perçoit quand sa conscience s'élève jusqu'à cette fréquence.

En fait, vous avez expérimenté réellement un nombre effarant de variantes sur tel ou tel thème. Chacun de ces fragments de possibilité vibratoire vous a touché, à chaque étape du chemin, et vous a aidé à cocréer la conscience précise que vous dites être *vous*. En réalité, vous êtes infiniment plus complexe que vous n'oseriez l'imaginer.

En chacun de vous se trouve un aspect du soi ayant maîtrisé les difficultés qui continuent de vous dérouter. Cet aspect du soi est en lui-même une conscience précise à l'intérieur d'un lignage infini dont toutes les composantes sont, en fait, *vous*. Dans cette identité collective qui est la vôtre, cette variante supérieure de votre thème de vie vous pousse vibratoirement à perfectionner votre maîtrise des questions que vous êtes venu résoudre. Cet aspect de votre identité, qui affectueusement et patiemment assume les répercussions vibratoires de tous vos triomphes et de toutes vos défaites, est appelé par certains le *soi supérieur*. C'est ce niveau de maîtrise expérientielle qui évolue parmi vous dans le monde de la réalité physique, en la personne de certains êtres venus livrer un enseignement spirituel en cette époque.

Certains d'entre vous se sont portés volontaires pour demeurer dans le monde de la réalité physique afin de servir de points de référence à ceux qui s'éveillent en vue de combler le fossé entre votre présent niveau de conscience et les réalités dimensionnelles vers lesquelles vous vous dirigez. Ces êtres, qui sont vus par plusieurs comme des *saints* et des *maîtres spirituels*, sont simplement des aspects de conscience qui s'expérimentent dans la forme physique, aux niveaux inférieurs de réalité constituant votre monde.

Il existe des aspects comparables de chacun de vous ; ils attendent patiemment dans des mondes que vous ne visitez actuellement que dans vos rêves. Ces aspects du soi finiront par englober la collectivité de votre expérience linéaire tandis que vous continuerez à fusionner dans l'Unité avec tous les aspects fragmentés de votre être. Ce sont ces aspects de votre conscience qui cherchent à vous atteindre dans vos rêves et dans vos méditations profondes. Ce sont ces *anges* qui viennent vous rappeler qui vous êtes réellement, dans les moments où vous êtes le plus enclin à l'oublier.

Ces aspects de votre Soi qui vous poussent à accéder à des niveaux subtils de conscience supérieure sont ici pour vous rappeler qui vous êtes vraiment. Parfois, ils mêlent leur énergie à la vôtre et vous procurent ainsi un aperçu – non sous la forme d'une vision physique, mais d'un *sentiment* – d'une réalité que vous commencez à peine à imaginer.

Voilà pourquoi vous êtes si nombreux à avoir connu quelques moments de Connexion divine, parfois de la manière la plus inattendue. C'est ce qui se produit en réalité lorsque vous sentez votre énergie changer et que vous éprouvez une joie immense, pendant les moments de prière ou de contemplation profonde, ou dans l'intimité de la nature, ou encore dans le secret du silence et de la solitude. C'est ce que vous ressentez quand vous savez que vous avez été touché par quelque chose d'indescriptiblement beau et sacré, et que ce n'est pas le fruit de votre imagination.

Ces incursions temporaires dans la nature des sphères supérieures sont des dons expérientiels qui vous sont octroyés alors que vous vous éveillez à la vérité de votre Être véritable. Car ce que vous êtes venu expérimenter en cette époque, ce n'est pas simplement une compréhension intellectuelle de la nature du processus ni une collection de concepts métaphysiques dans lesquels noyer votre esprit. C'est plutôt le goût et le *sentiment* profonds du processus, son expérience incroyablement magnifique – celle de savoir que vous avez été touché par la Divinité –, laquelle expérience est tel un panneau indicateur sur la route de l'Unité.

chapitre vingt et un

Se libérer vraiment de l'attachement.

Comment vous sabotez vibratoirement vos meilleures intentions.

Intégrer les aspects parallèles du soi dans l'ensemble de votre identité.

Plusieurs s'aventureront en cette époque en n'ayant qu'une conscience limitée de la magnitude des changements ayant lieu dans la structure cellulaire de ceux qui peuvent soutenir la forme physique. Ces êtres seront le témoignage vivant des difficultés posées par une compréhension partielle de la nature de ces changements. Plusieurs feront semblant de s'intéresser au concept d'ascension sans bien comprendre que l'essence même de ce concept requiert qu'ils assument l'entière responsabilité de chaque aspect de leur vie. Ceux dont l'approche de cette époque et des conditions vibratoires intensifiées est basée sur une acceptation passive des seuls principes théoriques ne feront qu'allonger la durée de la période de transition.

On déforme le concept d'ascension en présumant que cette dernière est garantie à l'intérieur d'une période donnée, indépendamment des choix personnels. Rien n'est moins vrai. Cette période et cette transition particulière, qui dépassent toutes celles que vous avez vécues personnellement, requièrent une immersion totale dans le processus afin de compléter l'exercice dans des conditions optimales. Ceux dont l'approche de cette époque est fondée sur la présomption qu'ils seront entraînés sans effort dans le mouvement en cours sapent le progrès potentiel qu'ils pourraient réaliser et prolongent leurs conditions d'adversité.

Finalement, tous *effectueront* la transition et ascensionneront interdimensionnellement, mais rien ne garantit que cela se produira dans cette vie-ci ni même dans la suivante, sur le plan individuel. Rien ne garantit que vous ferez le changement en compagnie des personnes qui partagent votre compréhension de cette époque, car le processus lui-même est conçu dans l'intemporalité et le seul échéancier possible est celui qui découle de vos propres choix.

Ceux qui ne fourniront pas les efforts suffisants pour interagir avec les énergies et effectuer un changement maximal verront la vie leur passer sous le nez. Ils ne comprendront pas pourquoi l'existence des autres leur paraîtra transformée tandis que la leur continuera de stagner. Car le voyage exige une participation active. On ne peut parvenir à destination aux frais des autres.

C'est votre volonté d'interagir avec les signaux se matérialisant pour vous sous forme d'expériences de vie qui déterminera combien de répétitions seront requises pour créer en vous une conscience claire de la nature de votre processus personnel. L'évitement des questions déclenchées par les circonstances de votre vie rendra nécessaires des variations encore plus intenses sur un thème donné. Une fois que le fil commun a été identifié et que l'attachement au résultat a été abandonné, il n'est plus nécessaire ni même possible de continuer à expérimenter des illustrations de ce thème. La charge énergétique responsable de la création de ces conditions ayant été libérée, elle n'est donc plus présente pour attirer ce genre d'expérience.

En détachant les couches successives de conditionnement qui créent votre expérience de la vie, vous allégez la densité qui vous maintient à un niveau de réalité inférieur. Quand vous aurez accompli de grands progrès à cet égard, souvent vous serez choqué de constater que vous êtes revenu dans le film que vous présumiez terminé.

Il se peut que *vous* ayez en effet achevé la leçon en question et triomphé des réflexes conditionnés qui vous piégeaient habituellement tout au long de cette vie-ci. Pourtant, un nouveau facteur s'est ajouté à l'équation. Selon toute vraisemblance, *vous* n'êtes plus le même *vous* qu'auparavant. Vous êtes devenu une variante plus complexe de ce thème qui est *vous*. Car, en vous élevant à la pleine perspective de l'ensemble de votre vie et en atteignant de subtiles variations de niveau alors que vous approchez du seuil interdimensionnel, vous aurez intégré des aspects parallèles de votre totalité énergétique dans ce centre qui est *vous*.

Tous les aspects de votre être doivent être présents énergétiquement afin que le changement interdimensionnel se produise et ils doivent donc être tous intégrés séquentiellement dans cet effort. Des aspects du soi qui vivent des existences simultanées, centrées sur de subtiles variations de votre thème de vie, sont à même de fusionner avec vous énergétiquement lorsqu'un certain niveau de clarté est atteint. Il peut souvent y avoir des variations vibratoires mineures parmi ces aspects du soi, et les charges énergétiques résiduelles portées par tout aspect de l'ensemble peuvent créer les conditions énergétiques d'une répétition des vieux scénarios.

Si, dans une nouvelle étape de votre voyage, vous vous retrouvez soudain devant de vieux bagages, ce n'est pas nécessairement le signe que vous n'avez pas assez travaillé. C'est sans doute l'indice que se poursuit un schème d'achèvement par lequel vous avez intégré des aspects parallèles du soi dans le tout énergétique. La réémergence de conditions difficiles peut indiquer un renforcement de leçons déjà maîtrisées. La facilité avec laquelle vous contournerez de tels scénarios vous amènera à voir le progrès réalisé dans des secteurs-clés de votre travail de vie. Et votre aisance croissante à affronter les questions qui auparavant vous troublaient le plus vous indiquera le degré de complexité supérieur atteint par ce centre de conscience qui est *vous*.

Une fois le processus amorcé, nul besoin de revenir sur vos pas pour ressasser de vieux drames afin de sélectionner des connaissances cruciales qui ont déjà été identifiées. Sachez que le sentiment de paix que vous éprouvez maintenant à l'égard de thèmes qui jusque-là vous détruisaient constitue votre baromètre quant au niveau d'achèvement atteint. La conscience des leçons de vie prédominantes prépare le terrain à un détachement qu'il faut cultiver à l'égard de ces questions. Lorsque vous vous serez distancié des *appâts* énergétiques programmés dans ces scénarios, vous serez en mesure d'adopter une attitude amusée quand apparaîtront des *appâts* prévisibles qui vous inviteront à vous engager dans la situation. Car, à ce stade, le drame lui-même se dissout essentiellement en vertu de la vue d'ensemble que l'on a. Et, de ce point de vue, l'épisode apparaît comme une représentation symbolique du thème de vie qu'il est véritablement.

Ce qui vous indiquera que les énergies liées à certaines questions se seront stabilisées et que les aspects multiples du soi auront été parfaitement intégrés, c'est la non-émergence de drames prévisibles dans votre script. En somme, quand la charge énergétique aura été entièrement libérée, vous éprouverez un profond bien-être qui imprégnera votre vie entière. Vous verrez d'un point de vue supérieur tout ce qui se déroule et vous vous sentirez parfaitement détaché des petits drames du quotidien. Dès lors, l'issue des conflits habituels n'aura aucune importance, ce qui renforcera votre capacité de conserver le sentiment de liberté que vous aurez commencé à éprouver.

Être *libre de tout attachement*, c'est davantage qu'un simple état d'esprit ou des mots qu'il est de bon ton de prononcer dans certains milieux. La liberté est le but ultime que vous vous efforcez d'atteindre au cours des derniers stades de votre travail, et le degré de liberté atteint se mesure au degré de difficulté que vous manifestez comme expérience de vie. Un script bourré de complexité et de difficultés montre que l'individu est encore considérablement sous l'emprise des circonstances de sa vie, bien qu'elles aient été créées par lui.

On ne peut se libérer de l'adhésion conditionnée à des schèmes réactionnels que lorsque l'on cesse d'être affecté par le résultat des rencontres interpersonnelles. Quand on n'est plus attaché au résultat, on se libère de l'emprise de ce type de rencontre sur sa vie et de la tendance à manifester des résultats désagréables.

L'état d'être vers lequel on évolue en comblant le fossé entre les diverses dimensions privilégie la simplicité plutôt que la réussite en soi. On remet alors en question l'éthique de travail à laquelle on a été conditionné en cette vie et qui renforce l'idée du « succès à tout prix ». Cette attitude est fondée sur une dépendance aux réactions des autres, non sur un sentiment de bien-être émanant de l'intérieur. À ce titre, d'avoir l'air extérieur à la *Source* vous a conditionné à sacrifier votre plus cher désir afin de plaire aux autres.

La disharmonie que vous créez en allant à l'encontre de votre vérité intérieure prépare le terrain au sabotage énergétique de vos meilleurs efforts. Plus vous *tentez* de manifester un résultat en manipulant les éléments physiques de votre équation, plus vous vous distanciez vibratoirement du sentiment naturel d'équilibre qui donnerait lieu à ce résultat.

La maximisation de votre effort pour arriver à un but désigné n'est pas fonction de votre habileté à évaluer ce qui est requis pour que l'effort porte ses fruits, mais plutôt de votre capacité de détachement du besoin de contrôler le processus. L'énergie qui sous-tend cet effort n'est pas touchée par le soin avec lequel vous réglez les problèmes et anticipez les dangers propres à saper le résultat. Cela peut simplement créer des dangers parallèles qui seront attirés énergétiquement vers votre effort. Et vous trouverez sans doute très frustrant de voir vos projets sapés à répétition malgré tout le soin que vous aurez mis à préparer la réussite.

Souvent, dans de tels cas, on n'a pas tenu compte de l'énergie qui, sous forme d'émotion, accompagne l'effort. Quand on aborde un effort quelconque pour aboutir à un résultat donné, l'intention sous-jacente à l'effort prépare le terrain à la concrétisation. Quand l'approche est celle d'une anticipation joyeuse du résultat naturel de ses efforts, la manifestation survient facilement et le processus se déroule sans encombre. Cependant, quand on aborde un effort en anticipant des difficultés et que l'on projette son intention de les contourner en se focalisant mentalement sur tout ce qui pourrait aller mal, on prépare un terrain propice à l'apparition de ces difficultés. Il ne peut en être autrement, car c'est votre focalisation mentale qui crée votre réalité.

Le degré de difficulté prévu détermine la résistance que vous opposerez à la réalisation de votre but. Si vous abordez l'effort en présumant que le meilleur résultat possible se produira automatiquement, vous faites le nécessaire pour que cet effort soit récompensé. La différence est subtile, mais le résultat est puissant car il est basé sur la confiance en votre capacité d'obtenir le résultat désiré, non sur la peur d'un échec.

On crée facilement ce que l'on approche avec l'énergie de la joie. Quand on prend plaisir à l'acte de création et que l'on imprègne l'effort lui-même de l'énergie de la joie, le résultat possède le fondement vibratoire de la manifestation. Quand la focalisation des efforts repose sur le ressentiment, ces efforts portent la vibration qui leur attirera la résistance qui les compromettra.

Quand on travaille en détestant son emploi, le terrain est propice à la manifestation de situations qui rendront cet emploi encore plus désagréable. En changeant son énergie, même subtilement, on transforme son environnement de travail de sorte que les efforts de tous seront bien récompensés. C'est le niveau de satisfaction anticipé comme résultat de ces efforts qui engendre ce résultat.

La mentalité de victime prend plusieurs formes. L'individu est souvent inconscient des subtiles variations existant sur ce thème et de la manière insidieuse dont il peut détruire les espoirs et les rêves. Si vous abordez tout effort en supposant que des facteurs extérieurs vont le faire échouer, vous préparez le terrain à l'échec. L'anticipation d'un échec possible provient de la peur sous-jacente de ne pas avoir le contrôle de la situation. Les événements n'arrivent pas tout seuls. Tout est créé énergétiquement par vous. Et le pouvoir de renverser le courant d'une série de déceptions est votre droit naturel.

La peur de la pénurie est un facteur commun qui ébranle les meilleurs efforts de plusieurs. L'abondance est une option qui a été programmée dans l'expérience de vie. La présomption qu'il n'y a pas assez de quoi que ce soit ou qu'il ne peut jamais y en avoir assez, malgré l'habileté et la force de l'individu, garantit virtuellement ce résultat. Par contre, l'hypothèse qu'il y en aura naturellement assez, qu'il s'agisse de temps, d'argent, de ressources ou de quoi que ce soit qui est requis pour satisfaire les besoins de l'individu, est un gage d'abondance. Vous avez été placé ici, dans ce continuum spatiotemporel, par votre propre intention supérieure, équipé de toutes les ressources nécessaires pour créer une vie de joie et d'abondance. La confiance en votre capacité de fournir ce dont vous avez besoin contribue à entraîner les circonstances par lesquelles ce résultat est virtuellement garanti.

Cette époque est marquée par un renversement radical des schèmes établis dans tous les secteurs de votre vie. Lorsque vous commencez à saisir les conséquences du concept d'émancipation tel qu'il est lié à la création de votre réalité, vous pouvez en assumer toute la responsabilité. Le besoin de justifier vos actions relativement aux attentes des autres cédera bientôt le pas aux priorités émanant de l'intérieur. Et le désir de suivre votre vérité intérieure prendra le pas sur le conditionnement culturel et les attentes ou les demandes des autres. En fin de compte, vous avez l'obligation, en ce voyage, de reconnaître et d'appliquer vos choix véritables. Et la bonne intention que vous insufflez à tous les choix établit la base de la réalisation de votre plus cher désir.

La patience dont vous ferez preuve durant ce processus vous facilitera grandement les choses, car le temps et l'exercice sont nécessaires pour intégrer les nouvelles connaissances et changer les schèmes réactionnels conditionnés. Une fois que vous aurez reconnu les subtilités du processus consistant à maîtriser le monde tel que vous le créez, le plaisir de créer votre réalité telle que vous la désirez s'installera peu à peu.

En cette époque, il s'agit d'assumer votre pouvoir et de renoncer aux vestiges de peur et de limitations qui ont pour résultat la séparation du soi. L'intégralité que vous cherchez à atteindre énergétiquement nourrit le mouvement vers le changement radical qui caractérise cette phase de la présente vie. La tâche qui vous incombe consiste à reconnaître les schèmes réactionnels autodestructeurs et à libérer ces tendances. Car il n'y a vraiment aucune limite à ce qui peut être créé et expérimenté en cette vie, ni à la joie que l'on peut éprouver quand on s'unit dans l'Unité avec soi-même.

chapitre vingt-deux

Esquiver les déclencheurs de schèmes réactionnels prévisibles.

Désamorcer l'émotion des relations antagonistes.

*Stimuler la résolution karmique de l'émotion
à des niveaux parallèles de conscience.*

Reconnaître la Divinité qui sous-tend toute expérience.

L'occasion de transcender les schèmes expérientiels que vous avez manifestés se présente quand vous ne tenez plus à avoir *raison* aux yeux des autres. Quand vous êtes capable d'abandonner le besoin d'une validation de l'ego sur les questions qui définissent cette vie-ci, vous avez fait les premiers pas vers la libération de ces schèmes.

Il importe de demeurer conscient que vous n'avez pas agi seul au cours de ces interactions. Vos partenaires expérientiels, qui ont élaboré les détails de ces conflits avec vous au cours de nombreuses vies, participent aussi au potentiel de dépassement de ces questions. L'entente persiste pour que chacun de vous participe à ces schèmes d'interaction jusqu'à ce qu'ils soient résolus pour tous ceux qui sont concernés.

Ainsi, il est entièrement possible que vous soyez encore attiré dans des drames avec certains individus même si vous avez atteint l'achèvement quant à ces questions. Vous avez peut-être remarqué un changement d'intensité dans certains types d'expérience alors que les énergies qui les attirent diminuent. Pourtant, à l'intérieur du champ énergétique de vos partenaires expérientiels, toutes les composantes de la discorde peuvent être encore présentes.

L'invitation à entrer en conflit avec certains individus peut continuer pendant quelque temps, alors que chacun tente de concilier les aspects opposés d'une question dans laquelle vous êtes mutuellement engagés. Tandis que vous vous trouverez peut-être à jouer un autre épisode d'un drame en série, votre perception des énergies aura changé. Vous vous sentirez beaucoup moins investi dans les rencontres directes avec vos adversaires et davantage enclin à esquiver les déclencheurs classiques qui auparavant provoquaient en vous des réactions prévisibles.

Votre partenaire est essentiellement en lutte contre un substitut expérientiel se présentant sous votre forme alors qu'il tente de résoudre les questions de sa propre vie. Car, vibratoirement, vous ne servirez plus de catalyseur pour intensifier les énergies en question. Ayant dispersé votre propre charge énergétique résiduelle quant à la question en cause, vous ne pouvez ajouter à l'équation que la vibration de l'indifférence.

Les ententes de ce genre continueront à engendrer des drames attirant votre participation tant qu'un membre du partenariat expérientiel manifestera un conflit par rapport à certaines questions. En persistant à honorer votre engagement à être présent dans un drame donné et à y jouer votre rôle, vous aiderez toutes les personnes concernées à mettre fin à une suite de conflits prévisibles.

Vous êtes lié karmiquement à certains individus dans le but de faciliter de tels schèmes de résolution. Même si vous désirez désengager vos énergies et vous éloigner de la situation, vous vous rendrez sans doute compte que ce n'est pas si facile. Car, sous les schèmes d'adversité les plus insidieux qui ont émergé entre certains participants de vos drames réside une base d'immense amour.

Si ce n'était pas le cas, vous n'auriez pu vous aider mutuellement à croître au cours de plusieurs existences successives.

Maintenant que les énergies accrues de cette époque de transformation soutiennent votre propre mouvement vers l'avant, chaque invitation à entrer en conflit avec un partenaire familier porte le cadeau potentiel de la reconnaissance d'une âme sœur intemporelle. Tout en dégageant encore, de votre côté, les liens vibratoires qui perpétuaient certains types d'interaction, vous permettez à l'amour authentique qui existe entre vous d'émerger et de changer la dynamique de votre histoire.

Finalement, chacun de vous aura la possibilité de libérer l'autre inconditionnellement et d'avancer vers de nouveaux types d'expérience. Une fois que votre passion quant à certaines questions se sera estompée, il sera facile de projeter des réactions non provocatrices qui inviteront un sentiment similaire de détachement chez l'adversaire habituel. Les épisodes qui émergeront entre vous seront de moins en moins fréquents, alors que les énergies qui les attirent se disperseront peu à peu. Car, sans le fondement vibratoire d'une interaction potentielle, il n'y a aucune base sur laquelle en susciter la manifestation. Certaines relations « s'effriteront » tout bonnement quand votre attention et vos énergies seront attirées ailleurs.

Vous commencerez à considérer certaines de ces relations les plus acrimonieuses sans l'angoisse prévisible que déclenchait auparavant la seule pensée de ces individus. Car l'intense *sentiment* de rage, la douleur profonde ou la terreur incontrôlable que les interactions réelles engendraient auparavant en vous, et qui avaient été retenus vibratoirement, auront été libérés. Et la pensée qui jusquelà constituait un catalyseur suffisant pour stimuler ces émotions irrésolues à faire surface n'est plus là.

Vous pouvez désormais penser à ces individus, ou à certains des incidents que vous avez cocréés, sans rien ressentir du tout. Les scènes ne sont plus que des images dans votre esprit qui ne vous provoquent plus et ne vous intéressent plus. Les individus qui, antérieurement, dominaient votre vie entière et hantaient même vos rêves se sont estompés dans l'obscurité. Et vous vous interrogez alors sur la validité de certains épisodes majeurs de cette vie-ci.

Il importe de comprendre que votre état présent de transcendance n'invalide pas l'intérêt du voyage qui était nécessaire pour vous conduire là. Ce que vous expérimentez n'est pas moins réel ni pertinent comme point de référence de votre histoire simplement parce que vous n'êtes plus focalisé sur la pleine intensité de ces questions. Lorsque ces types d'émotion sont résolus, il s'agit de vous rappeler vivement la richesse de cette expérience et de savoir en même temps que vous n'êtes plus à ce stade.

Un état d'être n'annule pas la pertinence du précédent comme jalon vers où vous désirez vous diriger en tant que manifestation de la conscience. Le fait de prendre forme à ces niveaux de densité avait pour but de vous procurer la plénitude de l'expérience émotionnelle nécessaire pour attirer des niveaux parallèles de conscience dans un état de résolution correspondant. Ainsi, vous avez rendu possible l'intégration de tous les aspects de votre conscience liés à ces questions émotionnelles. Si vous n'aviez pas cocréé certains des incidents qui ont ramené ces profondes émotions à la surface, vous n'auriez pas disposé du catalyseur requis pour libérer la densité qui vous a gardé dans certains schèmes expérientiels durant des vies.

Ainsi, de votre nouvelle perspective, vous pouvez revoir certains incidents et convenir qu'ils auraient pu être évités. Mais, en vérité, s'ils ne s'étaient pas manifestés dans la mesure où ils l'ont fait, vous ne seriez pas où vous êtes maintenant. Vous n'avez pas atteint ce point de vue supérieur par hasard. C'est uniquement parce que vous avez bien voulu sonder les profondeurs de vos réactions émotionnelles, conjointement avec ceux qui ont élaboré tout cela par entente avec vous, que chacun de vous a pu mettre un terme à la souffrance causée par ces schèmes.

Vous vous êtes bien aidés mutuellement, en facilitant l'expression de vos émotions réprimées. Les souvenirs ne sont sans doute pas très agréables, mais ils n'étaient pas censés l'être non plus. Et leur authenticité demeurera en vous, sans leur *charge* émotionnelle, de sorte que vous aurez un système de référence pour vous situer quand vous avancerez vers d'autres types d'expérience.

Depuis la perspective de votre partenaire expérientiel, vos actions étaient tout aussi répréhensibles que les siennes vous semblent l'être. C'est tout bonnement que vous ne voyez pas les choses du même œil. Ni l'un ni l'autre n'a « tort » ou « raison ». Ni l'un ni l'autre ne fut le bourreau ou la victime, quoi qu'il se soit passé. Chacun de vous a participé à la réalisation d'un drame en sachant le rôle qu'il devait y jouer afin qu'un certain but soit atteint vibratoirement. Ce qui est arrivé fut l'une des nombreuses façons possibles de parvenir à ce but. Et plusieurs reculs vibratoires sont survenus en cours de route, alors que, d'une vie à l'autre, chacun s'efforçait de « réussir ».

Les difficultés et les erreurs vous ont permis, en tant qu'équipe, de régler les détails de vos ententes contractuelles karmiques. Vous vous êtes respectés l'un l'autre et vous vous êtes trahis mutuellement sans pitié, en exprimant pleinement la manifestation de l'orgueil et de l'ego. Ce rôle fut joué dans les deux sens, chacun ayant eu l'occasion d'expérimenter à son tour les effets de ses propres actions. Ainsi, toute la gamme de chaque type d'émotion a pu se manifester comme expérience de vie pour chacun de vous. Car aucun être au seuil de l'achèvement de ce travail, ici dans le monde physique, n'a choisi de se soustraire à aucune de ces étapes.

Quelque part dans l'histoire expérientielle de chacun de vous se trouvent des souvenirs d'avoir infligé à un autre des blessures que vous avez vous-même estimées très douloureuses. Et quelque part dans le passé intemporel de la présence multidimensionnelle que vous avez conduite jusqu'à aujourd'hui se trouve un personnage à qui fut attribué précisément le rôle que vous jugez maintenant le plus offensant, vraisemblablement le rôle inverse avec le même partenaire.

Tandis que vous menez ces types d'expérience à leur point culminant, il est intéressant de considérer le point de vue de l'instigateur de vos luttes les plus intenses et de réaliser que vous auriez pu tout aussi facilement jouer vous-même l'autre rôle. Et il y a des chances que vous l'ayez joué, et beaucoup plus souvent que vous n'aimeriez l'imaginer. Car c'est là la nature de l'imagerie de l'expérience physique et ce qui la transpose réellement dans la forme. Tout cela est conçu dans l'équilibre. Et la gamme complète des actions et réactions s'avère nécessaire pour le réaliser vibratoirement.

Vous en êtes venu à ce moment de résolution karmique potentielle afin de reconnaître, sans porter le moindre jugement, l'essence des deux rôles dans toute interaction avec un autre être et de découvrir que la Divinité y est présente. Chacun de vous favorise l'accession de l'autre à un état transcendant le besoin de perpétuer des conditions qui vous retiennent ici, à un niveau d'éveil inférieur.

Chacun de vous a accepté de revenir vivre dans le tumulte, en tant que pièce émotionnelle de conscience *fragmentée*, et d'explorer quelques-unes des innombrables variations possibles sur le thème de la séparation de sa véritable nature. Tant que vous avez manifesté l'investissement de votre ego en prenant au pied de la lettre ce qui se produit, vous avez renforcé les paramètres de la répétition de ce genre d'expérience.

La partie de vous qui s'est séparée de votre propre essence divine, quelque part en cours de route, a élaboré, depuis, les manifestations vibratoires de cette spirale qui se perpétue d'elle-même. Il est temps de changer ce schème, car l'appel de l'Intention divine a été entendu dans toute la Création. Il est temps de déposer les armes et de rentrer au foyer.

Vous découvrirez que l'image que vous entretenez de vous-même, celle d'un être autonome séparé de ses semblables ainsi que d'une Divinité vénérée et crainte à la fois, est vraiment une illusion. Vous n'êtes pas le point de convergence de la conscience que vous croyez être. Vous êtes simplement une facette d'un diapason lumineux, une lueur d'un point de convergence, un éclair de conscience dans une vision infinie et éternelle. Vous vous êtes fait croire si longtemps que vous étiez *l'événement principal*, que vous avez accumulé toute une histoire incarnée, aux proportions épiques, pour appuyer cette conclusion. Et vous faites référence au monde qui vous entoure pour renforcer cette perception.

Invisible, mais toujours présent, est un niveau de conscience qui transcende, dans sa vue d'ensemble de votre histoire personnelle, les détails avec lesquels vous définissez votre identité. Ce niveau de conscience, conçu dans l'équilibre, a transcendé le besoin de jouer quelque rôle que ce soit ou d'expérimenter les conflits et les solutions sur lesquels vous continuez à vous focaliser alors que vous élaborez les derniers détails de votre séjour au sein de l'humanité. C'est ce niveau de conscience qui observe patiemment alors que le premier indice de votre vraie multidimensionnalité prend racine. Et ce niveau de conscience, dont vous êtes une partie fondamentale, attend de vous inclure dans l'embrassement affectueux de tout ce qu'il comprend qu'il est *lui-même*.

Ainsi se poursuit le processus d'ascension. Chaque niveau supérieur de vibration et de complexité comporte des aspects de votre être, chacun perdu dans l'illusion de son point de vue particulier, inconscient du mouvement qui unit tous les aspects de l'ensemble. Cette focalisation singulière est caractéristique de l'incarnation physique et fait nécessairement partie de l'expérience. Votre aventure sous la forme de cette identité particulière et de celles qui suivront, vous ne pouvez espérer la vivre du point de vue de l'ensemble. Pour que l'expérience soit authentique, vous consentirez encore une fois à expérimenter la perception du fragment de conscience, quelle que soit sa complexité multidimensionnelle croissante.

En continuant à vous éveiller à l'intérieur de la structure de cette illusion particulière, vous intégrerez les nuances finales de toute une catégorie d'expériences incarnées. Vous tirerez des conclusions basées sur des niveaux de compréhension caractéristiques des niveaux supérieurs de conscience. En progressant encore plus loin dans ce processus d'émergence, vous saisirez petit à petit la signification des expériences que vous avez vécues de nombreuses fois pendant des siècles.

Maintenant que vous voici au seuil d'un autre genre de monde, il est nécessaire de voir clairement le chemin parcouru pour y arriver. D'apercevoir votre véritable identité hors de ses limites physiques, en tant que fondement des types d'expérience à venir. Car c'est seulement alors que vous serez à même de tisser les liens unissant tout ce que vous avez été et tout ce que vous avez fait, de façon à vous libérer de ces schèmes. Si l'abandon de la perspective myope de la conscience fragmentée *n'était pas* programmé à ce point crucial de votre voyage, vous devriez continuer indéfiniment à répéter ces schèmes et vous seriez incapable d'effectuer interdimensionnellement le changement de conscience.

C'est là la nature de la transition au seuil de laquelle vous vous trouvez présentement. Les derniers reliquats des questions fondamentales de cette vie-ci ont été ramenés à la surface de votre conscience pour que vous les examiniez. Et votre reconnaissance des schèmes d'interaction habituels avec les autres, qui vous invitent peut-être encore au combat, vous aide désormais à vous distancier vibratoirement de ce genre de rencontre.

Au bout du compte, vous reconnaissez le voyageur que vous incarnez, car vous n'entretenez plus l'illusion profonde qui a dominé votre paysage émotionnel durant toute cette existence. Quand, à l'occasion, vous visitez ces niveaux d'expérience, c'est comme si vous retourniez vous promener dans votre ancien quartier d'il y a longtemps. Vous ne vous sentez plus enraciné dans ce lieu. Et l'investissement émotionnel dans l'élaboration des détails prosaïques des ententes karmiques ne possède plus aucun attrait.

Ces rencontres ont une saveur particulière que vous connaissez bien. Elles n'ont plus toutefois le goût amer qui, auparavant, provoquait chez vous une réaction d'orgueil. Il y a, plus vraisemblablement, un sentiment d'indifférence au son d'un signal familier. Car celui qui y réagit a transcendé les limites de son identité incarnée et perçoit, dans une perspective d'ensemble, tout ce qu'*il* rencontre.

C'est cet aspect du soi qui peut gérer les incidents continuant de survenir sur le moment, et établir instantanément une corrélation avec des circonstances similaires du « passé ». Vous vous êtes connecté à cette perspective supérieure par le chemin émotionnel qui, jusque-là, vous conduisait à l'affrontement. À cette heure, le champ de bataille intérieur a été dégagé des débris karmiques accumulés dans l'histoire que vous partagez avec ceux qui vous secondent dans l'achèvement de ce chapitre, et, finalement, chacun de vous verra le vieux paysage familier d'un nouveau point de vue transcendant.

C'est sur le chemin des émotions que vous avez eu tant de mal à stabiliser que voyagera votre conscience pour vous connecter aux niveaux supérieurs. Car c'est votre fondement émotionnel qui unit tous les aspects de la conscience constituant votre identité multidimensionnelle. Ce fondement, une fois débarrassé du besoin, issu de l'ego, de réagir à la provocation, sert de chemin sur lequel tous les aspects de votre soi multidimensionnel s'unissent dans l'Unité et reconnaissent le fil commun partagé par toute la Création.

chapitre vingt-trois

S'adapter au mouvement accéléré du changement.

Intégrer des aspects parallèles du soi
dans l'ensemble multidimensionnel.

Faire l'expérience de la perception de niveaux de réalité supérieurs.

P our plusieurs des lecteurs de ces lignes, l'information nouvelle contenue dans ces enseignements est susceptible de changer leur vie. Pour les autres, elle sera la confirmation de ce qu'ils ont appris par expérience et de ce qu'ils savent à un plus profond niveau. Ces connaissances n'émanent pas de l'esprit, où s'emmagasinent l'information et les concepts auxquels on a ensuite recours. Les connaissances auxquelles vous puisez pour effectuer vos choix de vie reflètent plutôt l'expérience et constituent le fondement de votre *vérité intérieure*. L'accumulation de cette expérience est au cœur du processus en cours.

On peut accepter un concept intellectuellement quand il est présenté ainsi et en reconnaître la vérité. Toutefois, un élément de confiance est nécessaire tant que l'on n'a pas la connaissance expérientielle issue d'une compréhension obtenue à partir de la vie. La confiance d'avoir découvert une information particulière au bon moment et l'assurance qu'elle sera suivie d'un épisode de votre scénario qui renforcera ce concept.

Lorsque l'on travaille avec une information qui suscite des changements majeurs dans sa perspective de vie, on doit s'attendre à ce que des épisodes répétitifs sur ce thème se présentent comme expériences. Ainsi, on peut établir une base pour soutenir un changement radical de sa conception du monde. Aucune connaissance ne peut être intégrée du jour au lendemain. Vous pouvez être mis en contact avec un concept et, ensuite, en expérimenter quelques exemples en une succession rapide. Ainsi, les connaissances conceptuelles du monde au seuil duquel vous vous trouvez à ce jour en sont renforcées. Et, finalement, vous pouvez *savoir* au lieu de *croire*.

Les phénomènes qui vous attendent sont très nouveaux et très différents. Et le critère sur lequel est basée votre perception de ces phénomènes ne peut être limité à la structure du monde que vous avez laissé derrière vous. Les circonstances changeront subtilement à l'approche des jours qui viennent. Et vous serez emporté sans effort dans le mouvement de ce changement si vous laissez place à la possibilité que le mot-clé de l'époque qui approche soit le « changement ». Le fondement de la vie telle que vous la connaissez est fluide, et les règles sous-jacentes au monde que vous cocréez évoluent dans le moment toujours changeant du *maintenant*.

En incarnant ces changements sous une forme physique, vous témoignerez de plusieurs mondes en une seule existence. Il vous sera bénéfique d'adopter une perspective où le jamais vu devient la norme. Et vous en viendrez à avoir confiance en la perfection d'un processus qui fournit souvent un avant-goût des merveilles à venir, et ce, bien avant qu'elles ne surviennent. Vous aurez l'occasion de témoigner d'événements qui, ordinairement, seraient mis sur le compte de l'imagination, dans ce monde actuel de *réalité consensuelle*.

Ceux d'entre vous qui dominent la vague du changement à venir ne pourront s'offrir le luxe de se référer à l'histoire connue. Chacun tracera son propre chemin en territoire inconnu en créant un monde fait sur mesure selon ses propres spécifications. Vous recevrez de l'assistance pour utiliser au mieux vos nouvelles apti- tudes en faisant confiance à la validité de vos perceptions et à votre véritable capacité de créer la réalité que vous expérimentez.

En devenant l'habile artisan de votre expérience de vie, vous récolterez le renforcement expérientiel des connaissances sur les- quelles cet art est fondé. Au bout du compte, votre script compor- tera moins d'échecs et de reculs au cours du processus transformationnel. Vous serez à même, après un certain nombre d'épisodes, de reconnaître le fil commun qui vous servira à tisser une toute nouvelle tapisserie d'expériences. Et vous vous réjouirez de votre aptitude à modifier le résultat de certaines situations en dirigeant votre attention sur la qualité de l'énergie avec laquelle vous les approcherez.

Quand ce résultat sera presque instantané, il deviendra évident à vos yeux que vos pensées et de vos actions se manifestent sous la forme de vos expériences. Vous ne pourrez plus vous offrir le luxe de vous réfugier dans une mentalité de victime, car cette attitude appartiendra à un monde dépassé, où le *temps* permettait le leurre d'une sensibilité linéaire. Dans le monde que vous adoptez mainte- nant, vos choix se manifestent si rapidement qu'il y a très peu de place pour le doute quant au rôle que vous avez joué dans votre défaite ou votre victoire. Et vous êtes moins enclin à vous en remettre au *hasard*. Finalement, vous êtes en voie de maîtriser votre champ de force créative et de diriger ce pouvoir vers le bien supérieur de la collectivité.

Au cours de ce processus, vous prendrez conscience d'être de moins en moins intéressé à rechercher votre propre bien-être. Les symboles de la réussite matérielle auront de moins en moins de signification pour vous et vous serez désormais attiré par des acti- vités susceptibles de faire avancer les choses en ce monde. Ceux qui sont empêtrés dans des schèmes basés sur la survie demeure- ront dans les sphères où cette attitude prévaut, tandis que les autres élèveront subtilement leur conscience à d'autres niveaux de perception.

Nous ne portons ici aucun jugement de valeur, ni sur ceux qui choisissent de se donner davantage d'expériences afin d'acquérir des connaissances fondamentales ni sur ceux qui en ont acquis suffisamment dans certains domaines pour passer à autre chose. Car toutes les expériences ont lieu dans le moment éternel du *maintenant* et, essentiellement, se produisent simultanément. Toutes les possibilités existent. Et celles que vous choisissez d'expérimenter ont des répercussions dans toute la Création et se reflètent *énergétiquement* dans les *vies* des infinies variations d'expérience qui sont *vous*.

En effectuant les meilleurs choix possibles à tel ou tel moment – des choix qui émanent du cœur –, vous apportez une contribution vibratoire optimale au collectif énergétique que *vous* constituez. En renonçant à la tentation de se faire justice soi-même, on esquive les pièges qui établiraient les paramètres d'une chute énergétique et la manifestation d'une expérience malheureuse.

Une fois réalisée l'expérience initiale de l'éveil, nul besoin de modifier ses réactions pour diriger le processus. Il suffit de garder une ouverture aux énergies et de laisser la vie se dérouler naturellement. À l'intérieur des drames vécus par le collectif de votre identité se présentent simultanément des occasions parallèles de faire des choix reflétant votre alignement sur le cœur. En agissant consciemment, non à partir des réactions réflexes d'une orientation passée, vous apportez la meilleure contribution possible au collectif énergétique que *vous* êtes et vous favorisez la manifestation des meilleurs résultats possibles.

Ainsi, vos choix conscients contribuent à changer les schèmes d'autres aspects de *vous* qui subissent peut-être à divers degrés un blocage dans des questions similaires. Énergétiquement, ces soi parallèles subissent alors un changement subtil de conscience. Et souvent ils sont portés à remplacer une réaction résultant d'un conditionnement focalisé sur l'ego par une réaction indiquant davantage le détachement. De la même façon, votre mécanisme réactif a été mis en lumière par des aspects de *vous* qui attendent patiemment en coulisse que votre conscience prenne la situation en main. Votre transformation a été déclenchée énergétiquement par les choix d'aspects parallèles de *vous* qui ont été les précurseurs du processus.

Sachez que chaque fois que vous optez pour un choix *éclairé*, les résultats se font sentir vibratoirement dans toute la Création. De même, quand vous êtes porté vers un choix réactif, il est tout à fait possible que cette impulsion ait été suscitée vibratoirement par un aspect parallèle du soi qui est sous l'emprise d'énergies discordantes. Votre conscience de la dynamique de ce processus vous procure les outils pour changer ce schème et rediriger vos énergies. En reconnaissant consciemment les circonstances de vibration inférieure lorsqu'elles se présentent, on peut surmonter le penchant instinctif à retomber dans les schèmes réactifs habituels et renforcer ces conditions énergétiquement.

Peut-être vous interrogez-vous sur les aspects parallèles du soi et *leur* influence sur les événements de votre vie. Comprenez bien qu'il ne s'agit pas d'autres êtres, mais des aspects de votre propre conscience qui expérimentent des choix alternatifs que vous n'avez pas faits. Énergétiquement, il existe des paramètres pour la manifestation potentielle de tous les choix disposant d'une base vibratoire. Quand vous contribuez de manière positive au tout énergétique, vous exercez la plus grande influence possible sur le bassin vibratoire d'où provient toute expérience. Lorsque s'élèvent les énergies du collectif, certains types d'expérience sont écartés. Ainsi, la réalité que vous expérimentez comme étant *votre vie* est un reflet de vos choix personnels en juxtaposition avec l'équilibre vibratoire de la conscience collective de l'identité du *vous*.

À ce niveau, les variations sont subtiles alors que vous vous efforcez de résoudre des questions sur plusieurs plans simultanément. Tandis que ces conflits sont résolus et que l'équilibre vibratoire s'établit, l'intégration des aspects fragmentés du soi s'en trouve facilitée. À ce stade, il n'est plus possible à aucun aspect de votre être d'exercer une influence énergétique sur les autres aspects, car *vous* êtes alors unifié quant à cette question. Vous résoudrez ainsi chacune des questions importantes avec lesquelles vous avez été aux prises au cours de cette vie-ci. En vous unissant à chacun des aspects fragmentés du soi qui représentent des points de vue conflictuels sur les questions majeures de votre vie, vous élevez progressivement la perspective de celui qui est le *point central* et que vous considérez comme étant *vous*.

Tel est le travail de ceux qui sont conscients du processus d'ascension. En surveillant vos paroles et vos actions dans toutes les circonstances de cette expérience que vous appelez *votre vie*, vous achèverez plus rapidement cette phase souvent douloureuse de votre transformation personnelle. Rassembler les fragments de votre essence constitue une partie cruciale du voyage que vous avez entrepris. C'est là une étape à franchir en vue d'effectuer les changements interdimensionnels majeurs qui s'en viennent. Et il est impossible de les effectuer tant que tous les aspects de votre être ne sont pas unifiés. Il faut vous attendre, en approchant de la fin du processus, à ce que des éléments encore sous l'emprise du refus soient magnifiés sous la forme d'expériences afin d'entraîner leur résolution.

Les questions que vous êtes le plus réticent à affronter et auxquelles vous résistez le plus sont celles qui vous seront présentées avec la plus grande intensité. Quand les énergies iront crescendo autour de ces thèmes-clés de votre vie, attendez-vous à ce que des illustrations marquantes de ces questions apparaissent comme expériences. Il s'agit essentiellement, lorsque se présente ce genre d'épisode, d'accepter la question qui est refoulée par le refus. Quand vous possédez cet aspect de votre être et que vous l'invitez affectueusement à prendre place à votre table, vous réussissez à combler le fossé vous empêchant d'atteindre l'Unité avec votre propre être. Car c'est en acceptant vos faiblesses plutôt qu'en les rejetant que vous parviendrez à compléter cette étape de votre voyage.

Quand les pièces de votre puzzle s'ajustent entre elles énergétiquement, vous êtes en mesure d'anticiper l'expérience d'un phénomène physique intense qui soulignera le point sous-jacent au drame. Il est tout à fait probable que vous manifestiez ou dématérialisiez des objets physiques au moment de cette unification. Car, au moment où les deux réalités fusionneront, leurs énergies souvent inconciliables se heurteront violemment et des aspects de l'une apparaîtront alors peut-être momentanément dans l'autre. La preuve matérielle appartenant au niveau énergétique inférieur ne pourra maintenir la forme au nouveau niveau supérieur et elle semblera disparaître tout aussi soudainement, comme par magie.

On peut s'attendre à ce qu'une telle fusion énergétique s'accompagne de phénomènes sonores ou lumineux résultant de la collision des énergies. Quand on facilite le processus par des déclarations focalisées de son intention d'accepter l'aspect refusé du soi, le phénomène accompagnant l'ascension de la réalité inférieure peut être intense, et l'expérience, inoubliable. Quand on prend conscience de la nature du processus, on peut trouver fascinants, plutôt qu'effrayants, de tels incidents et s'émerveiller de la tournure extraordinaire de la vie.

Une fois que les aspects fragmentés du soi ont été réunis, on regarde le monde du point de vue du collectif unifié et on comprend que la chute énergétique initiale de la réalité sur laquelle on est concentré est une réverbération énergétique du processus d'unification. Lorsque les énergies se stabilisent, on peut voir les circonstances de sa vie sous une perspective d'équilibre quant à la question en cause. Et, alors que sont résolues une par une ces importantes expériences, on se met à expérimenter la vie sous une perspective supérieure exempte de conflit.

Soudain, les occasions apparaissent sans peine. On cesse d'anticiper de la résistance à ses efforts et à ses rêves, puis on arrête de la créer énergétiquement. On présume que tout ira bien et que les scénarios complexes ou potentiellement difficiles se dérouleront parfaitement. Et ce sera le cas. On prend alors plaisir à utiliser le pouvoir de la création et on traverse de plus en plus facilement les scénarios de sa vie. La résistance à laquelle on est habitué arrête soudain de se manifester, car on a cessé de la créer. Un tout nouveau genre d'expérience devient alors prédominant.

En approchant du changement majeur de dimension, vous connaîtrez une période de *navigation facile*. Cela reflète votre état d'être unifié et démontre votre préparation aux conditions de manifestation instantanée qui caractérisent la vie au niveau dimensionnel suivant. Dans la présente période, la plupart des lecteurs de ces lignes connaîtront un changement radical dans la qualité des expériences de vie manifestées quotidiennement. Car les énergies de la sphère vers laquelle vous vous élevez font office de catalyseurs, vous portant vers des choix supérieurs et des issues plus optimales de vos interactions avec vos congénères.

L'aspect du soi qui cherche à vous intégrer, en tant qu'être unifié, dans *son* champ énergétique vous atteint énergétiquement d'une manière subtile à peine perceptible. Pourtant, les conséquences de ces connexions vibratoires contribuent à l'élan du mouvement universel. Toute la Création recherche l'expérience de l'Unité dans le contexte de l'identité de chacun d'entre vous. Chacun ajoute une étincelle d'énergie lumineuse à l'ensemble. Et chacun ressent le besoin de devenir plus. Il ne s'agit pas d'une expérience où chacun est isolé, bien que tous la manifestent individuellement. Le processus est universel. Vous accomplissez tous ce voyage individuellement, mais ensemble. Et chacun y est aidé par des aspects du soi dimensionnellement supérieurs.

Votre ouverture à des concepts que vous avez peut-être déjà estimés *radicaux* atteste qu'un énorme processus de transformation a lieu en vous. Le mouvement de ces changements se déroule de l'intérieur, tout en résultant d'une élévation énergétique amorcée à un niveau supérieur. Quand vous réagissez à ces stimulations énergétiques, vous ouvrez la porte à l'assimilation d'une énergie supérieure par votre champ. Ainsi, vous êtes soutenu et alimenté vibratoirement tout au long du processus.

Le flux et le reflux du don et de la réception d'énergie parmi les aspects du soi se manifestent selon toute une gamme, allant du moins perceptible au plus intense. C'est un mouvement fluide qui explique l'instabilité de votre état émotionnel et de votre bien-être. Même votre santé physique reflète le flux de votre champ énergétique en cette époque de transformation.

Résistez à la tentation de conclure que quelque chose va très mal en vous si vous vous sentez à l'ocasion déséquilibré. Ces vagues d'énergie sont normales, particulièrement quand un important travail de dégagement énergétique a été entrepris consciemment. Les énergies se stabiliseront et s'harmoniseront si vous les laissez suivre leur mouvement naturel. Votre volonté d'être dans l'instant du processus et de ne porter aucun jugement sur votre voyage vous aidera à traverser les moments difficiles et à atteindre un niveau supérieur.

Le temps requis pour terminer cette étape du voyage varie en fonction des individus. Cependant, une fois que vous serez sérieusement engagé dans le processus, le mouvement s'accélérera petit à petit et la nature du processus vous semblera de moins en moins rebutante. Lorsque vous aurez entrepris consciemment votre transformation, vous ne retomberez plus dans des schèmes de comportement obsolètes. Car il sera évident que les réactions et croyances acquises n'ont pas beaucoup de pertinence dans ce travail. On peut être pleinement présent sans avoir besoin de défendre ses choix devant quiconque. Ceux qui sont alignés sur votre processus sont à vos côtés dans le leur. Les autres, qui lancent des pierres par ignorance, accomplissent leur propre voyage à un autre rythme.

Il ne sert à personne d'invalider le processus de ceux qui choisissent de demeurer englués dans leurs schèmes habituels. C'est par l'exemple que vous prêcherez le mieux. Restez dans l'intégrité de votre processus et ne cherchez pas à convertir ceux qui ne sont pas naturellement enclins à suivre le chemin que vous avez choisi. Votre voyage ne passera pas inaperçu ; c'est simplement qu'il ne sera pas reconnu. Car il sera difficile pour plusieurs de se libérer d'une vie entière de conditionnement. Ils applaudiront peut-être votre courage en silence, sachant qu'ils n'oseraient pas faire la même chose. Soyez patient et bienveillant à l'égard de ceux-là, qui souvent sont des membres de votre famille, et sachez que tous parviendront à destination au moment qui leur conviendra le mieux, car la graine aura été semée.

Certains êtres devront vivre plusieurs existences, dans un parcours linéaire, avant d'éprouver le besoin d'accomplir eux-mêmes ce changement de conscience. Du point de vue de l'ensemble, il importe peu que l'on expérimente l'ascension interdimensionnelle au cours de cette vie physique ou de la suivante. Car le temps linéaire, tel que vous le connaissez, n'est pas un facteur qui intervient dans le processus. Tout sera accompli dans le cadre de ce que vous appelez *l'éternité*. De ce point de vue, il n'y a pas d'échéancier. Tout progresse précisément en progressant, en un mouvement inexorable.

chapitre vingt-quatre

La signification de l'expérience de la dualité.

Le but du voyage dans les profondeurs humaines.

Les expériences malheureuses servant de base à celle de l'Unité.

L a tendance à placer le concept de Dieu très haut dans le contexte d'une philosophie personnelle est à l'origine de tout ce qui vous empêche de faire l'expérience de Dieu. Car Dieu n'est pas en vous pour être adoré, ni craint, ni même compris, mais plutôt pour être connu et expérimenté. L'acte même d'exalter le Divin crée entre vous et cette Présence divine une séparation qui fait obstacle à la connexion que vous désirez si fervemment réaliser.

Le Dieu présent dans toute vie ne cherche pas une place sur un piédestal. Il espère être découvert comme étant la source de votre propre essence. Le Dieu que vous priez et dont vous réclamez la pitié, ou encore des miracles, n'est pas plus capable que vous de répondre à vos prières. La seule différence entre Dieu et vous, c'est que lui le sait, contrairement à vous.

L'un des buts de notre venue ici est de vous dire que la vraie nature de la Création n'est pas de vous fournir la base d'une autre religion à laquelle soumettre votre pouvoir. Ce n'est sûrement pas de procurer aux plus charismatiques d'entre vous des outils pour diriger les ressources et la spiritualité de leurs congénères. Et ce n'est certainement pas non plus de créer une nouvelle série de paramètres dont l'humanité pourrait se servir comme preuve de l'existence d'un Dieu qui demeurerait inaccessible à chacun. Car le Dieu qui vous parle en ce moment même est l'Unité, celle qui réside *à l'intérieur* de chacun de vous.

L'homme a créé de Dieu une image à laquelle nous ne pouvons souscrire. Car d'incarner le concept magnifié du Divin à l'exclusion de tout le reste limiterait l'étendue de l'Unité, qui est vous. Vous tous. Les qualités que vous vous efforcez assidûment de transcender ne sont pas moins caractéristiques de ce qu'est l'Unité que votre pensée ou votre action *la plus élevée*. Car ce qu'est l'Unité est, tout simplement. Il n'y a pas de jugement. Il n'y a ni haut ni bas. Tout est Unité.

La définition et la compartimentation du concept de Dieu, voilà ce que vous devez transcender. Vous n'êtes pas venu ici pour évaluer la supériorité relative d'une série de dogmes prétentieux sur d'autres. Vous avez pris forme en cette époque afin de vous libérer de cette tendance humaine. Vous êtes venu goûter l'expérience de votre propre connexion à Tout ce qui Est. Non dans le but de *connaître* Dieu, mais plutôt de vous connaître vous-même.

Nous ne vous parlons pas ici en tant que « Dieu » séparé de tout ce que vous êtes, mais plutôt en tant qu'Unité, celle qui est l'essence même de chacun de vous.

En affinant votre aptitude à manifester votre expérience telle que vous la désirez, vous prenez en charge votre identité d'être créatif. L'être capable de créer, de matérialiser et de dématérialiser est un être qui exerce la maîtrise sur les limites imposées par les idées de séparation. Quand on est consciemment aligné sur la totalité de sa connexion à Tout ce qui Est, il n'y a aucune limite à ce qui peut être expérimenté ou créé sous une forme physique. La question qui se pose à ceux qui ont perfectionné cette aptitude, c'est de savoir s'ils désirent dépenser leurs énergies à manifester dans une forme des choses triviales, ou bien s'ils sentent avoir suffisamment complété cette expérience pour ne plus devoir le faire.

Au bout du compte, quand vous vous harmoniserez avec les énergies supérieures et fusionnerez avec les aspects du soi, vous réaliserez que votre centre d'intérêt s'est déplacé. La transition se produit très naturellement. Et souvent l'individu n'est même pas conscient que cette transformation a eu lieu. Il prend plutôt conscience de différences subtiles dans sa perception de la direction de sa vie. Il est souvent porté à rejeter les contraintes imposées par une structure de vie établie sur la base de la recherche du gain matériel, et à reporter ses énergies sur la manifestation de l'expérience d'harmonie avec tous les êtres.

Il s'agit, une fois que l'on a goûté à la sensibilité accrue qui caractérise l'ascension à une réalité supérieure, de ne pas émerger de cette expérience de *connaissance* en ayant une attitude de supériorité par rapport aux autres. Il s'agit, quand on réalise l'Unité, de savoir que tout le monde, littéralement, connaît de telles expériences. Le facteur qui détermine si l'on peut ou non intégrer l'expérience comme catalyseur de la transformation, c'est le degré d'invalidation des perceptions par le refus.

Ceux qui sont suffisamment libres intérieurement pour accepter leur moment transformationnel et rejeter une vie de croyances inculquées culturellement voient leur existence se transformer miraculeusement. Ce sont souvent ceux-là qui deviennent les enseignants des masses, car ils peuvent enseigner les épreuves de la transformation du point de vue de quelqu'un qui a vécu les plus intenses changements de conscience, au lieu d'intellectualiser théoriquement ces concepts. Chacun de vous a choisi d'insérer des défis particuliers dans son drame personnel afin d'atteindre, par l'expérience, la réalisation transformationnelle. Et il importe de ne porter aucun jugement quant au chemin choisi par certains comme moyen d'atteindre la transcendance.

Plusieurs choisiront de ponctuer leur voyage d'expériences pouvant être considérées comme des déviations radicales d'une voie spirituelle. On ne doit pas présumer que ces individus font fausse route, mais plutôt qu'ils ont la latitude de créer leur propre route parfaite vers une sagesse supérieure. Certains parmi vous ont besoin de plonger dans les profondeurs de leur humanité pour comprendre et apprécier les hauteurs qui leur sont destinées. Ces êtres ne sont pas moins divins dans leur essence que ceux dont le voyage a été moins intense.

Chacun de vous possède un centre d'intérêt particulier qui a été présélectionné comme le meilleur chemin pour parvenir à la destination choisie. Et chacun incarne assidûment ces choix. Le nombre de fois qu'il est nécessaire de répéter ces thèmes, voilà l'option avec laquelle la plupart d'entre vous sont aux prises en cette époque, ainsi que l'obstacle que vous devez tous surmonter, chacun en son temps.

L'expérience de l'Unité n'est pas une destination vers laquelle vous vous dirigez dans votre voyage vers la maîtrise de soi. Elle est plutôt l'essence du voyage lui-même. Car l'Unité est votre expérience de l'être en ce moment présent. Elle est l'expérience à traverser au tout prochain stade de votre développement. Elle est chaque plateau très élevé que vous rencontrez et chaque pierre d'achoppement qui vous fait trébucher, vous décourage et vous jette dans le désespoir. L'Unité est la gamme complète de votre voyage dans votre humanité. Car c'est pour connaître cette expérience que vous avez pris forme.

Ne portez pas de jugement hâtif sur vous-même ou sur d'autres qui trébuchent auprès de vous au cours de votre voyage sacré. Il serait naïf de présumer qu'un chemin simple, sans obstacle, est un signe d'évolution spirituelle. Souvent, l'individu a choisi volontairement une route plus difficile comme moyen d'acquérir une profonde compréhension qui n'aurait pas été possible en vivant un scénario où il n'aurait fait qu'effleurer la surface de la condition humaine.

Par conséquent, vivez votre expérience. Vivez pleinement votre vie. Ressentez profondément vos émotions. Et sachez que la plus haute expression de votre expérience de la vie, c'est de savoir que vous seul la créez. Car c'est en acceptant toute la responsabilité de la condition qui constitue *votre vie* qu'il vous sera possible de réaliser que cette dernière est vraiment plus que cela. En reconnaissant que vous êtes le créateur de votre existence, vous vous ouvrez à l'expérience de l'Unité en tant que Créateur de Toute Existence.

L'Unité n'a pas limité la création à un paysage monotone et monochrome. Le canevas de la vie est riche en contrastes. Les hauteurs et les creux du terrain de votre monde reflètent clairement la dualité qui forme la nature de votre expérience incarnée. Pourtant, vous niez ardemment cette dualité, qui est une caractéristique interne de votre existence, alors qu'il vous faut l'accepter pour arrêter de créer continuellement ces schèmes.

L'Unité vers laquelle vous vous dirigez énergétiquement est composée de ces polarités. Et il vous est impossible de vous élever à un état d'équilibre supérieur sans inclure tout le spectre énergétique. À ce stade de votre voyage, vous devez tout embrasser afin de vous préparer à incarner vibratoirement la totalité. Les efforts pour supprimer des penchants que vous jugez négatifs, ainsi que le refus de comprendre que ces réactions émotionnelles font partie de votre mécanisme réactif, ne font que vous attirer des circonstances propices à déclencher ces mêmes émotions.

L'émotion elle-même n'est pas un obstacle à votre progrès spirituel. C'est plutôt l'*expression* incontrôlée de ces émotions qui vous projette dans un cycle répétitif d'expériences malheureuses. L'objectif n'est sûrement pas de nier votre capacité de ressentir les émotions que vous tenez pour négatives. Bien au contraire. L'objectif est de ressentir pleinement et profondément ces réactions spontanées tout en renonçant à l'impulsion de laisser ces émotions gouverner votre réaction.

Une fois la transcendance de ces schèmes d'expérience établie, il s'agit, pour conserver votre liberté, non pas de nier votre capacité de ressentir de telles émotions, mais plutôt d'accepter ces tendances. Votre corps sensitif est une caractéristique-clé de votre humanité. Et vous ne pouvez transcender les limites de l'humanité en limitant l'expérience que vous en avez. Vos actions deviennent donc le reflet d'un choix plutôt qu'une réaction. Et votre monde commence alors à refléter ces choix conscients et à résonner en harmonie avec votre environnement et vos congénères.

Le bel équilibre vers lequel vous vous dirigez est le point culminant de toute la gamme de l'expérience de vie, à la fois positive et négative. Quand vous goûtez cet état supérieur de plus en plus fréquemment, il importe d'être conscient que la capacité de manifester l'adversité subsiste, mais à un degré moindre. Car, vibratoirement, les catalyseurs de ce type d'expérience sont toujours présents dans votre champ énergétique. Une bonne compréhension de la nature du processus vous permet d'éviter la tendance naturelle à vous blâmer quand de tels épisodes surviennent et vous plongent par inadvertance dans une spirale descendante d'adversité.

Soyez indulgent envers vous-même durant ce processus et accordez-vous la grâce d'expérimenter pleinement votre humanité, car c'est là le chemin qui mène à tout ce que vous désirez vivre dans les temps qui viennent. Faites-vous l'expression de la meilleure intention à chaque instant et vous deviendrez le réalisateur de votre vie plutôt que l'acteur principal réticent de son drame. Laissez s'exprimer en tant qu'énergie à travers votre forme la plénitude de votre présence d'être de lumière et vous créerez ainsi les paramètres d'une totale manifestation de cette énergie comme expérience de vie. Créez en vous centrant spontanément et en faisant rayonner la connaissance indiscutable de votre absence de limite en tant qu'expression de l'Unité sous une forme humaine, et vous récolterez le bénéfice potentiel inhérent à cette heureuse condition.

Vous avez choisi d'expérimenter l'humanité comme le véhicule le plus direct pour atteindre le point culminant de votre voyage sacré en tant qu'être. Et les aspects *être humain* de cette aventure vous étaient connus d'avance. Il s'agit donc, en ce voyage dans l'humanité, d'intégrer dans l'autodéfinition de votre émergence dans la forme en tant qu'énergie la quintessence de votre connaissance de vous-même en tant qu'être illimité. Quand on en est à ce stade de développement, on a franchi une étape importante. Et le simple fait d'avoir entrepris l'aventure d'une existence physique représente en soi une preuve énorme de courage, car le monde physique comporte littéralement tous les malheurs imaginables. On doit s'entraîner à contrôler ce potentiel à partir d'une position de force intérieure, non d'une position de pouvoir.

Ceux qui ont les meilleures aptitudes rencontrent souvent les plus grandes difficultés afin de diriger leur quête vers la force intérieure. Car la manipulation des manifestations physiques de votre monde mène rarement à la réalisation de vos espoirs et de vos rêves. Et ceux chez qui ces aptitudes viennent facilement ont de plus gros obstacles à surmonter que leurs pairs voyageurs moins doués. Car l'habileté et le talent garantissent rarement des résultats automatiques. De tels dons peuvent même tenir lieu de handicaps si l'on ne sait pas les harmoniser avec une profonde compréhension de la nature de la réalité.

L'atteinte de cet équilibre peut jeter les bases d'une profonde évolution pour certains d'entre vous qui ont cherché au niveau de l'âme à en finir avec de tels thèmes en cette vie-ci. Car le potentiel, en cette époque, est de réussir vibratoirement à suivre le mouvement de manière à faire des sauts quantiques de conscience. Les inconvénients éventuels du voyage sont les conséquences expérientielles d'avoir sauté dans les montagnes russes vibratoires de ce temps. On peut y récolter des éraflures et des contusions. L'expérience n'est certes pas tout à fait agréable, mais elle ne devait pas l'être non plus. Elle doit être incommensurablement enrichissante, d'une manière qui deviendra évidente quand la forme physique aura été abandonnée et qu'une perspective supérieure aura été retrouvée.

Entreprendre une vie physique, c'est un peu comme de combattre au front sur un champ de bataille. Chaque aptitude est mise à l'épreuve à tout instant. La possibilité d'émerger de l'expérience en héros, au plus haut sens du terme, est grande, que l'on *survive* ou non. Car le potentiel, sur le plan de la croissance intérieure et de la maîtrise, est insurpassable.

Vous qui avez choisi l'expérience de l'incarnation physique dans les conditions de cette époque de l'histoire humaine, vous l'avez fait en toute connaissance des conséquences de ce choix. Plusieurs ont choisi de contrôler consciemment le potentiel de ces conditions en se plaçant dans des scripts qui leur procureraient des expériences extrêmes. Car le potentiel de croissance spirituelle inhérent à cette voie l'emporte largement sur l'inconvénient des coupures et des égratignures, ainsi que de la douleur des blessures inévitables que vous saviez devoir subir.

Tout cela faisait partie du plan. Vous êtes entré dans l'expérience de cette existence les yeux grand ouverts et vous l'avez fait afin de pouvoir en émerger de la même façon. Vous l'avez fait en vue de goûter à votre propre Divinité dans l'état exalté de la présence physique, malgré tous les obstacles concevables que vous pourriez placer sur votre propre route. L'objectif visé était de transcender les limites de votre humanité et d'expérimenter cet état à travers les sens d'un état d'être physique.

Voilà qui vous êtes. Voilà le héros qui vit au cœur de tout ce que vous blâmeriez et critiqueriez en vous. Voilà l'être béni de lumière qui s'est aventuré dans cette vie, sur un territoire inexploré, en sachant qu'une carte pouvait surgir de la Source intérieure. Voilà celui qui pense souvent que le voyage est une course contre le temps, alors qu'en vérité le temps n'existe pas. Et il n'y a assurément pas de course non plus. Car l'expérience ne doit pas être hâtive ; elle doit plutôt être savourée.

Votre voyage dans le monde physique a pour but de vous procurer une série d'expériences qui étayeront la conclusion que vous en tirerez très naturellement. Ainsi, les expériences de votre vie sont à la fois les catalyseurs de votre croissance spirituelle et la preuve des réalisations qui la sous-tendent. Vous ne pouvez espérer acquérir ces connaissances sans avoir essuyé une ou deux tempêtes.

Le but de cette incarnation n'est pas d'en parcourir en vitesse la table des matières, mais d'explorer en profondeur certains des passages les plus intenses et les plus exigeants.

Ces moments où vous vous jugez le plus sévèrement et où vous sentez que vous vous êtes trahi sont ceux dont l'âme a le plus besoin. Car les moments que vous revoyez rétrospectivement avec de profonds regrets – ceux qui vous causent le plus d'humiliation à vos propres yeux – sont précisément ceux pour lesquels vous avez choisi de vous incarner. Ces expériences-clés vous servent de point de référence pour les thèmes que vous avez joués. Et votre but, en vous attirant ces expériences, était de créer des moments vraiment inoubliables. Votre heure la plus sombre fut en fait votre moment de gloire. Car l'authenticité de votre expérience émotionnelle vous a permis de vous libérer du schème qui vous retenait dans la douleur de la séparation de votre véritable nature.

Afin de transcender les schèmes de souffrance dissimulés sous la surface, il vous faut dépasser la stérilité émotionnelle causée par votre conditionnement culturel. Vous avez été incité énergétiquement à faire face à la vérité de ce qui se dissimule là. Vous avez été poussé par les circonstances à ressentir votre colère et votre chagrin irrésolus, votre envie et votre égocentrisme, ainsi que toutes vos peurs épuisantes, car il s'agit des attributs qui cocréent avec vous une réalité qui persiste à saper vos rêves.

En vous élevant jusqu'à des sphères de conscience supérieures, vous devrez avoir maîtrisé ces attributs et avoir résolu tout ce qui exerce à l'heure actuelle une emprise sur vous. Et, pour ce faire, vous devrez reconnaître la vérité de ce qui motive vos schèmes réactifs ainsi que les types d'expérience qui dominent votre vie. Le moyen d'atteindre la maîtrise que vous recherchez si ardemment, vous qui êtes grandement conscient de votre processus évolutif, ce n'est pas de vous aimer malgré vos défauts, mais plutôt à cause d'eux.

L'amour de soi qui constitue le résultat final de ce processus n'est pas une récompense conditionnelle octroyée en fonction de la performance. Il est là, sans égard à la valeur ou au mérite, car il n'y a aucun jugement à porter. Vous êtes la perfection de l'Unité, avec l'unicité de l'identité, voguant vers la reconnaissance de Soi. Et c'est en acceptant tout ce que vous Êtes – ainsi que tout ce que vous n'êtes pas, malgré la preuve que vous en avez démontrée en route – que vous obtiendrez le cadeau inconditionnel de l'entièreté qui vous est destiné.

L'Unité que vous cherchez à atteindre, tandis que vous trébuchez dans vos difficultés quotidiennes, en est la conséquence naturelle. Vous éprouverez enfin le profond sentiment d'appartenance qui vous a échappé durant toute votre vie. Car le sentiment de séparation de votre Connexion divine est une illusion. C'est ce qui sera transcendé en chacun de vous au moment où vous parviendrez à un niveau de conscience supérieur. Ce ne sera pas le lot de quelques privilégiés, mais de vous tous. Il ne peut en être autrement. Certains mettront sans doute plus de temps que d'autres à parvenir à cet état. Et certains choisiront de passer plusieurs vies à élaborer les détails de ces ententes. Mais le résultat final est inévitable. Car tout est Unité. Et, finalement, tous sauront qu'ils sont l'Unité. Certains le sauront même plus tôt qu'ils ne pensent.

chapitre vingt-cinq

La nature vibratoire des enfants d'aujourd'hui
et des générations à venir.

Les caractéristiques et les aptitudes « paranormales »
des enfants du futur.

Le soin et l'éducation des « enfants miraculeux » de demain.

Les générations futures spéculeront peut-être sur ce qu'était la vie en l'époque présente, car votre histoire fera état de conditions qu'elles ne pourront comprendre. Le monde tel que vous le connaissez subira bientôt des transformations radicales. Les fondements sur lesquels vous avez établi votre compréhension de la nature de la réalité auront tellement changé que l'on sera en droit de se demander s'il s'agit vraiment du même monde. En effet, c'est là la nature même du processus. Le monde tel que vous le connaissez est en train de se dématérialiser dans le sillage du mouvement qui anime toute la Création.

Les changements s'opèrent progressivement et subtilement, de sorte que souvent vous ne les remarquez pas. Mais, lorsque vous jouirez d'une vue d'ensemble, vous regarderez rétrospectivement cette époque avec émerveillement. Ceux d'entre vous qui auront conservé leur forme physique auront des histoires fascinantes à raconter sur l'avènement de ces changements, et les jeunes êtres, qui ne pourront qu'imaginer ce qu'était la vie dans de telles conditions, s'étonneront de ce que de tels souvenirs soient possibles.

Vous, dont la présence même attestera l'étendue du voyage dans la conscience entrepris par l'humanité, vous voyez ces jours de transformation d'un point de vue sensiblement différent car, collectivement, vous êtes les accoucheurs d'une nouvelle réalité. Votre consentement à vous trouver dans une forme physique pendant ces changements est en soi un acte de courage. Car il aurait été beaucoup plus facile d'attendre que les choses se soient calmées et de vous manifester ensuite dans des circonstances plus favorables. Vous qui lisez ces lignes, vous êtes de ceux qui ont choisi d'expérimenter ce voyage transformationnel sous une forme physique et de connaître l'expérience de l'ascension physique.

Les futures générations se seront préparées à s'incarner dans un monde radicalement différent. Leur penchant naturel à moins réagir indique que plusieurs de ces jeunes êtres possèdent une constitution vibratoire très différente de la vôtre. Leur champ énergétique n'est pas encombré de blocages émotionnels irrésolus et leur vie se déroule en général plus facilement que pour vous au même stade de développement.

Les êtres qui s'incarnent à ce jour dans votre réalité sont eux-mêmes des représentations d'un stade intérimaire de l'évolution des êtres qui, en fin de compte, peupleront votre monde. Leurs perceptions semblent parfois plus claires que ne vous le permettait votre conditionnement. Et ils ne comprennent pas pourquoi les plus vieilles générations ont tant de difficulté à vivre alors que leur propre existence est pratiquement exempte de conflits. Ces êtres se sont incarnés à un niveau vibratoire en harmonie avec les conditions qui prévalent maintenant dans votre monde, alors que vous vous êtes incarnés au niveau vibratoire à partir duquel votre réalité s'est élevée.

En suivant le rythme de ces changements, vous vous êtes systématiquement dépouillé des couches de densité qui vous gardaient aux niveaux que vous avez transcendés. Et, pour vous, le processus se poursuivra aussi longtemps que vous conserverez votre forme physique présente. Au cours du processus, vous pouvez confronter et libérer les contraintes karmiques qui contribuaient à cette densité vibratoire. Vous avez choisi cette incarnation physique pour avoir conscience de ce processus.

Les êtres qui s'incarneront prochainement dans un corps physique auront des affinités naturelles avec la nature. Il leur sera possible de communiquer facilement avec les autres formes de vie qui peuplent votre réalité, et leur interaction avec ces autres formes d'intelligence préparera le terrain à l'atmosphère de paix et d'harmonie qui prévaudra ensuite. Cette harmonisation est caractéristique d'une orientation basée sur un sentiment d'Unité, non seulement avec les autres humains, mais avec tout ce qui vit.

Les êtres qui sont actuellement dans leur enfance physique montreront des capacités qui étaient considérées comme fort inhabituelles il n'y a pas très longtemps. Ces êtres se sont incarnés parfaitement équipés pour se débrouiller dans un monde que ni vous ni eux n'ont encore vu. Car votre monde est encore en métamorphose, et les conditions auxquelles ils se sont préparés ne se sont pas encore manifestées. Alors que votre monde approche du seuil de l'ascension interdimensionnelle, ces jeunes apporteront la stabilité qui, souvent, manque à ceux qui sont physiquement plus vieux et plus expérimentés. Car les aptitudes nécessaires pour se débrouiller dans le monde futur ne sont pas celles qui ont été développées par l'expérience dans un monde devenant vite désuet. Les aptitudes requises pour bien fusionner dans les conditions des dimensions supérieures, dont vous traversez maintenant le champ de force vibratoire, sont innées chez les plus jeunes d'entre vous.

Ceux d'entre vous qui n'offrent aucune résistance au mouvement du changement peuvent d'ailleurs acquérir assez facilement ces aptitudes. Plusieurs sont très conscients de ces aptitudes *surnaturelles* que souvent ils trouvent même en eux. Ce genre d'aptitudes est courant dans les réalités supérieures, et le fait que ces expériences aient commencé à toucher la vie de plusieurs atteste que vous avez transcendé, en tant que population, le niveau où elles étaient rares. Chez les êtres qui naîtront dans un proche avenir, la *perception extrasensorielle* sera un fait normal de la vie. Et tandis que le niveau vibratoire naturel d'un être à la naissance continuera de s'élever, ces aptitudes s'affineront.

Il sera naturel pour tous les humains de communiquer par télépathie, non seulement entre eux, mais aussi avec d'autres formes de vie et d'autres formes dimensionnelles d'existence. Le phénomène du *channeling* sera fréquent. Et il sera beaucoup moins attirant qu'il ne l'est à ce jour. Votre présente fascination pour ce qui est perçu comme appartenant à un *autre monde* s'atténuera quand vous vous rendrez compte à quel point ces expériences seront désormais répandues, malgré le fait qu'elles étaient auparavant considérées comme des miracles. Vous développerez une acuité spirituelle et l'aptitude au discernement qui est hautement recommandée quant aux types de conscience avec lesquels vous choisirez d'interagir ou non. Et, finalement, vous reconnaîtrez que la sagesse à laquelle vous aspirez se trouve à l'intérieur de votre être et ne doit donc pas être recherchée dans des sources désincarnées.

Les plus jeunes d'entre vous le savent d'instinct et ils montreront beaucoup moins d'attirance pour l'inexpliqué que les présentes générations d'adultes. Ils seront plutôt absorbés par l'émerveillement d'être vivants et par leur formidable aptitude à manipuler leur réalité pour façonner ce qu'ils veulent expérimenter. Ils auront moins d'intérêt que la population présente pour surmonter l'adversité et les obstacles, car le critère de la création de telles conditions n'est pas présent pour eux énergétiquement.

Il importe que ceux qui guident les jeunes comprennent ces différences et résistent à l'envie de leur imposer un enseignement excessif sur les limitations qui sont les vôtres. Car ce genre de contraintes ne fera pas partie de leur processus. La facilité avec laquelle les jeunes êtres de l'avenir maîtriseront la réalisation de leurs désirs vous laissera tous stupéfaits, vous qui avez encore de la difficulté à saisir ces concepts. Ils comprendront assez naturellement qu'ils créent eux-mêmes leur propre expérience, et, après un entraînement expérientiel destiné à leur faire connaître les dangers des schèmes de pensée et des paroles adverses, ils seront bien équipés pour se débrouiller. C'est de leurs propres expériences qu'ils apprendront le mieux. Et vous serez fascinés par eux, car ils *vous* enseigneront par l'exemple les leçons que vous cherchez présentement à intégrer.

Les connaissances théoriques ne leur seront pas nécessaires, car il n'y aura rien à changer, aucun système de croyances à restructurer, aucun entraînement particulier à suivre pour défaire le conditionnement profond que doivent à ce jour affronter les adultes *conscients*. Le monde pour lequel ils sont si bien préparés sera un endroit merveilleux où vivre, en comparaison des conditions actuelles. Et les questions sur lesquelles ils travailleront seront entièrement différentes de celles de votre génération et des enfants déjà présents dans votre monde.

Les changements vibratoires s'opèrent désormais si rapidement que l'on observera fréquemment des caractéristiques différentes chez des enfants d'une même famille. Les plus âgés seront vibratoirement plus proches des adultes actuels. Ceux qui ne sont pas encore nés posséderont des caractéristiques qui les distingueront dès leur naissance de leurs frères et sœurs plus âgés. Et il sera fascinant d'observer les différences d'aptitudes mentales entre les enfants éloignés en âge au sein d'une même famille.

Il est important de se rappeler la nature de ces différences et de ne pas céder à la tentation d'établir des comparaisons. Car la nouvelle race d'êtres s'incarnera parmi vous en diverses étapes, au cours de plusieurs générations. Et d'ici à ce que les conditions de votre monde se stabilisent et qu'une population d'êtres vibratoirement adaptés prédomine, vous aurez une population aux aptitudes et aux points de vue extrêmement diversifiés. Ceux parmi vous qui ont choisi de travailler comme enseignants constateront des différences extrêmes chez les enfants qui leur seront confiés d'une année à l'autre. Beaucoup de soin sera nécessaire de leur part. Car ce qui est considéré maintenant comme *paranormal* sera bientôt tout à fait normal.

Il faudra que ces éducateurs soient très conscients des dons innés de ces jeunes. Car ce sera une race différente des enfants d'aujourd'hui, séparée de votre propre enfance par tout un monde. Il faudra constamment réévaluer le taux de développement et les normes de performance. Et, dans les classes, on devra s'appuyer davantage sur la réalité de l'ici-maintenant que sur ce que l'on a soi-même appris à l'école.

Les professeurs les plus doués ne chercheront pas à limiter les jeunes aux normes du « possible » connu, car celles-ci deviendront de plus en plus obsolètes chaque année. Laissez-vous guider par les enfants eux-mêmes pour comprendre la nature de l'espèce humaine. Laissez-les vous indiquer comment amener les plus talentueux d'entre eux à maximiser le potentiel de leurs dons en leur faisant explorer leurs perceptions pour déterminer ce qui est « possible » et ce qui ne l'est pas. Vous serez épaté par ce qu'ils seront capables de faire tout à fait naturellement et vous deviendrez parfaitement conscient d'avoir affaire à un tout nouveau type d'êtres. Pour ces enfants, le potentiel sera littéralement illimité ; chacun d'eux se redéfinira à ses propres yeux à chaque instant, se recréant tel qu'il désirera être.

Nul besoin de structurer les paramètres à l'intérieur desquels ils conceptualiseront leur monde, car ils seront amplement capables de le faire sans votre aide. Résistez à la tentation de limiter la portée de leurs rêves à vos attentes de ce que l'expérience vous a démontré comme étant de l'ordre du « possible ». Car le monde dans lequel ces enfants vivront dépasse votre imagination. Créez-leur un environnement sûr où ils pourront explorer le miracle de la forme physique dans laquelle ils ont émergé et équipez-les de stimuli sensoriels qui repousseront les limites de la perception sensorielle.

Fournissez-leur des matériaux au moyen desquels ils seront à même d'exprimer toute la passion qu'ils éprouvent naturellement et qui échappe peut-être à votre compréhension. Laissez l'expression créative régner librement dans les classes et vous verrez la joie que ces enfants vous procureront simplement en étant ce qu'ils sont. Car les parents et les enseignants de la génération qui naît à ce jour auront sous les yeux la preuve la plus profonde du processus d'ascension. Ceux parmi vous qui ont le privilège de remplir ce rôle sauront, pour avoir tenu les petites mains de ces êtres, le « miracle » du potentiel illimité manifesté non par quelques rares protégés, mais par tous.

Vous qui serez les grands-parents de la génération qui émerge aujourd'hui dans votre réalité, vous connaîtrez la merveilleuse expérience de vivre vraiment dans plusieurs mondes en une seule vie. Ces heureux petits pionniers vous feront faire d'étonnantes découvertes si vous leur en laissez l'occasion. Ils auraient sans doute de la difficulté à saisir les histoires de votre enfance que vous seriez peut-être tenté de leur raconter. Laissez-les donc plutôt *vous* raconter l'histoire de votre seconde enfance, celle de l'être qui naît en vous. Au cours de l'époque qui vient, les jeunes enseigneront aux vieux d'une manière inusitée. Et ceux parmi vous qui ont renoncé au besoin de *prouver* et qui se contentent simplement d'Être sont capables de renaître littéralement grâce à ces enfants.

Il n'est pas une seule montagne que ne puissent escalader les êtres qui émergent maintenant dans votre monde où ils seront les enfants de demain. Car, par définition, leur monde n'est pas limité par les paramètres de la « possibilité ». Il est perpétuellement en évolution, gouverné uniquement par l'imagination débridée de ceux qui le créent. Pour eux, la « réalité » devient alors ce qui est le plus ardemment désiré, et les résultats sont souvent instantanés. Il sera parfois hilarant ou horrifiant d'observer les actes de ces « superêtres » pendant qu'ils s'exerceront à la manifestation instantanée. Et ils apprendront bientôt par expérience les conséquences du déclenchement de ces forces.

Quand il deviendra évident que l'individu est responsable de sa réalité, plusieurs de ces petits êtres seront fascinés par le terrain de jeu que constituera leur monde. Et il deviendra bientôt tout aussi évident qu'il n'y a pas de limite à ce qui peut y être créé. Lorsque les conditions générales de la planète se stabiliseront en reflétant le niveau vibratoire des êtres incarnés dans le cadre de chacune de ces réalités, le fondement vibratoire soutenant ces capacités sera établi et les humains auront comblé le fossé séparant actuellement les nombreux mondes qui composent leur univers.

Dans l'« ici-maintenant » de ce processus qui s'accélère rapidement, les variations de niveau parmi les enfants dérouteront la plupart des parents et éducateurs. Les enfants eux-mêmes ne sont pas équipés pour faire face à des aptitudes innées que leur monde actuel considère toujours comme *anormales*. Plusieurs inhiberont leur tendance naturelle à l'expression de soi en cédant à la pression des autres. C'est à ceux parmi vous qui sont conscients du processus transformationnel de soutenir ces esprits pionniers dans la tâche ardue de forger une nouvelle réalité sans système de référence.

Dans leur monde, ils se sentiront perdus. Et les paramètres qui leur sont inculqués par votre système d'éducation ne les aideront pas à s'assumer. Plusieurs de ces êtres émergents auront de la difficulté à vivre dans deux mondes simultanément ; ils auront l'impression, jusqu'à l'âge adulte, de n'être à leur place nulle part. Avec le temps et l'accumulation des expériences qui forment un système de croyances, ces êtres, présentement dans la petite enfance, seront capables de se stabiliser dans un monde qui sera alors en meilleure position pour les accepter.

Le niveau vibratoire des enfants des futures générations sera déterminé largement par le niveau de réalité dans lequel ils auront choisi de s'incarner. Ces enfants qui, à la naissance, sont peut-être compatibles avec leur environnement, n'en sont pas moins sujets aux bouleversements et aux transitions subis par la population en général. Car, alors que la vibration de votre planète continue de s'élever, ils doivent quant à eux continuer à s'harmoniser avec ces changements, à défaut de quoi ils manifesteront les conséquences du déséquilibre énergétique, tout comme n'importe qui. Lorsque le rythme du processus ascensionnel décroîtra et que les énergies se stabiliseront pour devenir la « norme » réétablie à ce niveau dimensionnel, les êtres destinés à peupler le monde de l'avenir auront la possibilité d'émerger.

Tous, en tant qu'êtres transitoires s'élevant main dans la main avec les précurseurs de cette époque, vous incarnez des niveaux et manifestez des capacités qui sont à votre portée sans même que vous le soupçonniez. Ne vous limitez pas à la conclusion que vous êtes ce que vous avez toujours été. Rien n'est moins vrai. Vous êtes l'incarnation du changement lui-même. Et votre acceptation de la fluidité du fondement de votre réalité est en soi la meilleure préparation possible pour faire face aux changements qui viennent.

Attendez-vous à devoir surmonter plus de difficultés que les enfants de votre population. Toutefois, le potentiel de manifestation de vos pleines capacités en tant que force vitale créative sous une forme physique n'en est pas moins prometteur. Votre consentement à adopter l'innocence confiante et l'enthousiasme enfantin que vous possédez depuis le début de cette incarnation déterminera dans quelle mesure vous transcenderez le conditionnement d'une vie entière vécue dans le monde de la limitation linéaire. En fait, vous n'êtes plus dans le monde où vous êtes nés. Ce monde-là est à des années-lumière, expérientiellement, de votre destination, laquelle n'est pas aussi éloignée d'où vous êtes maintenant que vous pourriez le croire.

chapitre vingt-six

Intégrer le changement dans l'ensemble de votre autodéfinition.

S'adapter aux changements intérieurs et aux nouveaux types d'expérience qui en résultent.

Comment le jugement, ainsi que le détachement à celui-ci, affecte votre expérience de la réalité.

Tout votre être, toutes vos perceptions et vos actions sont une manifestation d'énergie, expérimentée et exprimée en tant que forme. Vos perceptions correspondent au processus d'expansion dans la mesure où vous vous abandonnez à la réalité de ce qui se passe en vous. En effet, il est possible de conserver les illusions qui vous gardent dans un état de séparation perpétuel et de percevoir la structure de ce monde, si votre niveau de confort le requiert. Et plusieurs continueront de fonctionner un certain temps, par simple conditionnement, comme des reliques vivantes d'un niveau d'être au-dessus duquel ils se sont élevés énergétiquement.

Pourtant, alors que vous commencez à faire la paix avec les changements que vous manifestez, il s'agit surtout de savoir dans quelle mesure ceux-ci peuvent être assimilés et s'exprimer par vous en tant qu'identité. Dans plusieurs cas, les changements ont parfois des effets si importants sur certains individus que ces derniers deviennent méconnaissables aux yeux des gens qui croyaient bien les connaître. En effet, la métamorphose subie par ces individus les distancie de tout ce qui formait jusque-là la base de leur perception d'eux-mêmes. Souvent, à l'intérieur des paramètres de l'identité nouvellement découverte, les caractéristiques de l'ancienne créent un malaise intolérable, de sorte que le besoin d'abandonner celle-ci comme une vieille peau devient indéniable.

L'individu émerge alors dans la conscience de grâce à ce processus, tandis que des couches identitaires sont révélées et intégrées dans son autodéfinition composite. Le portrait n'est pas complété instantanément, mais se révèle graduellement, une teinte à la fois. Le progrès peut s'étendre sur plusieurs années, à mesure que les nuances de la nouvelle structure prennent forme. La période intérimaire, dans laquelle plusieurs se trouvent actuellement, regorge de difficultés et de récompenses, comme une grande aventure. Au cours du processus, quand chaque niveau progressif est atteint et que chaque couche de densité vibratoire est dégagée, l'individu est à même de percevoir l'essence du soi expansé émergeant dans sa propre image. Le portrait est simple, libéré des caractéristiques de la fausse identité sous laquelle l'individu chancelait auparavant. Et cette reconnaissance de soi initiale s'accompagne d'un nouveau sentiment de paix et d'une profonde harmonie intérieure s'intensifiant à mesure que le processus progresse.

Soudain, la quête de l'individu semble terminée quand ce dernier reconnaît que ce qu'il recherchait était présent durant toute l'expérience. La crainte d'être inadéquat et la réticence à assumer sa vraie magnificence cèdent la place à un sentiment profond de son infinité. Et les choix apparaissent petit à petit quant aux meilleures façons d'exprimer ces aptitudes.

La résistance anticipée a disparu. L'expérience que l'on a de la vie acquiert la nouvelle coloration d'un monde qui semble enfin réceptif au don que vous lui offrez. Selon toute apparence, le monde a changé. Cette fois, la vie vous dit « oui », alors qu'avant le moindre pas était difficile. Mais, en vérité, ce n'est pas le monde qui a changé, mais la place que vous y occupez.

Le monde et ses réactions sont simplement des reflets de l'énergie que vous projetez sur l'écran de la réalité, à tous les niveaux. Quand vous êtes présent énergétiquement, exempt des complexités qui antérieurement nourrissaient la réticence chez les autres, leur réaction vous parvient sans encombre. Ainsi, votre propre projection énergétique vous revient comme une affirmation. L'énergie pure d'une réaction positive résonne exponentiellement alors que vous la reflétez sur ceux avec qui vous êtes en interaction, renforçant dès lors l'énergie que chacun apporte à l'ensemble. Chacun ajoutant sa pièce à l'équation énergétique, la meilleure expérience possible peut être réalisée par tous ceux qui participent à l'échange. Vous graviterez alors vers des interactions avec des êtres qui résonnent à un niveau comparable au vôtre.

Pourtant, il est évident que l'individu peut rarement s'isoler et limiter ses interactions au petit nombre relatif de ceux qui partagent son orientation. La vie prend alors la forme du défi d'être « dans le monde et hors du monde ». Lorsque vous reconnaissez la distance vibratoire qui existe parmi ceux avec qui vous partagez votre expérience quotidienne, vous protégez de plus en plus votre champ énergétique. Il devient nécessaire pour vous d'établir avec qui, et où, vous désirez ou non vous aventurer.

Vous n'avez pas à vous excuser de votre nouvelle réticence à vous engager dans des activités et des interactions auxquelles d'autres s'attendaient de votre part. Vous n'avez tout simplement plus envie de participer à des rencontres de groupe qui, au préalable, s'avéraient agréables. Au contraire, vous avez de plus en plus tendance à choisir la solitude de préférence à la compagnie d'autres personnes dont la fréquentation allait de soi. Vous vous sentez très bien seul et vous passez de moins en moins de temps en interaction avec les autres. Vous vous focalisez sur votre monde intérieur, où vous vous retirez à la moindre occasion.

La tendance à s'éloigner crée un tampon vibratoire et constitue un mécanisme d'autoprotection que l'on adopte instinctivement. Car, jusqu'à ce que vous soyez apte à stabiliser le niveau de vibration, vous êtes sujet aux variations de fréquence vibratoire qui vous entourent et aux expériences extrêmes qui en résultent. Désormais très conscient des effets exercés par certains environnements et certains individus sur la manifestation de votre expérience de vie, vous ferez des choix que d'autres trouveront peut-être radicaux. Vous éliminerez brusquement de votre vie des relations et des activités qui ne servent plus votre meilleur intérêt.

Vous réduirez votre rythme de vie et simplifierez les scénarios où vous choisirez d'être présent. Si vous laissez ce mouvement se poursuivre jusqu'à ce qu'il se stabilise naturellement, vous manifesterez la plus haute expression de votre véritable nature. Quand vous êtes ainsi centré, il ne fait aucun doute que ce qui surviendra dans votre réalité physique sera la plus haute expression de vos possibilités. Renoncez au besoin de contrôler le processus et laissez-le plutôt vous guider encore plus profondément vers la connexion à une conscience supérieure. Quand on est dans cet état, les capacités de manifestation et d'expérience s'exercent librement, et l'expérience de la réalité physique devient profondément agréable et merveilleuse.

Naturellement, une fois que l'on a goûté à cet état d'être supérieur, exprimé dans la forme physique, on répugne de plus en plus à mettre en péril le fondement vibratoire de ce niveau d'expérience. À ce stade, on développe un état d'esprit focalisé sur le maintien de ce niveau. On commence à percevoir la vie à travers les yeux de l'observateur et à se sentir séparé de tout son environnement et vulnérable à ses effets. Puis, tout aussi soudainement, on est envahi d'une conscience de l'interconnexion de Toute Vie et on perçoit la perfection du symbolisme de chaque vision.

On saisit alors clairement que ce que l'on percevait comme de la densité ou de la négativité, et qu'à ce titre on rejetait ou évitait, n'était rien de plus qu'un reflet de son propre état d'être. L'essence vibratoire d'une vision n'est pas soutenue par la vision elle-même ; elle est plutôt le miroir de la perception que l'on en a. Les attitudes et les préjugés entrent en jeu ici et forment la base des niveaux de vibration de tout ce que vous expérimentez comme réalité, et donc de la manière dont ces perceptions vous affectent en tant qu'énergie. Quand vous percevez une image que vous interprétez comme extérieure à votre être et dont la vue vous horrifie, vous ne réagissez pas à ce qui est inhérent à l'image elle-même, mais plutôt à votre propre attitude de jugement.

En fin de compte, vous serez capable d'observer de telles visions sans y réagir d'aucune façon. En effet, on peut être présent dans le film sans y réagir du tout. On devient un témoin. Quand on cesse de catégoriser ses perceptions selon un état d'esprit enraciné dans la dualité, on peut également cesser d'évaluer chaque vision et simplement en percevoir la présence. À ce niveau de non-jugement, vous créez le fondement d'une réalité qui ne peut mettre en péril votre autonomie sacrée et le précieux niveau de vibration que vous cherchez instinctivement à protéger.

Simultanément, dans plusieurs cas, on prend soudain conscience qu'il n'y a vraiment rien à craindre et on se met alors à observer la vie avec une fascination nouvelle, teintée de détachement. On réalise que l'on crée littéralement tout cela soi-même. On l'alimente en énergie, et l'effet vibratoire sur soi est le reflet direct de l'attitude que l'on y a projetée. Quand vous cessez de rejeter certains types d'expérience ainsi que certains individus et que vous prenez conscience de les avoir attirés dans votre champ énergétique par vos propres jugements sur leurs mérites en relation avec leurs jugements sur les vôtres, les effets adverses inhérents à l'échange ne se manifestent plus. Quand le jugement, enraciné dans la dualité, n'est pas projeté dans une vision conceptuelle, il n'y a rien, par définition, qui puisse se refléter sur vous.

La prétendue « énergie négative » que vous sentez en passant à un niveau de conscience supérieur est fonction de votre perception des types d'image que vous créez dans votre vie. Votre conscience s'imprègne petit à petit de la connaissance que Toute Vie est d'Une seule essence et vous choisissez de voir avec une joie immense les choix qui refléteront votre plus haute vision de vous-même. Vous adopterez un état d'être démontrant une conscience d'autres types d'imagerie, mais avec l'énergie du détachement et du non-jugement, qui ne renforce ni n'affaiblit l'image, mais lui permet plutôt de simplement Être, dans le contexte de votre sphère de conscience.

Quand vous renforcez votre aptitude de non-réaction, vous êtes en mesure de rentrer dans le monde physique et d'y évoluer librement en sachant qu'il ne peut agir vibratoirement sur vous ni dans un sens ni dans l'autre. La période de non-interaction peut durer longtemps ou s'avérer relativement brève, selon la capacité de l'individu à comprendre que les attitudes basées sur la peur et enracinées dans la séparation ne font que renforcer l'effet exercé sur lui par la perception de l'« énergie négative ». Car le seul pouvoir d'une image, quelle qu'elle soit, est celui que vous lui accordez par vos jugements, puisque vous en êtes le créateur.

Comme vous commencez à combler le fossé entre la compréhension théorique du processus de création de votre réalité et la preuve expérientielle de ce processus, votre habileté à manifester de plus en plus les expériences désirées se renforce. Aucune aptitude ne peut se parfaire du jour au lendemain. Même si vous saisissez intellectuellement le fondement conceptuel de la manifestation, cela ne veut pas dire que vous pouvez mettre cette compréhension en pratique instantanément et obtenir un résultat parfait. Comme pour toute aptitude, la perfection nécessite de l'exercice. Déjà, le seul fait de réaliser que vous êtes vraiment le producteur, le metteur en scène et l'acteur principal de votre drame contribue énormément à renforcer cette compréhension.

Quand vous regardez rétrospectivement votre voyage de métamorphose et que vous revoyez consciemment les moments les plus intenses de votre drame personnel, il devient évident à vos yeux que vous êtes à l'origine de tout cela. Le film lui-même, qui vous a tant marqué, n'était en réalité rien de plus qu'un reflet symbolique de l'état d'esprit avec lequel vous avez projeté votre énergie sur l'écran de votre réalité. Cette énergie fut maintenue et nourrie par le niveau d'émotion que ces scénarios étaient destinés, *par vous*, à stimuler. Et le processus fut orchestré, *par vous*, pour aller crescendo afin qu'il soit évident pour vous que vous êtes l'étincelle responsable de l'amorce de tout le processus de l'illumination.

Dans ce processus, la vie revient à son point de départ. Il est nécessaire, afin d'exprimer pleinement l'essence de l'Unité et de savoir qu'on est soi-même la Source de son expérience de la réalité, de voyager jusqu'aux confins de l'expérience de la séparation. De ce point de vue, on peut reconnaître et identifier ce que l'on n'est pas, afin de savoir ce que l'on Est. Les expériences que vous reconnaissez après coup comme le plus étrangères à votre conception de ce que vous Êtes sont les leçons qui ont potentiellement le plus d'impact sur votre unification naissante avec Toute Vie. Car c'est ce que vous Êtes entièrement.

Quand votre conscience est stimulée et que votre vibration se met à correspondre au niveau supérieur d'accélération du monde qui vous entoure, vous commencez à reconnaître que vous êtes différent des autres. Quand vous entrez sérieusement sur le chemin de la séparation et que vous explorez pleinement l'expérience d'être *différent*, vous êtes sur la bonne voie pour comprendre qu'en réalité vous ne pouvez pas être différent *de* quoi que ce soit, car tout relève de votre propre création. Votre vie est le reflet vivant de votre propre essence vibratoire. Au bout du compte, vous savez que vous Êtes cette Source. Et, bien que la vie perde un peu de son mystère au cours de ce processus d'éveil, vous trouvez votre plein pouvoir comme Force créatrice et vous entreprenez d'expérimenter la vie du point de vue de l'Artiste. Tout comme ce l'était au Commencement.

Ce sentiment du commencement, vous l'éprouverez d'innombrables fois en vous ouvrant aux couches supérieures de votre soi ascensionné. Car les niveaux ne sont pas statiques, mais constamment changeants. Et la perspective dans laquelle vous voyez l'expérience qui constitue votre réalité change en conséquence. Il n'y a pas de niveau d'expérience définitif vers lequel vous vous dirigeriez et auquel vous parviendriez finalement, tel un train entrant en gare. Il n'y a pas de « dernier arrêt » dans ce voyage, mais plutôt une série incessante de points de vue sous lesquels il vous est possible de voir votre propre reflet. Votre vie reviendra sans cesse à son point de départ durant cette odyssée, car la nature du voyage vous conduit aux confins de votre capacité d'humanité, sinon aux profondeurs de votre être intérieur sacré.

Vous voyagerez entouré de nombreux compagnons, tout en expérimentant la plus profonde solitude, la plus grande séparation. Et, l'instant d'après, vous saurez que vous êtes bénis dans cette solitude complète et vous vous réjouirez de cette constatation. Finalement, vous saurez que vous ne faites qu'Un avec Tout ce qui Est et vous expérimenterez cette connaissance sans la perception de la solitude. Car la « solitude », par définition, doit être juxtaposée à « autre chose que la solitude ». Il importe peu que celle-ci soit perçue comme la séparation de ce qui est apparenté, ou étranger. Quand on transcende le niveau auquel on épouse la « solitude » ainsi que la séparation qui lui sert de support, on peut simplement Être. Et l'expérience de cette « Êtreté » est le point d'entrée du chemin qui ramène au début du voyage, si vous choisissez d'y aller.

Ce carrefour du cycle sans fin marque dans le mouvement éternel une pause émouvante où ce choix peut être fait. Le mouvement accéléré des énergies de ce moment enchanté donne aux êtres la possibilité de contourner le cycle sans fin et, essentiellement, de sortir du système. Alors que s'approfondit l'expérience de ce processus, il en sera de même de la conscience des limitations inhérentes au cycle sans fin. Plusieurs retiendront les connaissances acquises et fusionneront, dans l'Unité, avec les aspects multidimensionnels du soi qui ont aussi atteint l'expérience de l'Êtreté, dans le contexte de l'identité et de la forme.

De cette perspective supérieure, on peut choisir d'Être, et se reconnaître alors comme l'Artiste, d'une perspective multidimensionnelle. Il n'est pas nécessaire de quitter son corps et d'expérimenter la mort physique pour choisir ce niveau d'expérience. C'est cette alternative au cycle sans fin qui constitue la nature de cette époque, et cette option viable sera offerte en cette vie à plusieurs qui viennent à peine d'ouvrir les yeux en ce moment sans fin du « maintenant ».

chapitre vingt-sept

La nature du voyage de retour à la maison.

Déchiffrer l'imagerie qui vous entoure.

Le pouvoir du choix accompagné d'une intention focalisée.

L'éveil à l'« ici-maintenant ».

De quelque côté que vous regardiez dans votre quête de réponses spirituelles, vous êtes guidé vers Une vérité essentielle. Le nombre de voies que vous choisissez d'explorer dans la recherche du sens de votre existence importe peu. L'expérience de connexion à une Source interne représente le point culminant du voyage. C'est cette expérience que votre espèce a recherchée tout au long de son histoire. Le désir de cette connexion transcende toutes les barrières culturelles et religieuses qui vous ont enfermé dans des catégories auxquelles vous vous identifiez, car la recherche qui vous fera transcender ces différences est le même mouvement qui vous incite à trouver dans votre être l'Unité qui transcende les limitations de votre humanité.

Vous n'êtes pas un être humain. Cela est simplement une expression de la forme sous laquelle vous avez choisi de vous expérimenter. Vous n'êtes pas plus un être humain que vous n'êtes un rocher ou un arbre, bien que vous soyez assurément tout cela aussi.

Ce que vous êtes n'est limité à aucune forme en particulier. Vous englobez simultanément toute forme et tout ce qui est informe. Vous avez commencé à découvrir en vous un niveau de perception à la fois nouveau et intemporel. Et, bien que vous n'ayez aucun souvenir conscient d'expériences de ce genre, celles-ci vous sont familières ; vous avez l'impression d'avoir déjà goûté cette connexion, et c'est le cas.

Vous avez choisi de goûter encore une fois l'expérience du réveil, et l'excitation de la découverte de votre vraie nature. Vous avez opté pour l'expérience de tout ce que vous craignez d'être, afin de vous éveiller de ce rêve et de reconnaître que c'est là tout ce que vous n'êtes pas. Il n'y aurait aucun plaisir à découvrir l'illimité si cette expérience n'était pas précédée de doses massives d'expériences de la limitation. Vous vous êtes aventuré si profondément dans l'illusion de la limitation et de la séparation de votre nature véritable qu'il est temps que le voile se lève pour que vous aperceviez ce qui est réellement là.

Telle est la nature du processus dans lequel vous êtes déjà bien engagé. Et, comme votre expérience vous l'a amplement démontré, le passage à un niveau de conscience plus profond n'a pas lieu soudainement, en vous procurant l'illumination une fois pour toutes. Vous avez expérimenté ce processus. Et, bien que vous n'en ayez pas rassemblé les preuves avant aujourd'hui ni tiré la conclusion qu'il se produisait en vous certains changements radicaux assurément pas imaginaires, ces changements ont néanmoins atteint un crescendo qui ne peut être ignoré. Et vous reconnaissez que le processus vous procure des moments de conscience tout en vous laissant ensuite prendre du recul pour les assimiler et en apprécier l'expérience, en savourant les instants de connexion à un nouveau sens de l'aventure.

Le but du voyage lui-même est la joie d'en évaluer le mystère, de déceler des indices et de déchiffrer ce qui est encodé dans l'imagerie qui vous entoure. Le voyage vous permet d'intégrer lentement la grande illusion qui vous attire, d'en examiner la nature et de l'ajuster aux paramètres de votre système de référence. Il en résulte que vous êtes bien équipé pour rejeter même cette vision et arriver finalement à un point de vue selon lequel tout et rien sont présents. Le voyage fut conçu par vous pour vous ramener au commencement, mais pas avant de vous avoir donné toutes les occasions d'expérimenter pleinement ce que c'était que de s'aventurer loin de la maison.

Vous avez entrepris cette aventure en toute confiance, sachant que des cartes et des panneaux indicateurs vous guideraient au moment voulu pour que vous puissiez rentrer en sécurité. Car vous les avez placés là vous-même afin de les découvrir après qu'un certain laps de *temps* vous eut été accordé pour oublier totalement leur emplacement. Comme il s'agit de votre propre jeu, vous l'avez structuré de façon qu'il soit captivant, tout en vous assurant un retour sans danger. Au tréfonds de vous-même, vous savez que vous ne pouvez échouer. Vous ne serez pas éternellement prisonnier de l'illusion de la séparation uniquement parce que vous n'avez pas « pigé ». Vous avez vu à cela, en programmant assez de détours et de voies secondaires dans votre itinéraire pour vous assurer le plus grand plaisir possible en découvrant que vous rentrez enfin à la maison.

Car vous rentrerez à la maison, que vous souscriviez ou non à ces concepts. L'énergie qui vous pousse dans cette direction n'émane pas de la perspective limitée de votre identité physique consciente. Elle provient plutôt d'une conscience supérieure qui sait, à l'instar d'un parent bienveillant, que vous avez été « là-bas » assez longtemps.

Le voyage de retour peut se prolonger, si c'est là votre choix. Néanmoins, les moments qui vous incitent à la réunification sont conçus pour accélérer votre mouvement en vertu du plaisir programmé dans cette phase de l'expérience. Vous êtes sûrement libre d'opter pour de longs badinages dans les sphères de l'insatisfaction, de la frustration et de la misère que vous avez sans nul doute visitées en route. Mais il est peu probable, étant donné la nature du processus de réintégration, que ces choix soient effectués pour de bon. Vous *arriverez* à destination. C'est garanti. Ce qui est optionnel, c'est l'*identité* qui y parviendra.

D'un point de vue intemporel, il importe peu que ce soit *vous* ou une « future » incarnation de vous qui rentre finalement au bercail. Et ce n'est nullement un signe d'échec de votre part si vous quittez en route ce corps physique et renoncez à cette identité incarnée. Car *vous* appartenez au voyage. *Vous* êtes l'un des innombrables véhicules de l'expérience du retour à la maison, cette expérience que vous avez choisi de vous donner et que vous voulez savourer. Il vous faudra peut-être plusieurs vies, même dans un état de conscience *éclairée*, pour achever le processus. Et, bien que l'illusion de ce temps et de cet espace change de forme et de nature vibratoire, votre perception de cet « ici-maintenant » demeurera votre réalité tout au long de votre expérience du voyage.

Si vous choisissez de vous réincarner dans la forme pour expérimenter le voyage d'un point de vue physique, ce sera dans le contexte du temps linéaire, dans l'espace linéaire de la planète Terre. Votre perception de soi, avec une mémoire linéaire, même celle de « vies passées », complètera cette portion de votre voyage « ici ». Une fois que vous aurez fait l'expérience de votre Unité avec tout ce qui est « ici », la phase suivante du processus s'amorcera pour vous mener au-delà des contraintes multidimensionnelles du monde de la forme. Jusqu'à ce que vous atteigniez ce seuil définitif, vous continuerez d'étendre votre conscience de manière qu'elle englobe chaque variation supérieure successive du thème qu'est *votre vie*.

Vous avez commencé à reconnaître avec plaisir certaines sensations caractéristiques d'états supérieurs d'humanité et vous avez modifié vos priorités de façon à permettre l'exploration de ces niveaux d'expérience. Cela fait partie du voyage. Il ne s'agit pas d'une expérience où vous accumulez des « points » de mérite ou d'inaptitude. Ce que vous avez choisi, c'est de savourer l'expérience. Et il serait téméraire de vous blâmer parce que le voyage n'est pas encore terminé, alors qu'enfin vous êtes parvenu à sa meilleure phase.

Prenez le temps de savourer votre connexion à l'éternel. Dans la structure de votre programme d'« obligations », faites une place à l'expérimentation des sensations que procure l'ouverture aux expressions supérieures de votre être. Accordez-vous la permission de renoncer au besoin de comprendre l'insondable et donnez-vous plutôt la latitude de participer pleinement à l'*expérience*. Les choix que vous vous êtes accordés sont infinis dans ce voyage, même sous votre forme présente. Vous pouvez opter pour une tout autre direction à n'importe quel moment, par simple choix.

Des considérations qui excluraient d'aller dans la direction de la plus grande joie sont de simples choix, justifiables ou non. En effectuant de tels choix, soyez conscient de la direction intérieure du mouvement qui les suscite et assumez-les entièrement. Vous ne gagnerez rien à effectuer des choix avec réticence, par un sentiment de devoir altruiste. Tout choix peut comporter d'incommensurables avantages quand il est fait clairement et avec la volonté de participer. Par ailleurs, vous aurez peut-être l'agréable surprise de découvrir que le choix d'une voie qui vous semblait moins avantageuse vous procure une qualité de perspective qui n'aurait pu être atteinte autrement.

Sachez que vous avez choisi de vous procurer une riche variété d'expériences de vie s'étendant sur toute la gamme des sensations physiques et émotionnelles. Vous ne vouliez pas entreprendre le voyage de la vie sans toucher aux hauteurs et aux profondeurs qui le rendent authentique et signifiant. Il n'y a donc aucun jugement à porter à l'avance sur les mérites relatifs d'une direction particulière. Rien ne dit laquelle parmi un certain nombre s'avérera la plus avantageuse. Il n'y a ni bons ni mauvais choix. Il n'y a que des choix.

L'expérience de la vie à ce stade de votre développement ressemble beaucoup à un menu dont les options sont toutes conçues pour vous plaire, compte tenu des paramètres des préférences individuelles. Naturellement, vous êtes libre de vous éloigner de la table et de choisir la famine. C'est toujours là une option, mais non un choix probable à ce stade de votre voyage. Le nombre d'options que vous sélectionnez importe peu. L'important, c'est que vos choix de vie soient effectués avec l'énergie de la détermination et que tout le pouvoir de votre intention soutienne les voies choisies.

L'énergie de la réticence n'a pas sa place dans l'exercice du choix quand on doit obtenir un résultat optimal. Car la vibration de l'hésitation, par essence, atténue le dynamisme de tout choix. Pour que toute expérience potentielle de vie donne lieu au meilleur résultat possible, il faut être parfaitement présent. Cela veut dire utiliser au maximum de sa puissance votre intention énergétique, à tout moment, dans toute direction, sur toute question. L'utiliser à moitié ne compte pas. Pas comme vous le voudriez, en tout cas. Et, en regardant rétrospectivement votre propre approche de certaines voies qui n'ont pas fonctionné comme vous l'espériez, il devrait être évident que vous n'étiez pas vraiment présent énergétiquement. Si vous êtes pleinement investi dans une direction donnée, elle devient une voie de choix, par définition, et mène à un résultat intéressant pour vous. Il ne peut en être autrement.

Si vous saisissez le pouvoir inhérent à cette approche de tout choix, vous comprenez vraiment le potentiel des options qui se présentent à vous et vous reconnaissez la richesse d'expériences que vous n'auriez même pas envisagées auparavant, pour toutes sortes de raisons. Les prétendues « raisons » sur lesquelles vous fondez vos décisions ne sont rien de plus que des compromis rationalisés pour obtenir moins que le maximum désiré. Car les « raisons » supposent l'hésitation et l'évaluation du mérite d'une direction au détriment d'une autre.

Une fois qu'un choix est fait, la « raison » n'a aucune pertinence si l'expérience doit donner lieu à un résultat optimal. Faites un choix en *étant* ce choix énergétiquement et vous verrez que le calibre de vos expériences y sera proportionnel. Choisissez d'être présent énergétiquement dans tout ce que vous faites. Car vous l'*êtes* de toute manière, que vous le désiriez ou non. Votre expérience de la vie reflète simplement votre conscience de ce fait.

Soyez ici maintenant. Vous avez entendu prononcer ces mots et les avez vus écrits par quelques-uns des plus grands sages de ce temps. Vous n'avez pas reçu de plus grand cadeau. Vous avez déjà pris de grosses décisions. Vous avez choisi de vous incarner dans ce contexte temporel. Vous avez choisi l'identité sous laquelle vous voyagez présentement. Vous avez choisi les circonstances qui procurent une base à l'exploration des thèmes de vie que, encore une fois, vous avez choisis. Et vous avez choisi de transcender les limitations de l'illusion de l'expérience incarnée afin de reconnaître votre Divinité innée dans le contexte de cette forme, pour votre plus grande joie.

Tous les autres choix possibles sont inintéressants en comparaison de ceux que vous avez déjà assumés de tout votre corps, de tout votre cœur et de toute votre âme. Quand vous approchez votre expérience de vie avec un tel engagement, centré sur le cœur, vous récoltez les bienfaits inhérents à tous les niveaux possibles d'expérience et vous découvrez ce qui est possible à l'intérieur des paramètres de l'humanité.

Avant de pouvoir transcender les limitations de votre humanité, il vous faut être parfaitement présent dans l'expérience que vous en avez, car c'est seulement alors que vous pourrez vous libérer des liens qui vous rattachent aux limitations de la forme. C'est seulement alors que vous serez prêt à transcender un « ici-maintenant » basé sur le concept de la forme et que vous pourrez goûter l'expérience de l'intemporalité, qui survient quand on choisit d'être prêt.

chapitre vingt-huit

Le changement, la diversité et la nature de la réalité composite.

La perception et l'intégration des réalités parallèles.

L a différence essentielle entre le monde que vous connaissez et celui que vous devriez imaginer réside dans le niveau de limitation dont vous vous êtes équipé pour percevoir votre expérience de la vie. Ces mesures protectrices ont été établies afin que vous puissiez agir au niveau de perception correspondant vibratoirement au monde dans lequel vous avez pris forme. Ce monde n'est pas celui dans lequel vous êtes présentement. Les contraintes destinées à restreindre vos perceptions sont levées progressivement, de sorte qu'il vous est peu à peu possible d'intégrer dans votre compréhension de la nature de votre monde la conscience de ce qui est réellement là.

Cette compréhension changera radicalement tandis que la nature fondamentale de votre réalité continuera à évoluer en réaction au niveau accru de vibration qui lui donne forme. En l'époque actuelle, votre monde défie toute définition de lui-même, car les vérités essentielles à la base de votre réalité physique ont cessé de soutenir ce monde dont la structure a commencé à s'effondrer.

Présentement, les limitations à travers lesquelles vous voyez votre réalité ont pris une tournure inattendue. Ce que vous percevez maintenant, c'est un composite de ce qui a toujours été connu et de ce qui semble nouveau. Sachez que rien n'a été ajouté au mélange qui compose votre monde. Tout ce qui est perceptible a toujours été présent énergétiquement. C'est simplement que vous étiez incapable de détecter la présence de certains éléments de sa constitution vibratoire.

Vos énergies poursuivant leur accélération, votre monde continuera à vous révéler des couches de réalité dont votre conscience avait été protégée. Cette fois, c'est comme si un rideau s'était levé et que votre conscience avait été amenée à lutter contre une complexité que votre monde n'avait pas prévue et à laquelle il n'était pas préparé.

Les institutions qui fournissent la structure d'autorité pour chaque aspect de votre réalité devront suivre le rythme des preuves qui défieront encore l'*évangile* sur lequel les prétendus *faits* de votre monde reposent. Les *faits* n'ont pas plus de consistance que le moment où ils ont été perçus. Car la *réalité* n'existe que dans le « moment du maintenant ». Et dans ce moment du maintenant que vous percevez comme étant le « futur », vous verrez que certains *faits* ne s'appuient sur strictement rien.

Il s'agit ici d'attirer votre attention sur la nature du processus. Car la tendance sera d'examiner à la lumière d'une preuve du contraire ce qui était accepté comme un fait et de discréditer ceux qui sont à l'origine de ces concepts.

Il est vrai, compte tenu des conditions présentes, que les *faits* sur lesquels sont basés les paramètres de votre réalité ne peuvent demeurer inchangés. Nous n'entendons pas par là que les clairvoyants du passé, qui ont décrit certaines de ces constructions, ont commis une erreur de jugement ou d'analyse. C'est tout bonnement que le concept même de vérité immuable et définitive, en rapport avec la nature de la réalité physique, est impossible par définition. Tout ce qui est à ce jour considéré comme vérité peut très bien être réfuté.

Le kaléidoscope de votre réalité change à chaque respiration de chaque être vivant et le monde composite que vous créez collectivement est un simple reflet de ce changement. Ce sur quoi vous avez basé votre définition du *miraculeux* est maintenant quelque chose de très courant. Il ne s'agit pas de discréditer les supposés *miracles* du passé, mais de les mettre en perspective dans le contexte temporel linéaire où ils ont eu lieu.

Compte tenu du mouvement du changement, auquel vous participez, ce qui semble actuellement miraculeux sera sans doute considéré comme normal dans un proche avenir. Alors que les voiles continueront de se lever et que l'on découvrira ce qui est réellement possible dans les conditions d'accélération énergétique, plusieurs prétendus miracles perdront leur statut.

L'important, c'est que votre conscience de l'impermanence du processus soit stimulée. Ainsi, vous risquerez moins de vous égarer dans des débats intellectuels portant sur ce qui a pu arriver ou non dans le passé. Ce qui est signifiant, c'est uniquement ce que votre propre expérience vous a démontré en ce qui concerne le présent. Vous vous conditionnerez au mouvement du changement alors que les énergies qui vous entourent continueront de s'accélérer et que vous vous élèverez vibratoirement en elles.

Votre perspective peut différer beaucoup de celle des autres personnes qui partagent votre expérience de vie. La meilleure réaction n'est pas d'angoisser quant à la « justesse » ou à la « fausseté » des perceptions de quiconque, mais d'adopter une attitude de fascination devant la diversité dont vous êtes témoin du point de vue de l'observateur.

En tenant compte des perceptions très réelles des autres individus avec qui vous êtes en interaction, vous pouvez tirer avantage de la réalité composite qui se manifeste à tel ou tel moment. C'est cette vue d'ensemble que vous avez choisi de vous donner en la période actuelle, car vous avez opté pour l'expérience de transcender la perspective limitée par laquelle vous percevez maintenant la manifestation physique de votre monde.

Dans un proche avenir, vous expérimenterez une multitude de perspectives parallèles en une séquence temporelle qui vous les fera paraître simultanées. Il est possible que certains individus mettent en question leur santé mentale quand ils seront confrontés à des perceptions que la logique linéaire juge contradictoires. Deux ou même plusieurs variations sur un thème donné sembleront se dérouler en même temps. Il est naturel de réagir tout d'abord en se demandant quelle série de circonstances est la *vraie*. Essentiellement, toutes les variations sur un thème donné sont *réelles* quand elles sont perçues ainsi. Toutes les variations possibles d'une série de circonstances données ont toujours été *réelles*, mais jusqu'ici une seule version a pu être perçue comme *réalité*.

En intégrant dans une perspective unifiée le soi composite qui est *vous*, vous recueillez les éléments de la réalité dans laquelle chacun des aspects en question s'expérimente. Tandis que les énergies de la fusion initiale de ces soi parallèles – et les réalités dans lesquelles ils s'expérimentent – se stabilisent, les multiples variations des circonstances de votre vie fusionnent et sont perçues selon une perspective unifiée. Dans les moments entourant ce changement, votre conscience traversera ces réalités composites et vous pourrez percevoir toutes les variations de la constitution vibratoire de ces mondes.

Jusqu'ici, de telles expériences ont été reléguées au domaine de la science-fiction ou rejetées, comme des preuves évidentes d'aliénation mentale. Quand vous commencerez à réaliser, au cours du processus d'ascension, l'intégration des multiples aspects du soi, l'expérience de faire disparaître ou apparaître des objets deviendra courante. Résistez à la tentation d'écarter de telles expériences comme des supercheries de la part de consciences désincarnées. Car l'expérience elle-même ne prouve pas que quelque chose va mal, mais plutôt que quelque chose va bien.

La tendance commune sera de céder à la peur devant de telles expériences. Au départ, l'expérience de certains êtres servira à vos autorités pour porter des jugements établis sur une *expertise* dont de telles expériences démontrent l'obsolescence. Il s'ensuivra de grands débats sur ce qui est « vrai » ou non dans votre réalité.

Dans l'instabilité des périodes initiales d'agitation qui en résulteront, alors que ces types d'expérience se répandront de plus en plus, la peur dominera les réactions. Puis, tout aussi spectaculairement, l'humanité globale semblera accepter l'impermanence de l'expérience de la réalité, et un changement dans l'état d'esprit de l'ensemble propulsera l'essence même de votre monde vers une octave supérieure d'expérience.

Le temps requis pour accomplir la transition d'une « norme » à la suivante variera selon la perspective individuelle de chaque participant. Certains d'entre vous qui expérimentent la réalité à la fine pointe de ce changement ont déjà commencé à sentir les effets de la transition. Plusieurs peuvent attester qu'ils ont connu des expériences *mystiques* de plus en plus fréquemment dans leur quotidien. D'autres habitants de votre monde semblent étrangers au processus ; ils décideront de poursuivre un temps encore l'expérience d'une réalité obsolète.

C'est à vous, qui êtes conscient de ce qui se passe, de demeurer focalisé sur votre expérience de cette époque. Vous n'avez pas à vous torturer les méninges relativement à ce que d'autres expérimentent ou non. Votre voyage n'est gouverné à aucun moment par la réalité consensuelle. Ce qui est vrai pour vous ne l'est pas nécessairement pour un ami proche, un parent ou un parfait inconnu. Votre voyage s'effectue au rythme de votre propre processus. Vous n'êtes pas forcément « dans l'erreur » ni « anormal » si vous avez des expériences que les autres n'ont pas.

Sachez que la réalité que vous expérimentez à tel ou tel moment est une représentation exacte de l'énergie que vous projetez sur tous les plans. La complexité du tissu de drames que vous avez tissé, ainsi que les acteurs que vous y avez placés, voilà le mystère que vous tentez de résoudre présentement. Pour réussir à changer l'énergie de l'adversité caractérisant les épisodes qui apparaissent dans votre vie comme un rêve récurrent, vous devez entrer profondément dans l'expérience de cette énergie. Lorsque vous aurez réussi à ressentir pleinement les émotions sous-jacentes qui vous ont attiré des expériences répétitives sur les mêmes thèmes, vous serez capable de libérer ces liens énergétiques que vous entretenez avec des réalités qui ont gardé votre conscience fixée sur elles.

Le moyen de transcender divers types d'expérience correspond au processus par lequel on se libère de ses attaches vibratoires avec des niveaux de réalité structurés pour supporter de telles expériences. Vous découvrirez que vous modifiez simultanément votre drame et la scène sur laquelle il se joue en plongeant tête première dans la structure énergétique de ce niveau expérientiel.

En affrontant les questions qui vous déroutent le plus, vous pouvez *traverser* tout ce qui vous attire ces conditions au lieu de vous en éloigner. En résolvant chacune de ces catégories de thèmes, vous aurez la preuve que plusieurs mondes se heurtent alors que ces réalités fusionnent sur une toute nouvelle base. Et votre expérience reflétera une harmonie nouvelle sur ce qui semblera peut-être encore un paysage familier.

En fusionnant dans la conscience de votre transition en tant qu'être, vous découvrirez que, malgré la *similitude* des circonstances, la qualité de cette structure a changé considérablement. Vous vivrez peut-être dans le même quartier et vous serez en interaction avec les mêmes acteurs sur la scène du théâtre vivant de votre vie, mais il deviendra évident que la base de certains types d'interaction n'existe plus.

Dans certains domaines où perduraient des conflits, vous perdrez soudain toute envie d'agir. Vous vous rendrez compte que vous êtes désormais simplement *présent* dans des circonstances qui ne vous provoquent plus et ne vous incitent plus à l'interaction. Vous vous observerez dans le rôle de l'observateur de circonstances qui, auparavant, suscitaient une réaction à tout coup. Désormais, vous vous contenterez d'*Être*. Vous n'aurez plus l'impulsion de *par-*

ticiper ni de fuir. Vous serez tout bonnement conscient de ce qui *est* et de votre présence dans la situation.

La période de stabilisation énergétique qui suit d'importants épisodes d'intégration fournit un répit du drame intense caractérisant ces changements. Vous constaterez avec joie que la vie vous donne l'occasion de réévaluer vos priorités. À la suite d'expériences d'intégration de la réalité, des individus apporteront des changements radicaux dans leur vie, ce qui reflétera leur nouvel état d'être. Ce processus se répétera constamment tandis que vous vous dépouillerez successivement de toutes vos identités périmées.

La métamorphose dans laquelle vous êtes engagé se poursuivra durant toute cette vie physique. Car, dans ce processus, on n'atteint pas un sommet pour s'y reposer ensuite avec complaisance. Il s'agit d'un voyage qui continue à se dérouler. Et le panorama que l'on voit depuis le sommet de la montagne que l'on vient d'escalader avec succès est un incitatif à aller plus loin.

chapitre vingt-neuf

Transcender les dogmes spirituels de cette réalité.

Un sentier spirituel à la mesure de chaque chercheur.

Il n'y a pas de moyen préétabli par lequel un être émerge à la conscience à des niveaux successifs de perception. Et même si chacun de vous effectue un voyage similaire par son expérience de ce niveau de réalité particulier, il a orchestré une danse unique qui ne sera pas expérimentée de la même façon par les autres. Ainsi, même s'il est possible de généraliser quant à une partie du phénomène caractérisant ce stade du voyage, rien ne garantit que votre expérience particulière inclura ces perceptions.

Certains auront besoin d'une longue série de répétitions de quelques aspects du processus afin de dégager les éléments qui les maintiennent à des niveaux de conscience plus denses. D'autres connaîtront la réalisation instantanée de l'essence d'une expérience sans avoir besoin de se faire marteler sans cesse la conscience sur une question donnée. Ces choix appartiennent à chacun, et ils déterminent la nature de votre voyage unique.

Plusieurs sentiers traditionnels offrent des formules conçues pour conduire le chercheur spirituel à des niveaux successifs de conscience de sa Connexion divine. Ces méthodes consacrées en ont aidé plusieurs à obtenir des résultats dans cette quête intemporelle.

271

Néanmoins, il faut comprendre que personne n'est contraint de choisir une méthode traditionnelle et une discipline spirituelle *acceptée* pour atteindre les niveaux auxquels il est possible d'accéder.

Vous n'êtes limité à aucune recette particulière pour choisir comment réaliser l'Unité, car les sentiers possibles menant à destination sont illimités. Certains ont été découverts et développés en des systèmes élaborés qui, si on les suit soigneusement, faciliteront le voyage d'une manière prévisible. Pourtant, pour certains, une telle approche ressemble à de la « peinture par numéros ». Le résultat émergera sur le canevas d'une façon ou d'une autre. Il dépend de chacun de choisir comment il expérimentera le processus de la création de son œuvre d'art.

Peut-être désirez-vous expérimenter votre voyage sur un sentier bien tracé, en compagnie d'autres individus, équipé d'une carte et d'un guide, sous la supervision d'enseignants prêts à vous indiquer le chemin. Mais, inévitablement, tous ces sentiers conduisent à l'intérieur. Les guides et les manuels ne peuvent vous mener plus loin. En fin de compte, une fois que vous êtes engagé sur le sentier, le voyage s'avère une expérience solitaire qui ne peut être reproduite par d'autres. Vous n'avez pas besoin de choisir et de pratiquer une discipline spirituelle reconnue ni d'adhérer à une religion pour expérimenter pleinement votre voyage sacré vers l'Unité.

Peut-être désirez-vous faire un tel choix. Peut-être en retirerez-vous une grande satisfaction et un fort sentiment de Connexion divine. Toutefois, cela ne veut pas dire qu'un tel choix est approprié pour un autre chercheur ni qu'il garantira nécessairement un résultat comparable. Plusieurs choisiront de ne pas faire l'expérience du voyage sacré par un sentier établi et chercheront dans leur propre sanctuaire intérieur un chemin qui aboutira à la même destination. Il n'y a pas de bons ni de mauvais chemins vers l'Unité. Et personne ne peut dire laquelle des innombrables routes est la plus directe. Chaque voyage est unique.

La détermination de chacun quant à la manière dont il désire procéder sur le sentier spirituel ne relève pas de considérations linéaires de l'esprit, mais plutôt de son expérience du processus lui-même. Ce que vous avez lu, entendu ou appris sur la façon correcte de procéder sur le sentier spirituel importe moins que ce que votre propre expérience vous a démontré. En évaluant les mérites relatifs des diverses approches de l'éveil spirituel, tenez compte surtout de votre propre sentiment intérieur quant à ce qui est vrai ou non pour vous.

Que certaines méthodes aient donné lieu à des résultats pendant des milliers d'années n'a aucune importance si ce n'est pas le cas pour vous. N'allez pas vous sentir inadéquat dans votre pratique d'une technique ou d'une discipline si, après un temps, rien ne découle de votre expérience. Il se peut que ce qui fait défaut, ce ne soit pas la manière dont la discipline est *appliquée*, mais plutôt l'énergie que vous y mettez en l'*appliquant*.

Quand on accomplit un effort avec l'énergie de la réticence ou de la tiédeur, le résultat ne peut être satisfaisant. Si vous choisissez un sentier spirituel parce que votre esprit vous dit que vous le *devriez*, vous serez forcément déçu. Si vous pratiquez une discipline spirituelle à contrecœur, en supportant les répétitions plutôt qu'en y prenant plaisir, la méthode ne portera pas ses fruits. Car la vivacité de toute approche n'est pas basée sur le mécanisme de la pratique, mais sur l'abandon total à la direction dans laquelle cette pratique vous mène.

La clé du *succès* ou de l'*échec* de toute technique n'a rien à voir avec la technique en soi, mais dépend plutôt de l'énergie de joie avec laquelle vous l'approchez. Par exemple, quand on approche la pratique de la méditation en se disant que c'est « une perte de temps » ou que cela « ne mène à rien », c'est assurément le résultat que l'on aura. Quand on s'abandonne au processus lui-même, quel que soit le style de sa pratique, on jette les bases d'une expérience merveilleuse. L'attente d'un résultat n'a pas sa place dans aucune pratique spirituelle ; elle représente d'ailleurs le principal obstacle à la réalisation de ce résultat. Quand on est présent, dans l'instant et dans un état de réceptivité supérieure, on ajoute l'ingrédient essentiel de toute pratique spirituelle.

Peu importe que vous choisissiez de suivre les traces de vos ancêtres dans l'expression de votre spiritualité ou bien d'avancer sur un sentier tout neuf ; l'important, c'est d'aller où votre cœur vous conduit. Rien ne sert de suivre un sentier ou une pratique en s'y sentant obligé, car l'énergie de la réticence invalide tout résultat positif susceptible de survenir.

La honte et la culpabilité ne doivent jouer aucun rôle dans le choix du véhicule par lequel vous exprimerez votre Connexion divine. Quelles que soient les émotions adverses à la base de votre adhésion continuelle à un sentier ancestral, ou quels que soient les reliquats émotionnels dus à l'abandon d'un tel sentier, la vibration de la réticence gâchera tout le plaisir potentiel de suivre la direction choisie. Choisissez celle-ci en ressentant votre connexion dans votre cœur et vous vous engagerez sur une route qui vous nourrira bien tant que vous la suivrez.

Le sentiment de plénitude spirituelle que l'on recherche universellement ne dépend pas de l'affiliation choisie ni du nombre de rituels accomplis. L'expérience d'une joyeuse Connexion divine transcende toutes les barrières culturelles ou religieuses, et elle a été vécue depuis des temps immémoriaux par des êtres appartenant à toutes les traditions.

Il est absolument faux de penser qu'un seul sentier soit le vrai et qu'un peuple particulier soit le peuple élu. Ce sont là des constructions mentales basées sur la peur. Tous les êtres qui choisissent par eux-mêmes de reconnaître la vérité de leur Connexion divine appartiennent au *peuple élu*. Le choix n'est pas un acte imposé par une Divinité qui serait extérieure à vous. Il constitue une affirmation, émanant de la Divinité à l'intérieur de vous, de cette connexion.

Vous ne devez pas chercher à vous identifier comme ayant été *choisi*, car ce niveau de choix atteste la séparation des autres et de la Source. Vous savez que vous personnifiez le choix et que vous le réaffirmez à chaque instant. Vous avez aussi la possibilité d'exprimer cet état d'être par des rituels ou non. Vous n'y êtes certes pas obligé pour atteindre ou maintenir un état d'Unité.

Vous que l'on a contraint par la peur à porter le fardeau des dogmes inventés par l'homme, vous avez été amené à faire ainsi un immense détour au lieu d'accéder directement à la Divinité que vous cherchez. Les êtres qui vous ont instruit dans cette voie ont eux-mêmes été induits en erreur plus souvent qu'autrement. Les tactiques fondées sur la peur que l'on a utilisées pour vous lier à un certain type de culte sont celles qui ont été employées pour séduire les cœurs de ceux-là mêmes qui enseignent ces pratiques. Quand on se donne la peine de mettre en question ces systèmes religieux établis sur la peur, on voit facilement la motivation qui les sous-tend, celle de perpétuer la tyrannie spirituelle qui a été imposée à un si grand nombre d'entre vous.

Le Dieu que vous avez soif de connaître ne cherche pas à vous contrôler ni à vous punir quand vous choisissez d'exprimer le libre arbitre dont vous avez été doté. Vous n'avez pas reçu la possibilité d'expérimenter votre Divinité dans la forme physique simplement pour devoir suivre une routine particulière prescrite. Vous avez reçu une liberté de choix illimitée, et ce choix englobe toutes les possibilités d'expression de votre Divinité innée. Il s'agit ici, en cette époque d'éveil, de reconnaître le potentiel illimité de votre nature et de vous accorder la permission d'exprimer cette connaissance de la manière désirée.

Le libre arbitre inhérent à la condition humaine est inconditionnel. Vous êtes libre de faire n'importe quoi, d'être n'importe quoi et de croire n'importe quoi, de la manière qui vous plaît. C'est votre droit naturel divin. Et cette liberté implique le droit de récolter les conséquences de toute action. Vous avez vous-même créé ce système ainsi afin de pouvoir expérimenter les conséquences de vos choix.

Il serait donc futile de suivre bêtement une voie prescrite et dont les conséquences sont prévisibles. Naturellement, c'est ce que

l'on vous a appris à faire, dans une société que l'on a ainsi
contrainte et qui fait ensuite de même. Pourtant, il est dans votre
nature même de violer de telles règles. Il fait partie intégrante de
votre essence de vous considérer comme illimité et de protester
contre les barrières qui cherchent à vous limiter. C'est pourquoi
vous les avez placées là. C'est pourquoi vous avez créé ces barrières
qui vous frustrent et vous exaspèrent. C'est la raison pour laquelle
vous vous décrivez tel que vous *n'êtes pas*, afin de savoir indéniablement qui vous *Êtes*.

Vous avez choisi de créer pour vous-même des circonstances
qui vous aideront à mettre en perspective vos croyances les plus
intimes sur certaines questions fondamentales. Le fait même que
vous lisiez ces lignes témoigne de votre intérêt pour votre identité
spirituelle. Afin d'arriver indéniablement à la connaissance de
votre Unité avec toute la Création, vous vous êtes arrangé pour
affronter une série de barrières qui contredisent et violent même
parfois l'essence de cette vérité intérieure. Le but de ce scénario
n'est sûrement pas d'écraser votre Essence divine sous le poids de
la volonté collective de la réalité consensuelle. Il s'agit plutôt, en
subissant de telles pressions, de savoir avec certitude ce qui *n'est pas*
la vérité pour vous et d'appliquer cette connaissance par libre
choix.

Les dogmes érigés sur la peur, qui vous attirent partout dans
votre monde, décrivent par d'innombrables exemples tout ce que
vous n'êtes pas. Quand vous tentez de vous adapter à ces modèles,
le malaise devient invariablement intolérable. Inévitablement, vous
vous éloignez, que cette brèche s'exprime physiquement ou par
une déconnexion du cœur. En rejetant un dogme que l'on vous a
inculqué, il est essentiel de vous libérer complètement de tout sentiment d'obligation aux pressions que peut vous faire subir votre
choix.

Rien ne sert d'abandonner un héritage religieux parce que ses
dogmes vous semblent faux si, en même temps, vous vous sentez
coupable de le faire. Rien ne sert non plus de continuer à y adhérer

si vous en éprouvez du ressentiment. Dans un cas comme dans l'autre, la contradiction énergétique entre l'action exprimée et l'émotion réprimée crée des conditions qui anéantissent le potentiel inhérent à l'acte spirituel.

Afin d'être vraiment libre de l'obligation imposée à un si grand nombre d'entre vous, il est nécessaire de changer d'allégeance. Vous n'avez aucune obligation envers la prétendue « vérité » qui vous a été transmise par des générations de chercheurs égarés. Vous en avez plutôt et uniquement envers la vérité que vous avez découverte au plus profond de votre cœur.

Pour chacun, il n'y a qu'une seule vérité : la sienne. Il est contraire au concept même de spiritualité de souscrire à une école de pensée imposée par les masses alors que ses dogmes violent votre vérité intérieure. C'est là ce qui divise les humains depuis le début des temps. Les différences qui vous séparent sont les concepts mêmes que vous finirez par accepter en tant que race unifiée. Il s'agit précisément, en cette époque de transformation, de transcender ces différences.

Quand vous observerez rétrospectivement ce que vous appelez votre histoire, vous remarquerez que, à de rares exceptions près, les humains de toute culture ont constamment dénoncé les différences de leurs congénères. On présume toujours que si nos perceptions sont justes et qu'elles constituent alors la *vérité*, celles des autres, si elles en diffèrent, sont *fausses*. Vous ne faites que commencer à prendre conscience collectivement que les innombrables différences de point de vue existant parmi vous ne sont pas la preuve d'un monde de fausseté, mais plutôt des niveaux infinis de la Vérité divine, personnifiée par la présence de chacun de vous.

Chacun de vous a une vision unique ainsi qu'une expérience différente de la Connexion divine. Vous pouvez décrire votre expérience d'éveil dans les mêmes mots qu'un autre être, ou trouver que les sentiments exprimés par un autre qui décrit sa propre expérience s'apparentent aux vôtres. Pourtant, aucun mot ne peut décrire l'essence de l'expérience elle-même. Et, bien que plusieurs soi-disant autorités aient jalonné le sentier spirituel de repères rassurants et reconnaissables, l'expérience réelle n'appartient qu'à vous. Car le langage ne peut décrire ce que l'on ressent quand on établit le lien avec sa propre Divinité.

Par conséquent, quand vous parlez, sachez que vous le faites uniquement pour vous-même. Votre vérité ne peut être celle d'un autre, car chacun perçoit l'expérience de la vie à travers une lentille conçue pour lui procurer une vision sur mesure pour ses yeux uniquement. Les perceptions différentes d'un autre n'invalident aucunement les vôtres ; elles ajoutent tout bonnement la richesse du contraste à la vision composite de l'Unité.

Vous remarquerez votre tendance naturelle à graviter vers des êtres partageant votre point de vue général sur des questions que vous jugez importantes. Dans le contexte de ces similarités, des différences subtiles peuvent apparaître afin de permettre à chacun d'améliorer pour lui-même les nuances du point de vue qui lui est cher. Le contraste fourni par le miroir de la vision d'un autre être est le cadeau mutuel que vous vous faites afin que chacun puisse percevoir plus clairement sa propre vision.

Aucun d'entre vous n'a jamais rencontré quiconque qui ait exactement la même vision du monde que lui. Et c'est ainsi que ce doit être. Historiquement, ce sont vos différences dans le macrocosme de votre monde qui ont causé les guerres et les atrocités que vous avez perpétrées les uns envers les autres. En cette époque, ces différences ont pour but d'inspirer votre reconnaissance collective de l'harmonie potentielle inhérente à cette diversité. Car si tous jouaient la même note, il n'y aurait pas de musique. Si tous peignaient la même couleur sur le canevas de leur vie, il n'y aurait qu'une vision monochrome dénuée de contrastes et de détails.

Quand on cesse de fournir de l'énergie à l'invalidation des perceptions d'un autre pour renforcer les siennes, on permet la validité de toutes les variantes sur une vision partagée et l'on jette les bases d'une expérience commune d'harmonie. Ce principe s'applique aux relations interpersonnelles et interculturelles, et forme finalement la base sur laquelle les différences qui vous divisent deviendront la force qui vous unira tous.

Le moyen le plus sûr de vous harmoniser avec la vérité de la vision d'une autre personne, c'est de considérer votre propre vérité comme un trésor précieux à protéger. En reconnaissant la vérité de votre point de vue sur l'expérience de la vie, vous tenez là une pièce inestimable de la vision composite de la réalité. Résistez à l'envie de vous laisser dissuader de votre expérience. Car vous sentirez inévitablement des pressions pour vous faire renoncer à votre point de vue et vous plier à la mentalité collective.

Dans chaque aspect de votre réalité, il existe des êtres en position d'autorité dont la tâche est de vous amener à sentir que vous avez « tort » quant à ce que vous savez « correct ». L'histoire d'intimidation qui caractérise votre monde a eu pour résultat l'éradication de bien des choses qui auraient été jugées précieuses si les individus avaient été libres d'exprimer la vérité de leur vision. Conservez donc votre vision. Et sachez que votre point de vue est ce qu'il est parce que vous êtes ce que vous êtes, soit unique. Le but de votre présence sous forme physique est d'incarner cette unicité, et ce, non pas pour l'imposer à un autre, mais pour vous la représenter à vous-même.

Ainsi, l'approche idéale quant à votre développement spirituel n'est pas de rejeter votre conditionnement culturel simplement pour remplacer une vision par une autre, si vous avez l'intention d'imposer cette vision à d'autres. Si votre vision est sacrée, c'est qu'elle est la vôtre uniquement. Vous n'avez pas pour mission de convaincre les autres de la validité de ce que vous savez et de la manière dont vous avez choisi d'exprimer cette connaissance. Vous avez pour mission de développer et d'explorer la richesse des profondeurs de cette mine d'or pour votre propre profit, et d'accorder aux autres la grâce d'exercer la même liberté.

Dans un proche avenir, vous serez souvent mis en présence d'une prétendue « nouvelle pensée » présentée sous un emballage pédant par des visionnaires se frayant un chemin vers une conscience humaine supérieure. C'est à ceux d'entre vous dont les yeux sont vraiment ouverts de savoir que l'expérience collective dont vous faites tous partie ne se présente pas avec une nouvelle série de règles élaborées. La vérité qui caractérise l'essence de la conscience supérieure ne diffère pas de l'essence sous-jacente à toute maîtrise spirituelle. *Ce que vous cherchez est à l'intérieur de vous.*

Ainsi, rien n'a changé. Ce qui a changé, c'est que plusieurs ont pris conscience qu'il en est ainsi. Les précurseurs de cette vérité, tout au long de l'histoire humaine, n'ont jamais cherché à se faire déifier. Ils étaient simplement des volontaires cherchant à partager cette connaissance afin que d'autres puissent être inspirés à faire les mêmes découvertes. Ce qui pousse à de telles actions est la joie ineffable de se réaliser dans son être au cours de ce processus. Ce n'était certes pas le but des messagers divins apparus au cours de votre histoire d'être placés sur un autel pour y être vénérés. Car, ce faisant, l'humanité a affirmé l'état même de séparation que toute la Création s'efforce de transcender.

Le mouvement vers la reconnaissance de votre Unité mutuelle n'est pas un nouveau développement réservé à un « Nouvel Âge ». Cette vérité est essentiellement intemporelle, le fondement même de Tout ce qui Est. Les porteurs de flambeau de cette époque, qui éclairent le chemin pour les autres, le font pour faire prendre conscience à chacun que le vrai chemin mène à l'intérieur. Les véritables enseignants de votre époque ne cherchent pas à se faire glorifier à vos yeux. Ils ont choisi de vous montrer par l'exemple la validité d'une vision dans laquelle chacun de vous est glorifié à ses propres yeux.

Examinez soigneusement les messages de ceux qui prétendent connaître le chemin. Si le message transmis par un enseignant suggère la glorification de ce dernier, considérez-le très attentivement avant de suivre ses traces. Car, en cette époque où plusieurs s'éveillent, ce sont les plus doués parmi vous qui savent que leur vision exaltée ne peut servir à diriger la spiritualité des autres.

La liberté de culte est votre droit naturel divin. Personne ne sait mieux que vous quel chemin spirituel vous convient le mieux. Ne laissez pas l'enthousiasme de votre cœur s'atténuer à cause de la peur de ceux qui se sentent menacés par votre cheminement spirituel. Sachez qu'ils ont choisi eux-mêmes leur chemin. Si des membres de votre famille ont décidé de poursuivre une tradition religieuse particulière, c'est leur droit. Cependant, ils n'ont pas le droit de vous l'imposer. Vous n'êtes pas obligé de participer à des rituels qui constituent l'héritage de votre famille en cette vie. Participez-y si vous y trouvez du plaisir, et vous aurez alors fait le meilleur choix.

De même, ne tentez pas de convertir vos amis et les membres de votre famille à votre nouveau cheminement spirituel s'ils ne manifestent pas d'ouverture à cet égard. Votre chemin vous appartient en propre. Vous n'avez pas davantage le droit de tenter de convaincre un autre être de votre vérité personnelle qu'il n'en a lui-même le droit. Laissez aux autres la liberté dont vous voulez profiter ; ainsi, vous ferez preuve de ce que vous désirez le plus partager avec eux.

Enseignez par l'exemple ce que vous êtes enclin à partager. Vos actions sont beaucoup plus éloquentes que toute théorie que vous pourriez avoir envie de communiquer. C'est la meilleure façon possible de faire savoir à ceux qui s'inquiètent de vos choix quelle est votre position réelle sur des questions qui les intéressent. Montrez-leur comment vous avez appliqué à votre vie votre nouvelle vision de la réalité. Permettez-leur d'observer votre approche non réactive aux affrontements qui déclenchaient auparavant des conflits majeurs. Et soyez pour eux un exemple vivant du résultat obtenu par la libération des reliquats émotionnels de votre histoire personnelle.

C'est le meilleur moyen de communiquer aux sceptiques de votre entourage le genre de choix que vous avez effectué. C'est la manière la plus efficace de livrer le message que vous voulez le plus faire entendre à ceux qui refusent de l'entendre. Car il est beaucoup plus profitable de vivre votre vérité que de la prê-cher.

Plusieurs seront intrigués par votre métamorphose et vous regarderont évoluer de loin. Soyez donc moins préoccupé de ce que pensent les autres que de l'essence de votre propre expérience. Ceux-ci intégreront beaucoup dans leur conscience en vous fré-quentant. Et même s'ils ne l'admettront probablement pas, plu-sieurs seront sans doute touchés profondément s'ils sont assez proches de vous pour vous accompagner dans ce voyage.

Ne vous attendez pas à ce que d'autres se convertissent à votre point de vue simplement parce qu'ils sont proches de vous. Toutefois, sachez qu'ils seront affectés d'une manière qu'ils ne comprendront pas eux-mêmes, simplement parce qu'ils vous auront accompagné dans cette partie de votre voyage. Soyez patient avec les êtres que la vie a placés le plus près de vous. Car vous servez d'enseignant à plusieurs d'entre eux en étant qui vous êtes réellement.

chapitre trente

La signification de la crise de santé

aux stades avancés du processus ascensionnel.

L'état de santé de votre forme physique est le reflet direct de votre état d'être énergétique à tous les niveaux. Et, tandis que vous êtes sûrement apte à contribuer positivement à l'état de votre corps par une alimentation saine et de l'exercice quotidien, les causes sous-jacentes de certaines conditions se manifesteront inévitablement si rien n'est fait pour les éliminer.

Aux stades supérieurs du processus de transformation, vous découvrirez la preuve que vous avez porté en vous pendant plusieurs existences des conditions énergétiques latentes. Car, en détachant les couches de votre conscience à tous les niveaux, vous révélerez invariablement des questions-clés intégrées vibratoirement dans les scénarios que vous avez identifiés dans d'autres secteurs de votre vie. Ces drames récurrents ne se manifestent pas seulement émotionnellement. Ils demeurent à l'intérieur et font surface dans les expériences que vous vous attirez ainsi que dans la condition de votre corps physique. Quand on ignore les preuves de telles conditions, les énergies s'accumulent et dotent la manifestation d'un certain déséquilibre susceptible de mettre la vie en danger.

Ne présumez pas que vous êtes ipso facto à l'abri des plus sérieuses preuves d'énergie discordante uniquement parce que vous saisissez intellectuellement la nature du processus de l'ascension. Vous pouvez très bien avoir progressé dans les stades avancés de ce travail et avoir résolu les questions majeures sur lesquelles vous avez travaillé durant toute cette vie-ci sans avoir réussi à libérer les énergies qui les sous-tendent. C'est à vous, qui avez pris conscience de la vulnérabilité de votre corps physique aux effets des fréquences supérieures, de vous focaliser soigneusement sur les indices fournis par votre corps et de chercher les causes profondes de ces conditions.

L'état de votre santé physique sera mis à l'épreuve par intermittence quand chaque niveau vibratoire progressif s'intégrera dans votre champ énergétique. Le niveau supérieur auquel plusieurs d'entre vous fonctionneront en approchant du seuil interdimensionnel requerra par définition l'élimination des couches de densité que vous portez encore dans vos corps physique et émotionnel. Ainsi, tout en vous raffinant vibratoirement à certains niveaux, vous sentirez l'urgence de réaliser l'équilibre vibratoire à tous les niveaux. Voilà ce qui explique que certains individus à un stade avancé du processus manifestent profondément des conditions physiques difficiles, tandis que d'autres, qui semblent ignorer les changements en cours, paraissent en pleine santé.

Vous vous demandez peut-être pourquoi vous éprouvez soudainement des problèmes de santé. L'envie sera grande de vous blâmer pour vos « déficiences » spirituelles. Sachez que ces conditions ne sont pas les symptômes dus à une quelconque mauvaise action, mais plutôt des signes de progrès. Car le fait est que plus vous vous élevez vibratoirement, plus est grande la nécessité de débarrasser votre forme physique d'une densité qui ne peut être portée aux niveaux supérieurs. Et cette densité prend la forme de la maladie.

Plusieurs verront une soudaine résurgence de conditions passées qu'ils présumaient *guéries*. Ils ne s'étaient sans doute occupés précédemment que de soulager les symptômes de la preuve de cette condition. Vraisemblablement, le catalyseur vibratoire intérieur de ces symptômes a subsisté. Souvent, il peut se passer des années sans que se manifeste aucun signe de ces symptômes résiduels, puis, soudainement, réapparaissent des sensations qui indiquent la présence d'une activité dans la région en question. La raison de la résurgence d'une condition donnée réside dans le fait que sa base originelle n'a jamais été traitée. La densité est demeurée latente dans votre champ énergétique, attendant les conditions qui susciteraient son dégagement.

Il est important de saisir clairement le lien entre l'état du corps éthérique et la manifestation d'un symptôme de déséquilibre du corps physique. La base de presque toutes les conditions de santé est énergétique. Ainsi, votre tendance culturelle à ne traiter que les symptômes prolonge la présence de la densité qui en est la cause.

Lorsque vous vous élevez à un niveau vibratoire supérieur, les germes de la disharmonie que vous portez en vous sont stimulés et entraînés à la surface de votre conscience sous la forme de symptômes physiques. Le corps attire votre attention sur une condition non physique en la manifestant d'une manière que vous ne pouvez ignorer. Si, encore une fois, vous ne vous occupez que des symptômes, vous enfoncerez plus loin la cause profonde de la condition, de sorte qu'elle se manifestera plus tard sous une forme peut-être plus insidieuse. Au bout du compte, si vous ne vous en occupez pas, la densité portée au niveau cellulaire de votre corps physique constituera une menace de plus en plus grande à votre bien-être physique.

À l'apparition de symptômes physiques, il s'agit de chercher directement la condition sous-jacente et d'identifier les questions irrésolues. Vous verrez peut-être, au cours de votre travail sur la résolution de thèmes de vie fondamentaux, que certaines conditions physiques apparaissent assez soudainement, produisent des symptômes aigus et semblent ensuite disparaître tout aussi soudainement. En vous occupant de la base émotionnelle des grandes catégories d'expériences de vie, vous stimulez le dégagement d'énergies correspondantes à tous les niveaux de manifestation. Le catalyseur émotionnel de la manifestation des expériences de vie correspond à la reproduction de cette expression énergétique sous forme de déséquilibre ou de maladie dans votre corps physique.

Il faut reconnaître ces symptômes et les laisser s'exprimer au lieu de chercher à les inhiber. Lorsqu'elle est coordonnée avec un programme de résolution de thèmes de vie consciemment dirigé, la libération des symptômes physiques peut se réaliser rapidement et complètement, éliminant la possibilité d'une récurrence. Sachez que lorsque des questions ont surgi dans un secteur de votre vie, vous pouvez anticiper l'apparition de cette preuve à tous les niveaux. C'est en ressentant profondément vos émotions et en assumant toute leur authenticité que vous serez à même de vous défaire de la densité vibratoire qui vous retient à un niveau de conscience inférieur. C'est par le détachement du résultat que vous progresserez le plus.

Vous serez amené à vous interroger sur votre mortalité et à vaincre votre peur latente à ce sujet. Le catalyseur expérientiel suscite l'exploration des plus profondes questions humaines et forme la base de la libération de l'attachement à la forme physique. Lorsque l'on s'est libéré de l'emprise de la peur, on peut facilement dégager les contraintes émotionnelles sous-jacentes qui représentent une menace potentielle à la vie.

Vous serez peut-être conduit au bord du précipice afin d'obtenir une vision claire de ce qui se trouve au-delà. Une fois cette perspective réalisée, vous comprendrez que la rétention de cette forme physique particulière est un choix possible, non une condition à saisir compulsivement à tout prix. Vous pouvez très bien regarder au-delà de la falaise et assumer la libération inhérente au moment choisi pour sauter, et, en même temps, savoir que ce moment n'est pas encore venu. Quand on est capable d'affronter sa mortalité sans attachement, on est prêt énergétiquement à libérer la condition apte à provoquer cette transition.

Ces difficultés peuvent être prévues et elles seront expérimentées et surmontées par plusieurs d'entre vous qui traversent rapidement les stades du processus d'ascension. Sachez que ce genre de confrontation n'entre pas dans la même catégorie que les épisodes dangereux manifestés par la population en général. Votre expression de ces symptômes et de ces expériences, tout en prenant une forme similaire, se manifeste au sommet du déroulement spirituel et constitue une partie puissante du processus de l'ascension. Car, pour être capable de maintenir la vie physique au plus haut niveau de conscience, on doit être entièrement libre de l'attachement à cette vie.

La vie ne doit pas être perçue comme quelque chose à maintenir désespérément. La conscience à travers la forme *est*, tout simplement. C'est une perspective, l'un des innombrables points de vue à partir desquels on peut faire l'expérience de soi. Une fois cette réalisation accomplie, on atteint un sublime détachement de la condition humaine et on acquiert la légèreté d'esprit préalable à la « vie » aux niveaux de conscience supérieurs. La question *de vie ou de mort* a pour fonction de vous catapulter au seuil de ces niveaux, de sorte que vous puissiez effectuer le choix conscient d'avancer sous cette forme particulière.

Vous qui subissez déjà les tourments de cette expérience, vous vous êtes, selon toute vraisemblance, aventuré loin dans le défi physique qui caractérise cette partie du voyage. Toutes les difficultés que vous rencontrez, alors que vous épuisez les solutions physiques, sont des catalyseurs visant le dépassement des solutions et des explications évidentes proposées par la sagesse consensuelle de votre culture.

Ces occurrences sont sans précédent. Vous devriez être préparé à des résultats inédits, à la fois dans votre expérience et dans celle des autres que vous assistez. La disparition spectaculaire des symptômes caractéristiques de ce processus est un phénomène qui défie les lois scientifiques gouvernant votre conception de ce qui est possible et de ce qui ne l'est pas. Les prétendus « miracles » qui, auparavant, suscitaient des réactions de stupeur ou d'émerveillement, voilà ce qui arrivera à ceux qui sont parvenus aux limites de la condition humaine. Ne tentez pas de limiter le possible en matière de guérison spontanée, sur la foi de ce que l'on vous a appris. Il n'y a pas de telles limites dans le nouveau monde que vous contribuez à faire naître par votre simple présence.

Les difficultés que vous devrez indubitablement affronter varieront en fonction de votre niveau de résistance devant la réalité des événements de votre vie. Vous serez amené à mettre en question la validité de votre situation et vous soupçonnerez peu à peu que la cause sous-jacente d'une condition physique est en résonance énergétique directe avec le déséquilibre que vous expérimentez dans le secteur émotionnel de votre vie.

Vous commencerez à voir les prétendus « symptômes » d'une condition physique que vous subissez comme la manifestation de la forme-pensée qui l'a suscitée. Cette réalisation spontanée vous permettra de vous libérer d'une condition vibratoire à multiples facettes. La manifestation extérieure d'une série de symptômes particuliers constitue le signal pour que vous plongiez dans votre psyché afin d'explorer les paramètres à partir desquels vous avez structuré votre expérience de vie.

Vos croyances sont les composantes du système vibratoire formant votre réalité. À l'intérieur de cette structure, vous avez systématiquement fabriqué les conditions qui représentent énergétiquement l'unique série de présomptions et de préférences caractérisant votre état d'être. Vos expériences de vie renforcent ou restructurent ce modèle énergétique. Et la stabilité de toute cette construction vibratoire repose sur la solidité de ses fondations. Cette essence fondamentale détermine si les couches d'expériences renforcent l'équilibre de la structure entière ou minent son équilibre vibratoire.

Quand de supposés « symptômes » apparaissent dans votre réalité physique, que ce soit sous la forme d'une expérience de vie ou d'une condition de santé physique, sachez que la cause sous-jacente se trouve sans doute dans votre structure énergétique. Creusez profondément sous la surface de votre conscience afin de déceler les éléments qui se sont manifestés sous la forme de ces symptômes qui ont soudain attiré votre attention.

Cela aussi, vous l'avez conçu vous-même ainsi. Car c'est une partie fondamentale de votre processus d'éveil que de voir claire- ment les constructions avec lesquelles vous avez établi votre per- ception de vous-même. Vous ne pouvez ignorer cette occasion parfaite d'explorer votre essence et d'affronter ce qui y dort dans l'attente patiente de ce moment de votre évolution.

Un état d'esprit qui accepte toute forme de limitation, quelle que soit l'expérience qui semble la justifier, est un catalyseur de la disharmonie susceptible de se manifester sous forme de maladie. Il s'agit alors pour vous d'examiner si certaines présomptions fondées sur des déceptions, des injustices, des blessures ou toute autre manifestation de l'inhibition de l'expression de la volonté person- nelle sont pertinentes dans un monde illimité.

Vous pouvez arguer avec conviction, à l'intérieur des para- mètres de votre conscience, que certaines expériences renforcent une perception de soi limitée. Pourtant, en y regardant de plus près, il devient évident que ces expériences ont été accumulées dans des conditions vibratoires très différentes de celles dans les- quelles vous êtes présentement et, bien sûr, de celles vers lesquelles vous vous élevez. En en prenant conscience, il vous est possible de transcender les schèmes paralysants qui ont marqué des vies entières et de libérer les fausses conceptions fondamentales qui ont fait vibratoirement se manifester ces expériences.

Par exemple, vous pouvez avoir expérimenté la persécution, comme expérience de vie, d'innombrables façons. Pourtant, cela ne justifie pas le maintien d'un état d'esprit où vous vous identifiez à une « victime ». Votre réticence à vous engager dans des drames caractérisés par de telles interactions ouvre la voie à un change- ment de l'énergie qui les aurait suscitées. Néanmoins, afin de libé- rer les composantes structurales de ce type d'expérience, il faut identifier les croyances qui soutiennent ces conditions dans votre modèle énergétique. En revenant sur toute l'histoire de votre vie, vous constaterez que les riches expériences accumulées ont peut-être servi à soutenir une prémisse grossièrement erronée. Puis, en examinant ces schèmes, vous serez fasciné de reconnaître la toute première situation qui a donné lieu à des événements répétés tout au long de votre vie.

Il est parfaitement possible que le catalyseur d'une telle expérience initiale provienne d'une autre incarnation ou que cette expérience se reproduise énergétiquement dans des vies parallèles à celle-ci, des réalités qui continuent à créer une disharmonie vous affectant dans des secteurs-clés de votre vie. Il n'est pas nécessaire de *voyager dans le temps* ni de tenter d'intervenir dans d'autres expressions de réalité pour ajuster l'effet que ces conditions exercent sur vous vibratoirement. Il suffit de devenir entier dans votre propre soi et de voir clairement ce qui est une caractéristique valide de votre essence et ce qui ne l'est pas.

En fait, il n'y a *aucune* limite dans la structure de votre essence fondamentale. Vous pouvez être tout ce que vous choisissez d'*être*.

Pour transcender ces conditions dans lesquelles vous percevez la preuve de la limitation, il ne s'agit pas de vous attarder à l'essence de cette limitation, mais plutôt à une perception de *la situation telle que vous aimeriez qu'elle soit*. Ainsi, quelle que soit la nature de la condition en question, vous déclencherez le processus qui conduira énergétiquement à cette réalité.

Si, au contraire, vous vous attardez avec appréhension à une certaine situation dans laquelle vous ne désirez *pas* vous trouver, vous en renforcez les composantes vibratoires, de sorte qu'elle pourra plus facilement se poursuivre. Car, en réaffirmant pour vous-même la réalité que vous présentent vos sens physiques, vous renforcez la grille énergétique qui attire ce type d'expérience.

Vous pourriez de la sorte manifester une condition physique persistante, malgré tous vos efforts pour l'éradiquer. En fait, cette condition n'existe *pas* du tout. Vous avez simplement persisté à croire à son existence. Plus vous renforcez mentalement et verbalement l'équation, plus se solidifie la base sur laquelle vous l'avez établie. En transcendant consciemment la preuve physique d'une condition donnée et en employant plutôt votre énergie mentale à résoudre les questions fondamentales de votre vie qui l'ont vraisemblablement suscitée, vous serez en bonne voie de surmonter les obstacles qui se présentent à vous. Car vous seul avez placé ces barrières physiques sur votre chemin. Vous seul pouvez déterminer si vous êtes capable de contourner l'illusion de leur forme physique.

Ces obstacles sont des indices. Ils ont été placés sur votre route avec stratégie, comme la pointe d'un iceberg, afin que vous ne puissiez plus ignorer la preuve expérientielle qui vous a stimulé durant toute votre vie. Ces manifestations potentiellement mortelles, qui sont une caractéristique des niveaux supérieurs du processus transformationnel, ne sont rien de plus qu'un signal vibratoire à l'intérieur de votre structure énergétique, destiné à attirer votre attention immédiatement au plus profond niveau.

Analysez soigneusement comment vous réagissez à ces signaux et rendez-vous compte du cadeau qu'ils représentent vraiment. La question à résoudre, ce n'est pas l'illusion de la maladie contre laquelle vous luttez. Cette condition est plutôt le symptôme destiné à vous libérer de la limitation de la densité dans laquelle vous avez stagné vibratoirement. Vous serez incapable d'avancer au rythme ascensionnel auquel vous avez commencé à voyager si vous perpétuez ce niveau débilitant. La condition physique qui est apparue démontre qu'un changement majeur a cours dans tout votre être. Une fois cet obstacle majeur transcendé, vous expérimenterez un nouveau type de perception et cette perspective deviendra le point central de votre réalité.

Alors que vous élaborerez les détails des dernières scènes de votre drame, les schèmes habituels d'interaction interpersonnelle paraîtront soudainement relâcher l'emprise qu'ils ont exercée sur vous tout au long de cette vie. Quand les énergies auront suscité une expérience maximale et permis une résolution, la libération qui en résultera sera trop profonde pour être considérée comme une coïncidence. Vous vous *éveillerez* alors à la réalisation que la densité à laquelle vous vous étiez habitué n'est plus présente.

Le catalyseur de ce changement pourra bien être la reconnaissance des schèmes émotionnels habituels que vous avez conduits à leur conclusion, ou la condition physique qui en a résulté. Il importe peu que votre attention soit captée par les manifestations physiques de votre état vibratoire ou par ses manifestations émotionnelles, car elles sont entremêlées. Lorsque l'énergie peut se libérer à un niveau, les symptômes qu'elle soutenait disparaissent aussitôt car il ne reste plus rien énergétiquement pour les conserver dans la forme.

Il s'agit alors de savoir sur quoi vous *focaliser*. Comme votre perception est celle d'une créature physique limitée, à la merci des circonstances de son environnement physique, il était logique de réagir aux épreuves de la vie d'une manière physique directe. Alors que la complexité vibratoire de l'environnement dans lequel ont eu lieu ces interactions s'est accrue, l'efficacité des solutions physiques aux problèmes physiques a diminué. Finalement, vous atteignez le point où il est évident que « la vie ne peut plus continuer comme ça ». Toutes les méthodes éprouvées pour composer avec la cause et l'effet dans votre réalité physique ne donnent plus les résultats escomptés, et vous vous sentez impuissant alors que vous intensifiez vos tentatives pour forcer un résultat avec un état d'esprit enraciné dans des réactions réflexes.

Au bout du compte, vous renoncerez à cette lutte sans espoir en prenant conscience de la futilité de cette approche. Vous commencerez à vous poser les « grandes » questions qui feront voler en éclats toutes les illusions simultanément. À ce moment-là, votre compréhension sera si claire qu'elle défiera l'*intelligence*. Car, dans l'absolue simplicité de cette conscience cristalline, vous saurez que vous êtes enfin libre. Vous saurez qu'aucune des questions et des inquiétudes qui vous ont assailli durant toute votre vie n'a vraiment d'importance.

De votre point de vue supérieur, rien de ce que vous considériez jusque-là comme grave n'aura plus d'importance ni d'intérêt. Petit à petit, vous verrez ces *points chauds* vibratoires comme des invitations que vous déclinerez instinctivement. Vous choisirez de ne pas engager votre conscience, même furtivement, dans un conflit. Le besoin d'avoir raison cèdera le pas à celui d'esquiver de tels scénarios et de repousser ces invitations à satisfaire les besoins de l'ego. La libération correspondante des conditions éprouvantes d'une maladie physique mortelle signale l'approche imminente du seuil interdimensionnel.

Lorsqu'on achève de patauger dans le marécage de l'illusion misérable de la séparation, on atteint un moment de vérité. Et là, on transcende le besoin de perpétuer l'illusion et on voit les symptômes physiques qui étaient craints, détestés ou niés, comme la preuve d'une libération prochaine de toute forme d'attachement à leur illusion. Lorsque vous renoncez complètement à accorder de l'importance à cette question de vie ultime, celle-ci ne vous tient plus vibratoirement sous son emprise. Essentiellement, elle cesse de se manifester dans votre réalité.

Les crises de santé qui constituent un sous-produit fréquent du processus d'ascension sont l'ultime porte d'accès à la *guérison*, au vrai sens du terme. Car le niveau de guérison que vous désirez atteindre en vous élevant à la plénitude de votre présence physique dépasse la libération des symptômes qui vous ont déjà déroutés. La véritable guérison a lieu quand on a réussi à dégager la charge vibratoire que l'on a portée à certains niveaux de conscience, pendant des vies. Et, ce faisant, on acquiert un point de vue qui transcende totalement ce genre d'expérience.

chapitre trente et un

Manifester le monde de l'Artiste.

Récréer le monde du Rêveur.

Libérer le Rêveur intérieur.

Au stade initial du processus ascensionnel, on s'aperçoit, une fois le travail de libération entrepris, que le monde est soudain autrement. Les difficultés auxquelles on était habitué, et qui persistaient malgré la conscience qu'on en avait, ont soudain disparu. On connaît alors la joie d'un nouveau commencement, marqué par une liberté de choix sans précédent.

En l'absence des obstacles familiers qui imposaient la direction à suivre ou en limitaient la portée, on prend profondément conscience qu'il n'existe littéralement aucune limite à ce que l'on peut choisir d'expérimenter dans le contexte de la forme physique. Ces limites disparues, on se rend compte également de la nécessité d'assumer entièrement la responsabilité de l'intention focalisée sous-jacente à nos choix.

On ne peut donc plus prétendre qu'on n'a « pas le choix » et qu'on a dû sélectionner parmi un nombre limité d'options dans toute situation. La pleine puissance de l'intention puise dans le domaine des possibilités les circonstances qui la conduiront jusqu'à la manifestation. Ainsi, le processus ne résulte pas d'un choix parmi un certain nombre d'options possibles, mais s'amorce plutôt à partir d'une position où il n'y a aucune limite et où l'on attire les options correspondantes en tant que possibilités parmi lesquelles choisir.

Ayez donc d'abord une idée claire de ce que vous désirez vraiment faire ou expérimenter, et cette clarté même attirera les situations par lesquelles vous pourrez explorer votre désir. La vie devient alors un processus où l'expérience est taillée sur mesure et n'est plus perçue comme un prêt-à-porter fabriqué en série. Vous n'êtes plus obligé à rien. Chaque nuance de votre vie est une séquence que vous avez choisie.

La clarté de votre intention déterminera la facilité ou la complexité qui se manifestera. Si vous abordez le processus de la manifestation à partir du niveau vibratoire supérieur vers lequel vous vous élevez actuellement, vous ne pouvez plus vous offrir le luxe de la passivité. Le vieux mode d'opération selon lequel vous viviez votre vie avec une approche attentiste ne manifestera rien d'autre que de la confusion sur un plan vibratoire supérieur. Car ici la complexité des conditions prédéterminantes, caractéristique des réalités plus denses, n'est plus présente.

Quand vous êtes débarrassé des résidus vibratoires karmiques qui compromettaient votre champ énergétique, il n'existe absolument plus rien qui puisse vous attirer une autre expérience de vie que l'essence vibratoire de ce que vous désirez. Afin de fonctionner efficacement dans un monde où toutes les règles ont changé, il serait sage de clarifier dès maintenant ce que vous désirez faire de cette incarnation physique que vous appelez votre vie.

Des sentiments ambigus sur une question donnée manifesteront chaque fois un résultat ambigu dans les conditions vibratoires vers lesquelles vous vous élevez à l'heure qu'il est. Vous devez focaliser votre conscience sur l'importance de cette clarté d'intention avant de vous engager dans l'action choisie. Il est impossible de manifester votre désir si vous continuez à dériver en attendant que les choses vous « arrivent ». Dans les plans supérieurs, cela ne fonctionne tout simplement pas ainsi.

Pour manifester le monde de l'Artiste, il faut d'abord recréer celui du Rêveur. C'est le monde de l'éternel enfant, celui dans lequel vous êtes né en cette vie. L'enfant ne connaît pas le concept de limitation. C'est une chaîne dont on l'affuble dès les premiers stades de son développement. Au départ, il n'existe aucune limite à ses rêves et il vit chaque instant sous l'influence de ses désirs, appelant ce qu'il veut le plus expérimenter.

Initialement, ses désirs sont rudimentaires, et sa focalisation sur ce qu'il veut expérimenter renforce la manifestation du résultat. À mesure qu'il se développe, ses désirs et ses rêves sont contrecarrés par les règles d'une *réalité* qu'on lui inculque de force. Bientôt, ces règles sont intégrées dans la formulation d'un système de croyances qui affaiblit son aptitude à manifester ses désirs. L'énergie de sa focalisation passe de ce qu'il désirait vraiment à ce qui est perçu comme étant *possible*. Même aux premiers stades de son développement, il apprend à tisser une route complexe dans le labyrinthe de sa vie pour tenter de sauver un fragment de son rêve originel.

Finalement, la magie du rêve et la joie qui l'accompagne se perdent dans une sphère gouvernée par la logique et la stratégie. En passant de la joie du rêve à la peur nourrissant la lutte contre la suppression du rêve, l'enfant oublie *comment* rêver. Il s'agit, en cette époque, de restaurer cette aptitude. Sans elle, l'individu est destiné à recréer les conditions d'un monde défini par la limitation et le combat.

Votre nature essentielle n'est pas centrée sur une activité orientée vers un but ; elle est enracinée dans votre corps sensitif, c'est-à-dire vos émotions.

Le mouvement intérieur qui vous pousse à atteindre un certain but n'est pas issu du besoin de réaliser un rêve, mais plutôt du besoin d'éviter de sombrer dans l'abîme de vos peurs. Ainsi, c'est la peur qui motive toutes vos luttes apprises. Ce type d'énergie produit un résultat limité dans les sphères où vous avez progressé jusqu'ici, tout au long de votre voyage, mais il manifesterait un résultat que vous ne trouveriez pas agréable au niveau que vous atteindrez bientôt. Vous devrez apprendre à distinguer, dans le contexte de vos désirs, entre ceux qui sont fondés sur la peur et ceux qui proviennent de la joyeuse innocence constituant votre essence fondamentale.

Pour recréer votre rêve authentique, vous désirerez examiner ce qui motive véritablement votre désir de faire telle ou telle chose. Si, par exemple, vous désirez construire de vos mains une magnifique maison, il est important de savoir si ce désir est fondé sur le pur plaisir que vous prendrez à la bâtir, ou sur le besoin de *prouver* quelque chose aux autres et à vous-même. Le premier désir est issu du Rêveur qui vous habite. Le second est enraciné dans l'énergie de la séparation.

Le Rêveur tire sa joie illimitée de l'expression de son Êtreté d'une manière qui lui plaît et le rend heureux, sans égard au bénéfice pouvant lui venir de l'opinion des autres. Même dans la mesure où l'estime de soi peut être issue d'une motivation intérieure, c'est cette attitude qui établit les paramètres de la dualité, soit de la *réussite* ou de l'*échec*. Pour le Rêveur, il n'y a ni réussite ni échec. Il n'y a que l'essence du rêve.

Le rêve ne comporte en soi aucune difficulté ni aucun jugement, qu'il soit focalisé sur l'intérieur ou sur l'extérieur. Le Rêveur ne qualifie d'aucune façon la libération de la pure essence du rêve dans l'éther qui conduit celui-ci à la manifestation ; il trouve seulement l'idée infiniment agréable. Pour le Rêveur, l'idée d'atteindre un but n'existe pas, car elle entraîne des considérations sur ce qui est *possible* ou non, ce qui est le propre d'un esprit structuré dans la logique linéaire.

Le Rêveur ne se soucie aucunement de ce qui est *possible* ou non, car le rêve est basé sur l'illimité. Le rêve est dénué de toute structure. Il réside au tréfonds de l'enfant qui vit toujours à l'intérieur, quel que soit votre désenchantement ou votre désillusion. Même si vous êtes lassé et brisé par la vie, le Rêveur intérieur reste intact. C'est en vous reconnectant à cette étincelle de votre

Essence divine que vous pourrez restructurer votre vie. Pour que l'Artiste puisse émerger du fond de votre être et donner son expression à la création unique que sera votre vie, vous devez trouver le Rêveur et le libérer de la prison de votre conscience linéaire.

Le Rêveur, n'est pas l'aspect du soi qui appartient à l'ego et qui nourrit vos ambitions de stratégies orientées vers la réussite. C'est l'étincelle de joie qui s'est trouvée enfouie sous le poids de tout ce que vous avez entrepris de *faire* dans cette vie-ci. Le Rêveur n'évolue pas dans la sphère du *faire*, mais dans la simple innocence d'*être*. Il est libéré quand vous renoncez aux priorités de l'ego qui vous paralysent et que vous laissez émerger votre véritable essence.

Lorsque vous êtes reconnecté à l'état de joie inconditionnelle qui rayonne en vous, vous commencez à rediriger votre voyage. Lorsque vous avez goûté à cette connexion à votre soi, vous comprenez pourquoi la vie, à un certain niveau, a décrété un « délai ». Vous vous rendez compte que si les circonstances de votre vie vous permettaient de continuer à avancer par « pilotage automatique », vous n'atteindriez pas la destination vers laquelle vous vous dirigez maintenant.

Une fois rendu dans cet aspect du processus, vous reconnaissez que votre existence vous a conduit sur un plateau d'où une perspective claire vous permet de réaliser que ce dernier ne mène nulle part. Il offre la potentialité de perpétuer essentiellement ce niveau, ainsi que la claire impression que vous ne pouvez aller nulle part à partir de là. Il faut d'abord en *redescendre*.

En émergeant lentement de la déstructuration des circonstances de votre vie, vous comprenez clairement pourquoi cette expérience constituait une étape nécessaire du voyage. La forteresse que vous aviez construite sur le plateau de votre expérience était devenue, en fait, une prison dans laquelle votre essence sacrée attendait patiemment. La fraîche et pure innocence de la joie que vous affichez ne peut subsister dans les conditions structurées que vous avez créées dans un monde construit sur le compromis. La douceur de la vision du Rêveur, qui vous est promise, est la pièce manquante qui vous échappe durant votre voyage d'autodécou-verte. Sans l'illumination du cœur du Rêveur, vous continueriez d'avancer aveuglément sur le sentier qui vous incite à le suivre.

Avant de savoir clairement au fond de vous-même ce que vous voulez *faire* de votre vie, il est essentiel de vous accorder une pause dans votre programme d'activité intense afin de découvrir qui vous êtes réellement. C'est uniquement à ce moment-là que vous aurez établi les conditions dans lesquelles l'Artiste pourra émerger et exprimer sa véritable essence, vous procurant l'existence riche et satisfaisante à laquelle vous aspirez.

Cependant, vous pourriez continuer indéfiniment à tenter, par toutes sortes de moyens, de découvrir dans le monde extérieur ce *quelque chose* qui vous échappe et qui semble toujours faire défaut. Vous pourriez mélanger indéfiniment les cartes de ces possibilités, cherchant à trouver la pièce manquante qui unifiera l'ensemble, car elle n'est dans aucune des distractions qui se présentent. Et pourtant, une fois décelé à l'intérieur, cet élément insaisissable pourrait bien s'exprimer par n'importe laquelle de ces possibilités infinies, fournissant à l'Artiste le médium parfait pour peindre pas-sionnément l'œuvre véritable de votre vie.

Avant d'être en mesure de déterminer « où aller à partir de là », c'est-à-dire de choisir quoi *faire*, prenez un répit à ce carre-four de votre voyage afin de vous retrouver avec vous-même. C'est là un exercice que la plupart préfèrent effectuer dans la solitude. Vous serez donc poussé dans une direction qui vous permettra d'être seul durant de longues périodes. Ainsi, vous vous éloignerez de vos activités habituelles pour vous retrouver dans le sanctuaire sacré de votre conscience. Tout cela fait partie du processus de métamorphose qui vous incombe. Pour s'unir au Rêveur, il faut se retirer dans le silence de la solitude intérieure. L'élimination des distractions quotidiennes pendant cette période fait nécessaire-ment partie du processus.

Votre programme s'en trouvera simplifié quand vous attein-drez ce stade du voyage. Vous n'aurez plus alors les excuses prévisibles qui vous permettaient de différer cet affrontement avec vous-même. Le moment propice à l'introspection annonce son arrivée ouvertement : en silence. Lorsque vous avez reconnu les signes de sa présence et que vous avez cessé de remplir d'« occupations » et de mondanités les cases vides qu'il crée, vous pouvez vous détendre dans le silence de ce moment spécial qui n'appartient qu'à vous. Dans ce refuge à l'écart du monde extérieur, vous vous livrerez à une rétrospective de cette petite épopée que vous vivez. En revoyant les moments forts et les moments faibles de l'histoire, vous reconnaîtrez les moments où le Rêveur a commencé à abandonner.

Vous vous rappellerez la douleur causée par les déceptions ainsi que l'angoisse suscitée par les échecs qui ont préparé le terrain à un scénario fondé sur la désillusion et le compromis. Vous repérerez les premiers choix effectués avec résignation, non avec passion. En reliant les thèmes sous-jacents à ces épisodes, vous serez à même d'identifier clairement le schème et de mettre fin à l'état d'esprit qui vous incitait à le perpétuer. Il deviendra évident que vous avez perdu une partie vitale de votre essence sacrée en suivant cette voie. Et, en l'absence de cette Étincelle divine, les épisodes qui ont suivi vous ont laissé une impression de sécheresse et d'inanition, malgré tous les « ornements » dont vous les avez affublés.

Maintenant, dans la clarté de votre vision rétrospective, il est temps de vous préparer à vous réunir au Rêveur, qui, tel un enfant, s'était éloigné à défaut de s'amuser encore, alors que vous étiez occupé à *faire* votre vie sans même remarquer qu'il n'était plus là. Ce n'est que beaucoup plus tard que vous vous en êtes rendu compte, quand il est devenu évident que quelque chose de très précieux s'était perdu.

Il est temps désormais d'arrêter, tout simplement, de *faire* ce que vous *faites*. De mettre fin aux pratiques mécaniques qui dévorent votre temps. De cesser d'attirer compulsivement les autres dans vos drames pour éviter de vous focaliser sur celui qui occupe le centre de la scène. Cet aspect du processus n'a rien à voir avec les autres. Peu importe ici « ce que » vous *faites* et « avec qui » *vous le faites.*

L'élément manquant n'est pas le sous-produit d'une « mauvaise relation », d'une « mauvaise profession », d'un « mauvais » sentier spirituel, ni de la pratique incorrecte d'une technique spirituelle. Ce sont tous là des véhicules potentiels par lesquels la passion du Rêveur peut s'exprimer.

Dans le silence sacré que vous vous êtes accordé, vous reconnaîtrez les moments où, lors de vos premières expériences, votre enthousiasme naturel et votre grande curiosité ont pu jouer librement. En retrouvant ces simples et précieux moments dans l'intemporalité de la mémoire, vous découvrirez le véritable chemin qui conduit à vous-même. L'expérience à laquelle vous aspirez tout en blâmant le monde extérieur de ne pas vous la procurer est en vous depuis toujours.

chapitre trente-deux

L'expérience du miroir : poser les fondements de la compassion.

Mettre en perspective les difficultés du cheminement.

Q uelle que soit votre façon de le voir, vous ne pouvez nier le changement que chacun de vous subit intérieurement. Certains ont choisi de partager avec d'autres leur expérience personnelle de transformation, et ils ont joui d'une bonne camaraderie et d'un soutien qui a renforcé leur expérience. D'autres ont retenu leurs perceptions et leurs révélations comme une preuve d'un changement de conscience si profond qu'il est indéniable. La reconnaissance de soi s'accroît en conséquence pendant qu'augmente l'intensité de ce processus d'évolution.

On prend conscience que les caractéristiques identitaires sur lesquelles se fondait la connaissance de soi ne sont plus des expressions valides de l'expérience de soi. On en vient à comprendre la fluidité naturelle de ce processus de métamorphose. Le point de vue d'où vous vous observez en ce moment remet en perspective le terrain riche et souvent rocailleux que vous avez parcouru. Cette vision rétrospective vous amène à comprendre que la clarté du moment présent n'invalide aucunement le voyage qui était nécessaire pour l'atteindre.

Il vous aurait été facile de vous arranger pour naître dans des circonstances où les nouvelles connaissances d'aujourd'hui auraient déjà été disponibles. Vous auriez pu vous épargner beaucoup d'angoisses, d'efforts et de temps en choisissant ce scénario. Toutefois, si vous l'aviez fait, vous vous seriez privé d'expérimenter d'abord les contrastes frappants dont vous êtes présentement témoin. Les épisodes intenses que vous avez vécus vous ont servi de révélateurs de cette avancée spirituelle.

Si vous n'aviez pas goûté autant à l'amertume qu'à la douceur, vous n'auriez obtenu qu'une connaissance théorique, soutenue uniquement par l'observation des difficultés et des tribulations subies par les autres. Alors que vous exultez enfin dans la connexion divine quand cet état vous est accessible, l'intensité profonde de cette expérience est d'autant plus forte qu'elle fait contraste avec les drames de votre vie.

Vous ne vous êtes nullement trahi en « mettant si longtemps » à vous éveiller. Le point de vue qui sera le vôtre au sommet de la montagne n'aurait pas de telles répercussions si vous n'aviez pas entrepris cette escalade ardue. Pour profiter de la richesse de l'expérience de votre connexion divine, il s'avérait nécessaire de connaître l'expérience très contrastante de la séparation.

Pour réaliser pleinement que vous créez l'essentiel de votre expérience, il vous fallait explorer en détail l'injustice et la persécution. Afin de savoir que vous êtes vraiment tout-puissant, il vous fallait expérimenter l'angoissante frustration de ne pouvoir accomplir vos volontés. Pour savoir indéniablement que toute l'expérience de la *vie* repose sur un fondement divin, il vous fallait créer les conditions dans lesquelles cette Essence divine pouvait être mise en question. Il était nécessaire d'expérimenter l'adversité sous-jacente à l'état de séparation afin d'avoir pleinement conscience de la magnitude de la Divinité qui rayonne de vous.

Le prétendu *côté sombre* de votre nature a eu la liberté de s'exprimer afin que vous puissiez reconnaître la vibration inhérente à ces schèmes réactifs. Il est très clair que ces états d'être ne sont pas agréables. Les horreurs des profondeurs auxquelles certains d'entre vous ont exploré le monde de la réalité physique sont une parfaite illustration du niveau vibratoire dont vous avez choisi de vous *élever*.

Vous possédez désormais un point de référence expérientiel avec lequel faire contraster les sensations physiques et émotionnelles appartenant au processus ascensionnel. Vous disposez également d'une base pour le profond sentiment d'humilité et de gratitude qui résulte naturellement d'un voyage existentiel englobant les extrêmes de l'expérience humaine. En regardant rétrospectivement l'étonnant itinéraire que vous avez programmé pour cette vie-ci, vous êtes émerveillé par l'incroyable richesse qu'il comporte. Vous aurez établi la base requise pour comprendre l'adversité véhiculée par votre monde.

Il est beaucoup plus facile de comprendre la nature de la souffrance d'une autre personne si on l'a vécue soi-même. À l'heure actuelle, alors que vous sortez de l'illusion de la séparation et que les circonstances de votre vie reflètent ce changement vibratoire, vous êtes capable de démontrer de l'empathie envers ceux qui se trouvent toujours dans les tourments de ce genre d'expérience. Comme vous avez vous-même réussi à sortir de votre nuit obscure, il vous est plus facile de reconnaître la vérité sous-jacente aux cauchemars de quelqu'un d'autre.

Ayant vu vos propres rêves détruits et vos châteaux de sable balayés par la marée incessante incluse dans votre scénario, vous sentez indirectement la déception et le désespoir que vivent vos proches au moment où les vagues se brisent sur leurs rivages. En voyant se confirmer vos pires appréhensions, vous avez établi pour vous-même le fondement de l'expérience de la *compassion*. Vous n'auriez pu atteindre un autre être au plus profond de son drame si vous n'aviez pas connu la même expérience.

Maintenant que vous voyez la vie autrement, vous êtes en mesure d'observer la perfection de la diversité. En même temps, vous reconnaissez peu à peu, dans les expériences de ceux que vous avez peut-être déjà jugés, des schèmes similaires à ceux de votre propre voyage. Vous avez attiré dans votre sphère de conscience des êtres dont le voyage reflète clairement les passages de votre propre expérience qui soulignent le mieux les points que vous désiriez démontrer en élaborant votre scénario. Peut-être vous êtes-vous empêché de reconnaître en ces individus les acteurs accomplis qu'ils vous paraissent être à ce jour. Car, en jouant sous vos yeux le mélodrame de leurs propres réactions, ils vous ont montré ce que vous refusiez de reconnaître en vous-même. Maintenant, alors que vous cessez de juger les autres et de vous percevoir dans une position supérieure simplement parce que vous avez fait beaucoup de progrès, vous commencez à sentir la simple Êtreté sous-jacente à tout cela.

La notion d'envergure, ou d'absence d'envergure, n'intervient jamais dans le voyage spirituel. Tout est Unité. Vous vous trouvez simplement chacun à un moment différent – une fraction de seconde, une étincelle figée de conscience dans un voyage intemporel. Les points collectifs d'illumination forment une perspective composite du voyage que l'on appelle *illumination*. Chaque nuance ajoute un élément subtil à l'essence de l'ensemble. Vous pensez peut-être que ce voyage que vous avez fait est le vôtre puisque c'est l'expérience que vous en avez. En vérité, votre expérience n'est qu'un coup d'œil dans la réalité composite qui constitue la vision partagée de cette époque.

L'Unité a choisi de faire ce voyage par l'entremise de chacun. Nous avons choisi cela – *vous* avez choisi cela – afin de vous connaître dans la plénitude de Tout ce qui Est, pour en avoir fait l'expérience. Nous avons profité de la possibilité d'éprouver le frisson absolu de l'éveil à la conscience spirituelle. La manière la plus intense de vivre cette expérience, c'est de le faire par d'infinies variantes sur le thème de l'oubli, puis de redécouvrir la vraie nature de votre essence divine. Vos moments d'éveil ajoutent une note éclatante à l'indescriptible harmonie ainsi cocréée tandis que chacun de vous ajoute sa résonance au tout multidimensionnel.

Nul besoin de juger un autre être qui échoue dans sa tentative de saisir les indices qu'il a laissés sur sa route. Peut-être pouvez-vous voir clairement ce qui est évident de votre point de vue, mais, du point de vue de celui qui se traîne sur les genoux, cet indice n'est pas visible. Pas encore. Cependant, après un nombre suffisant de chutes dans la boue, l'indice apparaîtra. Vous le savez, car vous êtes déjà passé par là. Nous sommes tous passés par là. C'est dans la nature du voyage. Et lorsque vous tendrez la main à quelqu'un et qu'il la rejettera, et que vos paroles de sagesse tomberont sur celui qui en a le plus besoin mais qui fait la sourde oreille, vous vous souviendrez d'être passé par là et vous vous demanderez comment vous avez pu être aussi aveugle quand les indices étaient là, bien visibles, depuis toujours. Vous savez pourtant que le chercheur ne verra pas ce qu'il est venu voir tant que le moment d'ouvrir les yeux ne sera pas arrivé. Vous le savez, car vous êtes déjà passé par là.

En même temps que ce merveilleux éveil, survient l'occasion d'exprimer votre compréhension au moyen de la compassion, qui est une caractéristique essentielle de votre voyage. Vous pouvez reconnaître et sentir la puissance du voyage d'un autre être dans les moments de reconnaissance mutuelle que vous partagerez avec plusieurs quand vous avancerez avec un regard neuf. Les indices ont toujours été là, mais, jusqu'ici, vous n'étiez pas bien préparé pour les voir. Vous portiez des œillères afin de vous protéger d'une connaissance qui aurait pu vous éviter la tristesse de l'expérience de l'éveil. À ce jour, les œillères ont disparu, du moins de votre champ de vision limité. Vous traverserez ce processus plusieurs fois alors que les couches d'illusion se détacheront et que votre véritable essence se révélera.

Votre rayonnement, par la simple authenticité de votre moment, éclairera brièvement la route de ceux qui marchent auprès de vous. Pour aider un être qui expérimente une leçon que vous avez apprise à vos dépens, il n'est pas nécessaire d'*essayer*. Par votre simple présence et par le maintien de cette vibration transcendante, vous êtes à même de lui procurer le coup de pouce nécessaire pour qu'il puisse découvrir ce qui était là depuis toujours. Tout comme vous l'avez fait vous-même.

Lorsque vous enseignerez par l'exemple les principes sousjacents à ce processus de métamorphose, votre propre expérience connaîtra des hauts et des bas pendant que vous affinerez votre compréhension. Sur le chemin de l'illumination, rien n'est jamais *statique*. C'est un voyage perpétuel qui continue d'évoluer. Ne vous attendez pas à ce que les circonstances de votre vie deviennent soudain exemptes de toute difficulté simplement parce que vous avez atteint un certain niveau de vibration et de compréhension. Les sommets et les creux du terrain de la réalité physique continueront de vous fournir l'illustration explicite de votre travail de vie.

Chaque difficulté rencontrée en cours de route représente une occasion de faire une pause pour réfléchir à ce dont chacune est le miroir. Au bout du compte, vous reconnaîtrez dans les expériences des autres les épisodes similaires de vos propres schèmes ainsi illustrés. Vous reconnaîtrez également qu'un autre être vous a procuré l'illustration d'une question que vous n'aviez pas besoin de revivre.

En continuant à vous élever vibratoirement, vous identifierez de plus en plus ce phénomène de miroir expérientiel. En embrassant indirectement les leçons symbolisées par les drames d'une autre personne, vous libérerez et raffinerez les éléments de votre propre schème énergétique qui sont en résonance avec ces thèmes. La compassion éprouvée au cours du processus vous permet de vous harmoniser vibratoirement avec votre substitut expérientiel sans adopter la négativité exprimée par l'autre.

Ainsi, dans l'expérience de la compassion, l'équilibre est conservé entre les liens et les frontières. On peut se soucier profondément de la tristesse du processus d'un autre individu, reconnaître que le thème sous-jacent rejoint sa propre expérience, et en même temps se distancier vibratoirement du feu de l'action. Votre maîtrise de la question commune sert de catalyseur vibratoire à celui qui est empêtré dans le drame réel le poussant vers l'achèvement du thème en question.

Petit à petit, vous reconnaissez ainsi que le processus est en effet une danse dans laquelle vous partagez des moments de résonance avec d'autres êtres. Et, tout comme vous pouvez très bien mener la danse quand certains passages familiers commencent à jouer, il en est de même pour ceux qui dansent avec vous et qui ont eu la maîtrise d'unir cette musique et ces pas. Tous bougent à l'unisson vibratoirement jusqu'au crescendo, expérimenté collectivement, de l'Unité. Car, en vérité, c'est l'Unité qui danse. C'est l'Unité en chacun de vous qui reconnaît l'Unité chez les autres, ce qui vous unit dans un souffle d'harmonie partagée. Et à chaque interaction luit la promesse de l'équilibre, même quand on ne fait qu'écouter ou être présent.

Sachez que le don n'est jamais à sens unique. L'être qui donne reçoit également, d'une manière que vous commencez seulement à comprendre. Quand vous partagez avec un autre être la réalité d'une situation pénible, vous ne lui faites pas porter le fardeau de vos problèmes. Vous lui procurez plutôt l'occasion de s'harmoniser avec vous sur une note particulière d'une chanson que vous connaissez tous les deux par cœur. Quand la compassion est exprimée sérieusement, le fardeau est allégé pour chacun. Celui qui donne semble toujours sortir de la rencontre plus heureux parce qu'il a aidé quelqu'un qui en avait besoin. Et pourtant, il comprend rarement pourquoi. En fait, la dynamique vibratoire de l'échange a permis le dégagement d'une densité présente dans son propre champ énergétique et il se sent donc plus léger.

La compassion est le fil commun qui unit vos tapisseries respectives. En vérité, il ne se trouve ici qu'Un seul de nous. Quand vous reconnaissez les similarités existant entre votre vie et celle de ceux qui dansent avec vous, vous reconnaissez aussi l'extraordinaire perfection de la synchronie des moments qui vous rassemblent. Il devient alors très évident qu'il n'y a pas de hasard. Les prétendues *coïncidences* que vous étiez auparavant porté à écarter sont loin d'être insignifiantes. Chaque rencontre apparemment fortuite est un chef-d'œuvre de manifestation, car, à ce moment, chacun donne quelque chose à chacun.

Vous n'êtes jamais trop occupé ni trop engagé pour faire une pause et reconsidérer votre position quand la vie vous offre la possibilité de changer radicalement vos projets. Ces derniers n'étaient que le détour utilisé pour vous rendre jusqu'au moment où la véritable direction vous échoirait « par hasard ». Chaque rencontre fortuite avec un être qui vous amène à une prise de conscience a été placée là stratégiquement par vous, pour renforcer un fil commun. Chacun de vous a déjà dansé cette danse, sans doute avec l'autre. La facilité avec laquelle vous entrez dans le rythme de l'interaction avec ces parfaits inconnus souligne la signification de ces connexions apparemment fortuites.

Prenez le temps – trouvez-le – d'explorer ce qui est mutuellement partagé, particulièrement quand c'est l'autre personne qui semble avoir le plus à gagner de cette rencontre, car ces expériences sont susceptibles de vous enrichir de la meilleure façon. Aucun de vous n'est ici, sur ce chemin singulier, comme un sprinter qui doit demeurer en tête du peloton pour gagner. Si chacun a progressé comme il l'a fait, c'est dû en grande partie au mouvement soudain d'une vague qui vous porte tous. C'est le *vous* collectif qui s'élève, même si, de votre perspective personnelle, vous semblez seul à faire ces bonds quantiques.

D'innombrables êtres vous ont fourni un « coup de main » vibratoire, de sorte que vous puissiez voguer ensemble en tant qu'Un. Quand vous transcendez le sentiment de séparation que vous avez passé toute une vie à justifier et que vous vous abandonnez à la mutualité du mouvement partagé, il y a des moments – des moments magiques – où vous savez que vous ne l'avez pas imaginé. Vous avez expérimenté cette Unité. Vous savez que vous *êtes* l'Unité. Vous le savez parce que vous êtes déjà passé par là.

chapitre trente-trois

Se détacher des détails de l'« illusion ».

Avoir le recul du témoin.

Le processus d'éveil consiste notamment à découvrir vos tendances intérieures et à voir clairement l'envergure de la tromperie que vous exercez sur votre propre conscience. Soudain, vous vous rendez compte du personnage que vous incarnez par votre identité et vous l'observez avec un amusement détaché. Lorsque vous avez identifié clairement certains des thèmes principaux que vous avez joués au cours de votre vie, il vous est facile d'observer vos schèmes réactifs prévisibles au moment même où vous vous y soumettez. Parfois, vous semblez être deux. Alors que l'un suit machinalement le mouvement d'une réaction programmée, l'autre l'observe avec fascination.

Il vous est possible de démêler la toile complexe de bonnes intentions que vous avez tissée et dans laquelle vous vous êtes empêtré avec d'autres durant toute votre existence. Personne n'est dupe quand vous faites autre chose que ce que vous dites, car c'est exactement ce que vous avez planifié au départ. Vibratoirement, vous communiquez très clairement ce que vous croyez camoufler sous des mots habiles et un comportement rusé. Et vous vous demandez pourquoi vous n'êtes pas fiable, alors que vous vous démontrez constamment à vous-même que vous n'êtes pas digne de confiance.

Ce n'est pourtant pas ce que vous souhaitez, car, naturellement, à ce stade de votre processus transformationnel, vous vous voyez comme un être de principes qui fait des choix *conscients*. Toutefois, à l'occasion, vous n'hésitez pas à vous *trahir*, ne serait-ce que légèrement, en consommant un aliment ou une substance que vous vous étiez promis de bannir de votre vie, ou en vous livrant à une activité à laquelle vous aviez déjà renoncé. Vous pouvez vous en justifier par toutes sortes d'excuses plausibles sur lesquelles vous transférez le *blâme* d'avoir trahi votre propre confiance, mais votre responsabilité demeure.

Vous connaissez tous par cœur les mots avec lesquels vous affirmerez, à vous-même comme à quiconque daignera s'intéresser à votre drame, quel est le meilleur choix à faire en telle ou telle circonstance. C'est donc rarement une question de ne pas savoir la différence, mais plutôt d'exercer votre libre arbitre pour violer vos propres règles, tel un enfant qui vérifie jusqu'où il peut repousser les limites établies par l'autorité. Dans ce cas-ci, vous avez vous-même établi ces limites. C'est vous qui croyez possible de « passer outre à une règle » et de vous en tirer. Mais, en réalité, il est impossible d'enfreindre vos propres règles sans en subir les conséquences.

Il n'existe pas de lois définitives décrétant ce qui est bien ou mal, sauf celles que vous établissez pour vous-même. Il y a des bons choix et des moins bons, quant aux conséquences prévisibles de certains actes. L'infraction à la norme ne peut toutefois s'appliquer qu'aux « règles » que vous avez établies pour vous-même. Quand vous tentez de repousser les frontières de vos propres normes quant aux actions acceptables, vous vous enfoncez encore plus profondément dans les illusions mêmes que vous cherchez à transcender. Quand vous vous percevez comme l'effet, plutôt que la cause, des circonstances de votre vie, vous créez les paramètres qui renforcent l'illusion de votre séparation de la Source.

En vous détachant des détails de votre drame personnel et en vous voyant comme un robot dans l'exécution de sa routine normale, vous vous percevez du point de vue de la pure conscience. C'est ce niveau de votre conscience qui peut se détacher de la personnalité que vous identifiez comme étant *vous*, et vous observer objectivement tandis que vous jouez le personnage que vous avez créé. Vous pouvez voir clairement, en fouillant encore plus loin dans votre essence, ce qui est vraiment *vous* et ce qui est le chef-d'œuvre créé par vous.

Ce personnage parfaitement adapté possède le répertoire complet des réactions et des aptitudes de survie dont vous vous êtes équipé pour composer avec les idiosyncrasies d'un scénario écrit seulement pour vous et par vous. Vous êtes sans cesse confronté aux situations qui correspondent le mieux aux attentes programmées dans le personnage que vous vous êtes engagé à jouer. Dès que vous observez les schèmes et les ironies de votre performance magistrale, vous modifiez la charge vibratoire dont vous avez investi votre acteur principal.

Votre vie est une danse où les circonstances qui sont vôtres définissent et redéfinissent l'identité du personnage que vous avez choisi d'incarner ainsi que le reflet des réactions de ce personnage sur les circonstances qui s'ensuivent. Vous pouvez certes continuer à tourner au rythme de la même mélodie pendant une vie entière, si cela vous chante. D'ailleurs, la plupart des êtres présents dans votre réalité ne connaissent que ce type de danse. Mais vous pouvez aussi choisir de devenir conscient, vraiment *conscient*, et de vous voir à la fois comme l'auteur et la cible de votre propre création.

Lorsque vous choisissez d'enfreindre vos propres normes, sachez qu'il vous est possible de le faire en étant entièrement présent, en assumant pleinement les conséquences de ce choix, soit en évitant de subir l'effet de la vibration de l'état de victime. Vous n'êtes pas la victime de vos dépendances, de vos appétits ou de vos désirs irrépressibles. Vous êtes un participant entièrement responsable de sa réaction aux options offertes. En approchant ainsi

toutes les options, vous dissipez la charge vibratoire qui vous attirerait des conséquences indésirables.

Quand vous décidez d'introduire dans votre bouche une substance à laquelle vous avez renoncé, faites-le en épousant totalement ce choix, en savourant la chose, et en vous aimant pour cette
action. Ne le faites pas avec l'énergie de la *tricherie* et en vous
détestant. Effectuez vos choix consciemment et pleinement, de
sorte qu'ils soient les meilleurs pour vous.

Il n'y a ni bons ni mauvais choix. Il y a simplement action et
réaction. Et les deux s'entremêlent dans l'éternelle danse de la vie.
Vous pouvez raffiner votre jeu de jambes quand vous vous distanciez de l'illusion de la danse et que vous vous voyez en train de
l'exécuter. Logiquement, l'étape suivante consiste à vous demander
qui vous observe. Si vous n'êtes pas l'illusion qui tourne docile-
ment sur la piste de danse, qui donc se rend compte qu'il est à la
fois le chorégraphe et l'assistance ?

Cette question éternelle est le pivot qui marque le début de
votre quête pour transcender la sphère de l'illusion et connaître la
plénitude de la sphère des possibilités. Car c'est ici que vous résidez réellement. Ici dans la joie illimitée de votre expérience d'être
vivant.

La vision de l'identité que vous personnifiez vous permet de
dépasser les limites de cette expression et de vous connaître tel que
vous êtes réellement. Car l'identité est construite sur un fondement que vous avez tous *fait*. Et qui vous êtes n'a absolument rien
à voir avec le *faire*. Celui que vous espérez dévoiler au cours du
processus de cette quête n'a pas besoin de *faire* quoi que ce soit
pour se connaître tel qu'il Est vraiment. Sa joie dans l'acte simple
d'*être* n'est pas atteinte par les questions qui pourraient distraire
celui qui est pris dans le drame de l'illusion. Celui que vous avez eu
l'occasion furtive d'expérimenter et finalement de connaître n'est
pas touché par les épreuves et les tribulations de votre drame.
Celui-là *Est*, tout simplement. Et il sait. Et il rayonne de la joie de
cette Êtreté, de cette connaissance.

Ayant connu l'expérience de cet aspect de votre vraie nature, vous possédez un point de référence où vous réfugier quand les défis inévitables du monde de l'illusion entrent en jeu. Ce *centre* intouchable s'apparente à l'œil d'un cyclone, où tout est calme malgré le tourbillon qui l'entoure. Ce centre est le refuge où vous résidez vraiment. Le point de vue qu'il vous procure est celui dont vous jouirez finalement lorsque vous sortirez du monde de l'illusion. Vous aurez alors la perspective du témoin. Graduellement, en vous détachant de votre fixation sur les détails de votre drame, vous vous sentirez au-dessus des situations les plus turbulentes en sachant qu'elles ne vous affectent pas.

La vérité de votre être réel réside à l'intérieur de vous, en ce moment même. Vous ne pouvez espérer l'atteindre par l'écoute d'un certain nombre de sermons de soi-disant savants qui se trouvent parmi vous. Vous ne la découvrirez pas non plus par l'ascétisme. Elle ne requiert aucune souffrance ni aucun sacrifice de votre part. Ce n'est pas un état que vous êtes en mesure d'« acheter » en obéissant aux innombrables dogmes religieux présentement offerts par votre monde. Toutefois, par la vision originale de certaines de ces méthodes ou par un sentier que vous parcourrez dans la jungle inexplorée de votre propre conscience, vous *expérimenterez* cette Unité. Vous la connaîtrez et ne l'oublierez jamais.

Peut-être avez-vous passé une bonne partie de cette vie-ci à chercher la connaissance qui a toujours été en vous. Peut-être avez-vous eu, sans vous en rendre compte, des aperçus de cela même que vous cherchiez. Car l'éveil est un état silencieux et subtil. Il est là et *vous* êtes là, puis vous retombez constamment sous l'emprise de l'illusion. Vous avez d'abord un éclair d'illumination, le sentiment d'avoir enfin une vue d'ensemble, puis la clarté se retire une fois de plus.

Finalement, la perspective de la conscience pure se maintient. En continuant à vous élever vibratoirement dans les niveaux de la perception physique, vous réalisez que vous *incarnez* l'Êtreté que vous avez goûtée dans l'œil du cyclone. Quand vous reconnaissez cette perspective et que vous savez qu'elle domine votre conscience, vous savez aussi, sans savoir comment vous le savez, que vous n'êtes plus où vous étiez.

De ce point de vue, le monde dans lequel vous êtes né, et où vous avez joué les scènes de votre drame personnel, est relégué dans le domaine de la mémoire – une archive d'expériences que vous êtes invité à revisiter à volonté. Mais maintenant, quand vous choisissez de regarder rétrospectivement ces épisodes, c'est avec une vue d'ensemble. Vous voyez alors la vérité sous-jacente à ces expériences. Vous êtes témoin pour la première fois de ce qui était obscurci par l'intensité de l'émotion. Quand les voiles de l'émotion sont levés, la véritable objectivité est possible. La mémoire devient un tableau vivant qui révèle le don de la clarté qui était toujours là.

Alors que vous traitez les souvenirs conservés dans vos archives personnelles, que vous les étiquetez, les décodez et les assumez de nouveau, vous voyez où vous avez voyagé pour la toute première fois. Car il est rarement possible de voir où l'on est, du point de vue de l'illusion. Une fois que vous vous êtes distancié des circonstances de votre passé personnel, vous êtes en mesure de reconnaître le territoire familier de votre expérience présente. À travers les lentilles d'une vision plus large, l'authenticité du moment se clarifie et se catégorise automatiquement. Vous vous souvenez alors tendrement des scènes presque identiques qui s'étaient développées en épisodes complets où l'ego occupait la place centrale.

La prise de conscience est instantanée à l'heure qu'il est. La reconnaissance de soi trace à peine une ridule sur les eaux de votre conscience. Seulement une connaissance de ce qui était, grâce au point de vue de ce qui Est maintenant, et un sentiment intense de gratitude pour la richesse de l'aventure.

La perspective du témoin ne permet pas le reproche à soi-même ni le regret. Les circonstances furent ce qu'elles furent pour une bonne raison. Vous avez voulu illustrer une histoire inoubliable. L'intensité de cette expérience n'aurait pas été possible si vous aviez simplement échantillonné les concepts en théorie. Vous pouvez être en empathie avec la douleur et les traumatismes d'un autre être, mais vous ne pouvez vraiment vous mettre à sa place. Vous n'auriez pu espérer atteindre la perspective de la vraie connaissance si vous n'aviez pas fourni clairement vous-même les détails de l'expérience réelle.

Cette clarté provenant de l'expérience durement acquise, c'est ce que vous devez donner maintenant à ceux qui se trouvent où vous êtes. Vous avez la possibilité de leur venir en aide réellement dans les difficultés du processus d'éveil. Vous êtes désormais en position d'accomplir réellement dans ce monde ce que vous avez toujours souhaité secrètement – en manifestant la compassion. Car vous êtes maintenant en position de parler en ayant une connaissance de soi. Ce point de vue n'est possible que quand vous regardez le film de votre vie avec les yeux bien ouverts.

Il est impossible d'effacer les passages intenses de la saga que vous avez vécue. Vous ne pouvez nier les détails de votre voyage sacré, mais vous ne le désirez pas non plus, car ce qui est sacré, c'est l'authenticité de ce que vous avez vraiment vécu au cours de votre voyage dans l'humanité, et pas seulement les épisodes heureux. Pour qu'une histoire puisse avoir une véritable valeur, elle doit être émouvante et mémorable. C'est pourquoi vous l'avez écrite ainsi, en y incluant des passages qui, vous le saviez, seraient inoubliables.

Bientôt viendra le moment de vous distancier de la turbulence de votre odyssée transformationnelle. Ce n'est pas là le point culminant de votre processus, mais plutôt une pause intense dans l'action. Ce temps de réflexion tranquille vous est fourni pour digérer les détails de ce qui a déjà eu lieu et vous préparer à ce qui vient. Soyez conscient de la nature fluide du processus et sachez que vous ne prenez pas là des vacances permanentes quant au travail à effectuer. Il s'agit simplement de vous y acclimater.

Au moment où vous atteignez la perspective du plateau, vous avez traversé une partie du terrain le plus difficile et les détails en sont encore frais en vous, mais vous êtes libre des débris émotionnels qui, auparavant, obscurcissaient votre vision de l'expérience.

Une période tranquille de réflexion vous permet de revoir ce qui s'est passé et de prendre des décisions importantes quant à la direction que vous désirez maintenant suivre.

C'est une période où un changement de cap radical est possible. Vous mettrez peut-être fin soudainement à des relations, ou vous abandonnerez une carrière. Ou encore, vous vendrez votre maison, ou donnerez vos biens, et le fardeau s'allégera alors que la conscience comprendra profondément que ce qui possède une vraie valeur n'a pas grand-chose à voir avec les signes extérieurs de la réussite matérielle, qui semblaient importants jusque-là. Le besoin de simplifier votre vie devient un thème dominant lorsque vous commencez à voir à travers les couches de l'illusion avec les yeux du témoin.

Au cours de la période de calme profond qui s'ensuivra, des choix seront faits qui détermineront dans quelle mesure vous désirez vous aventurer hors de la sécurité familière du monde de l'illusion. Car plusieurs ne voudront pas renoncer au confort du familier. Même s'ils ont eu un aperçu de la vraie réalité, ils choisiront de s'accrocher à l'illusion du connu au lieu de tout abandonner afin de recommencer. La véritable métamorphose requiert que vous émergiez avec une nouvelle personnalité pour fonctionner dans un monde où le compromis est impossible.

Quand vous comprenez bien la dynamique de la manifestation, il devient apparent que les choix exercés doivent refléter votre véritable intention et constituer l'instrument de votre volonté, au lieu d'être une adaptation créée pour accommoder les attentes et les besoins des autres. Au niveau que vous approchez maintenant, l'élan vers l'action ne doit pas être entravé si la réalisation constitue la meilleure possibilité en la circonstance.

Quand on alourdit son choix avec le sentiment complexe de l'obligation plutôt que le pur désir du cœur, la manifestation qui en résulte est souillée par l'énergie du conflit. Une fois que vous avez découvert qu'il est naturel pour l'humain de manifester les désirs du cœur, il devient évident que ce but ne peut être atteint par la transmission d'un message ambigu. Les motivations alambiquées de ceux dont la vie est mêlée à la vôtre vous deviennent très évidentes tandis que vous enlevez les couches de densité qui vous gardaient enraciné dans l'illusion.

L'illusion vous a tenu sous son emprise parce qu'il était toujours important pour vous d'être dans les bonnes grâces des autres. Du point de vue de l'ensemble, le prix exigé pour « suivre le rythme » est trop élevé. Vous remettez donc en question l'importance de ces relations et rompez peu à peu les liens qui vous empêchaient d'exercer de meilleurs choix.

Pendant cette période, vous serez porté à vous entourer de compagnons qui vous laisseront la plus grande latitude de mouvement possible. Souvent, vous choisirez même la solitude ou l'isolement total. Vous serez indifférent aux tentatives de manipulation des autres en vue de vous amener à faire les mêmes choix qu'eux. Beaucoup d'actions de votre entourage vous sembleront comiques. Vous observerez les querelles mesquines qui dominent la vie de votre entourage et demeurerez intact en traversant ces turbulences. Le résultat de ces conflits ne vous concernera pas. Vous savez que tout cela est futile.

Nul doute que l'on vous accusera d'insensibilité ou d'égocentrisme. Mais en réalité votre sensibilité sera accrue. Ce que les autres ne pourront supporter, en fait, ce sera leur propre incapacité à recourir aux tactiques habituelles de manipulation pour vous piéger.

Quand vous cessez d'accorder du pouvoir à l'opinion des autres, vous dégagez vibratoirement le lien qui vous retient à l'illusion. Ce dégagement se déroule graduellement au cours du processus de transformation. Toutefois, pour certains la réalisation sera instantanée et le transfert de leur loyauté à eux-mêmes sera soudain.

Le besoin de simplifier chaque aspect de votre expérience de vie deviendra le thème dominant de cette phase de votre voyage transformationnel. Vous focaliserez votre conscience et dirigerez votre intention vers des activités dissipant tout superflu dans votre vie. La direction du travail de votre vie changera afin de refléter votre joie innée d'être vivant. Tout ce qui sera perçu comme étranger à ce but sera écarté durant cette période. Vous sortirez de la métamorphose qui s'ensuivra en ayant une perspective fondée sur l'Amour de soi.

Le Soi dont il est question ici n'est pas celui de la définition linéaire, myope, du soi avec laquelle vous avez émergé dans la conscience en cette vie, mais celui d'une perception élargie de l'Être. L'illusion qui constituait la somme de votre identité linéaire sera également abandonnée au cours du processus d'émergence. À sa place se manifestera une perception de Soi non soumise au temps et à l'espace.

Quand on est prêt à s'avancer dans la pleine conscience de soi, c'est que l'on a opéré le changement transformationnel marquant le point tournant que l'on appelle *illumination*. C'est un jalon dans votre voyage, le point central de conscience que vous appelez « une âme ». C'est une halte sur le sentier du processus d'ascension qui est devenu le thème majeur de cette vie-ci.

Vous rencontrerez cette halte plusieurs fois sur la route qui serpente ce terrain montagneux. Elle s'apparente à des endroits qui offrent une « vue panoramique » de votre monde physique. Ces lieux d'arrêt vous permettent de vous reposer, de reprendre votre souffle et de réfléchir à la merveilleuse vision qui s'offre à vous, avant de poursuivre votre voyage et votre escalade ardue.

Cette vision reste dans votre conscience même quand elle ne se déploie pas sous vos yeux. Car vous connaissez, pour l'avoir expérimenté personnellement, le point de vue qui sera le vôtre très bientôt. Vous savez que les difficultés du chemin ne sont qu'une illusion qui commence d'ailleurs à s'estomper dans la brume du rêve.

chapitre trente-quatre

Se laisser guider intérieurement.

Le carrefour comme portail du sentier intérieur.

Décliner l'invitation à la dépendance psychique.

L a sagesse est l'essence illusoire recherchée par l'humanité depuis la conception même de l'idée de votre émergence dans la forme. Elle est l'unique élément qui distingue ce que vous avez toujours été de ce que vous avez choisi de devenir. Car l'entente qui gouverne le choix d'émerger en tant que forme douée d'une identité requiert de renoncer à la connaissance de la nature de votre essence divine.

N'est demeurée que l'indéfinissable impression qu'il existe un but profond sous-jacent à tout ce qui vous entoure désormais ; une sagesse ressentie, mais non saisissable. Elle est ressentie parce qu'une parfaite conscience de cette sagesse a existé auparavant, mais aussi parce que cette connaissance ne vous a jamais quitté. Elle fait partie intégrante de votre essence. Vous vous en êtes tout simplement interdit l'accès afin de pouvoir l'*atteindre* par votre propre volonté, contre toute attente.

Maintenant que vous avez commencé à démêler les fils du mystère que vous avez créé, des indices de cette sagesse font surface dans votre conscience de temps à autre. Vous laissez des traces d'illumination sous vos pas, de sorte que, cette fois-ci, vous ne pouvez manquer de voir les indices que vous avez évité de rencontrer jusque-là. Très soigneusement, vous êtes guidé hors de la contrée sauvage où vous présumiez avoir été abandonné. Vous êtes incité à défier la logique de votre raison et à faire des choix que vous « sentez » pertinents.

Plusieurs appellent *intuition* ces éclairs d'illumination. Alors que vous vous débarrassez de votre dépendance à l'illusion des limitations de la réalité linéaire, ces *éclairs* deviennent plus fréquents et plus cohérents. Lorsque vous êtes un peu habitué à les reconnaître et à y réagir, votre propre expérience vous démontre que vous pouvez vous fier à ces aperçus de la vraie nature de ce qui *Est*, car les résultats sont éloquents.

On apprend alors à suivre sa propre direction intérieure plutôt que la prétendue sagesse présentée par ceux qui puisent à d'autres sources d'information. Le sentiment de séparation que vous cherchez à transcender se renforce quand vous offrez votre pouvoir à un être qui prétend posséder des *pouvoirs psychiques*. L'information qui vous est fournie à partir d'une telle source ne peut être validée que par votre propre connaissance intérieure. Il s'agit de reconnaître que vous possédez en vous un instrument remarquablement précis pour évaluer la validité d'une information.

L'information qui vous est procurée par quelqu'un qui se targue de *voir* ce que vous croyez ne pouvoir voir vous-même n'est ni plus claire ni plus précise que le filtre de la conscience de cet être. Certains sont capables de voir à travers les voiles de l'illusion avec une certaine précision et de vous rapporter ce qu'ils ont vu, senti ou entendu. Il est toutefois très rare que ce visionnement *paranormal* soit vraiment de la *sagesse*. Ce qui *Est* ne peut être contaminé par le point de vue d'un autre et n'est disponible qu'aux rares êtres physiques qui ont totalement transcendé, dans leur propre voyage, les voiles de l'illusion.

Les visions offertes par d'autres êtres qui, dans leur propre processus, en sont à divers stades quant à la perception au-delà de ces voiles, sont en grande partie des aperçus isolés du champ infini des possibilités. Ce qui a été lu et rapporté est, selon toute vraisemblance, l'un des innombrables résultats possibles d'une situation donnée. Les choix que vous effectuez librement peuvent donc, par définition, rendre invalide toute prophétie.

Si vous agissez à partir d'une information offerte par un autre individu, quelque *doué* qu'il déclare être, vous affirmez ainsi, vibratoirement, que l'information valide ne vous est pas disponible directement. Et il en est donc ainsi. Vous n'êtes pas venu à cette expérience que vous appelez votre vie pour qu'une autre personne, possédant une aptitude visionnaire discutable, fasse vos choix importants à votre place. Finalement, les choix que vous traduirez par des actions doivent être les vôtres pour produire le résultat désiré.

En cette époque, il est devenu courant de rechercher de l'aide auprès de sources d'information *paranormales.* Ces formes de conscience offrent un certain nombre de points de vue et vous désirez considérer objectivement tout conseil qui vous est donné. Ce n'est pas un très grand exploit que de réussir à entrer en contact avec des êtres qui ont quitté leur forme physique. Ils abondent dans les conditions transformationnelles de votre réalité physique, et la plupart ne demandent pas mieux que de s'immiscer dans votre vie.

Si vous choisissez de leur donner votre pouvoir, sachez que, même si ces êtres sont bien intentionnés, leurs conseils sont influencés par leur propre perspective et leurs propres problèmes, qui existent toujours même s'ils ne possèdent plus leur forme physique. Il y a des chances qu'ils se trouvent simplement « entre deux chapitres » de leur propre saga. Et, en tentant de vous influencer, ils renforcent vibratoirement les liens qui vous unissaient à eux. Sous cet aspect, rien n'a changé. L'essence de la manipulation, ainsi que votre ouverture à son influence, survit.

En recherchant l'aide de ces soi-disant *anges*, sachez que souvent ces derniers ne sont pas rendus plus loin dans leur développement spirituel qu'ils ne l'étaient au moment où ils ont quitté le monde physique. Ils ne sont pas nécessairement omniscients ni d'une sagesse suprême parce qu'ils se trouvent alors dans un état d'être non physique. Vous devez avoir envers eux la même déférence que s'ils étaient toujours avec vous sous une forme physique, et effectuer vos choix en conséquence.

Peut-être avez-vous eu l'occasion d'établir un contact avec d'autres niveaux de conscience – par le véhicule d'un autre être ou par votre propre conscience – et désirez-vous connaître la nature des engagements de ces êtres qui ont choisi de vous servir de *guides* ou de *gardiens* au-delà de la sphère de votre réalité. Ces êtres bien-aimés se sont portés volontaires pour vous assister dans votre focalisation sur le but de votre vie. Ils ne sont sûrement pas ici pour choisir à votre place. S'ils le faisaient, ils violeraient leur propre engagement.

Aucun n'est en position de vivre à votre place, quel que soit leur niveau d'élévation spirituelle. S'ils le faisaient, ils iraient à l'encontre du but même de votre existence. Il n'est pas réaliste d'attendre de vos guides qu'ils interviennent pour vous sauver dans une situation dangereuse, symboliquement ou autrement. Ce n'est pas le but de leur présence. Cependant, ils sont capables, vibratoirement, de vous amener à découvrir en vous-même la connaissance qui vous conduira dans la direction du meilleur choix.

C'est dans ces moments où se pose le carrefour crucial de cette vie-ci qu'une distanciation des circonstances vous sera le plus utile. C'est dans la clarté de cette ouverture silencieuse que vous pouvez être guidé par une source située au-delà de votre esprit. Cette guidance ne vient pas par des mots, mais elle transcende toute limitation et se présente simplement à vous comme la *connaissance*.

Voilà précisément ce qu'on appelle un « moment de vérité », c'est-à-dire un moment où vous pouvez, devant l'inévitabilité d'une action à accomplir, trouver cette *vérité* en vous. Il ne s'agit pas de lancer un S.O.S. et d'être sauvé comme par magie. Cela irait à l'encontre du but de tout l'épisode que vous vous êtes donné la peine de préparer afin de le vivre. Vos guides sont sûrement là pour vous aider de la façon qui importe le plus, mais ils ne vous apporteront pas les réponses.

Il existe parmi vous d'autres catégories d'êtres désincarnés qui ont leurs propres intentions et leurs propres motivations pour tenter de s'immiscer dans votre vie. Il serait sage de votre part d'être prudent et de bien réfléchir avant d'agir selon toute guidance, sollicitée ou non, provenant d'une source désincarnée.

Le niveau de conscience que vous expérimenterez, par séquences, au cours de votre processus ascensionnel éliminera toute inclination à vous soumettre à l'influence des autres pour vos choix de vie. En explorant les nouvelles profondeurs intérieures qui vous sont maintenant disponibles, vous découvrirez que la sagesse que vous cherchiez y réside déjà. Vous prendrez conscience que les réponses se trouvent à votre portée presque avant même que la question soit formulée. Nul besoin de demander l'illumination, puisque la direction du meilleur choix est évidente.

Quand vous serez rendu au carrefour, accordez-vous la grâce de développer les possibilités qui vous conduiront vers le meilleur choix. En ces moments d'incertitude, résistez à l'envie de prendre une décision prématurée. Il est tout à fait possible que la route ne soit pas claire parce que l'information n'a pas encore été entièrement présentée. Vous êtes entré dans une période de votre voyage transformationnel où un changement de direction radical de votre vie est probable. Si vous vous êtes placé dans un tel labyrinthe de circonstances, c'est pour développer votre confiance en votre capacité à découvrir vous-même les réponses. À ce moment-là, vous aurez compris que la guidance des autres ne fait qu'accroître la confusion.

La clarté que vous recherchez quand vous êtes devant une série de variables s'atteint le mieux dans les sphères qui transcendent le mental. Ici, on ne se sent enclin à agir ni dans un sens ni dans l'autre. Quand vous ressentez l'urgence de choisir parmi une série d'options données, reconnaissez ces conditions comme un signal pour vous retirer dans la quiétude intérieure et ne rien *faire*. Car ce sentiment d'urgence est issu de la peur d'effectuer un mauvais choix. Ce ne sont pas là les meilleures conditions pour faire quelque choix que ce soit.

Les réponses que vous cherchez ne viennent pas de votre esprit rationnel. Elles surgissent lorsque vous reconnaissez la sagesse de défier la logique. Elles se présentent quand vous comprenez qu'il n'est pas nécessaire de chercher à vous faire guider par d'autres. Elles sont manifestes quand vous osez croire que vous détenez toutes les réponses.

Pour briser les schèmes de dépendance à l'influence des autres, il est nécessaire de bien saisir que les réponses elles-mêmes n'ont aucune importance. Leur recherche constitue simplement un exercice que vous avez mis au point afin de vous guider vers le chemin conduisant à l'intérieur. Au bout du compte, les options significatives que vous avez créées afin de vous confondre s'évanouissent dans l'obscurité avec les carrefours mêmes qui les ont suscitées. Vous comprenez alors que les questions comme les réponses ne sont pas importantes. Qu'elles ne sont que des véhicules qui vous amènent à une confiance inconditionnelle dans votre capacité de vous guider vous-même intérieurement en *toutes* circonstances. Votre dilemme actuel ne sert qu'à l'illustrer.

Vous aurez finalement conscience qu'il n'y a pas de réponses incorrectes. Les choix que vous avez retenus et qui ont donné lieu à des résultats décevants vous permettent de reconnaître les conditions dans lesquelles ils ont été faits. Les choix effectués dans des conditions marquées par l'incertitude ou par la peur de commettre une erreur établissent les paramètres visant à anéantir vos efforts et à compromettre le résultat espéré.

Les choix effectués sous la guidance d'*anges* ou de *médiums*, ou encore de l'une des innombrables perspectives qui sont disponibles pour vous, ne font qu'accroître la dépendance et annihiler le but de l'exercice. Car « la réponse » n'est pas la réponse. C'est plutôt la Source de cette réponse que vous cherchez. Ce que vos amis ou des clairvoyants, ou encore vos chers disparus, pensent que vous devriez faire dans une situation donnée n'est d'aucune pertinence quant au but de votre venue dans la forme. Ce que vous espériez, c'était de sentir la présence où la Source de toute réponse est incontestable, et de savoir qu'elle était en vous.

Vous vivrez des moments de connexion sublimes au cours des stades supérieurs du processus de développement quand cette connaissance sera à votre portée. En ces moments-là, vous ne serez plus *le chercheur*, car il n'y aura rien à chercher. Tout votre être sera imprégné du sentiment de conscience qui détient la réponse à toutes les questions possibles. Cet état de plénitude sera atteint progressivement par plusieurs d'entre vous, car ce processus d'éveil, qui aurait pu prendre des vies à se réaliser, s'est accéléré dans les conditions transformationnelles de cette époque.

Devant les profonds dilemmes qui se présentent, il s'agit de reconnaître la signification symbolique de ces circonstances. En même temps, il s'agit de puiser en vous-même la preuve expérientielle qui vous aidera à transcender ces illusions. Vous serez éprouvé sans répit au cours de ce processus de libération de la prison de la séparation dans laquelle vous vous êtes enfermé. Le secret de cette liberté ne se cache pas chez les autres, qu'ils en connaissent ou non la route, mais dans le dépassement de votre propre incertitude. Vous vous êtes conduit au bord de ce précipice intentionnellement. Rendu là, il ne vous reste plus qu'à sauter.

chapitre trente-cinq

Réaliser que le monde a changé depuis votre naissance.

Affronter sans crainte le changement global radical.

Pendant un moment, éloignez-vous des préoccupations banales de votre quotidien et prenez conscience des subtilités de votre entourage sensoriel. Vous remarquerez que vos sens physiques se sont parfaitement accordés aux changements vibratoires que vous avez subis et qu'ils vous livrent maintenant une variante très améliorée des informations sensorielles que vous perceviez auparavant.

En approchant des stades supérieurs du processus d'ascension, vous vous rendrez compte que vous êtes beaucoup plus sensible dans votre expérience du monde physique. Soudain, une fleur n'est plus tout bonnement une fleur ; elle offre un profond voyage multisensoriel dans la sphère des odeurs. Votre aptitude à vous ouvrir à une expérience sensorielle supérieure marquera le début d'un changement de conscience dans votre perception du monde. Vous remarquerez d'énormes différences dans votre compréhension de ce qui est *réel*.

Les caractéristiques de votre monde physique acquièrent dès lors une qualité *autre* tandis que vous voyez maintenant, dans ce qui s'offre à vos yeux, des détails jamais remarqués jusque-là. Vous êtes frappé par la vivacité de l'expérience visuelle et vous vous demandez si vous êtes toujours dans le même monde. Vous réalisez que, sous plusieurs aspects, vous ne l'êtes pas.

Dans des circonstances normales, ces changements subtils se produisent si graduellement, et sur une si longue période, qu'il est difficile d'établir une relation entre ceux-ci pendant que les couches de réalité fusionnent en une seule. Cette fois, sous les énergies radicalement accrues qui vous entourent, ces changements ont lieu dans votre conscience à chaque instant. Vous serez fasciné de constater que presque rien n'est resté pareil dans votre réalité physique. Au début, les indices vous échapperont, mais lorsque vous renoncerez à votre besoin instinctif de contrôler votre réalité et que vous consentirez à reconnaître ces changements, il ne fera plus aucun doute que vous êtes littéralement ailleurs.

Votre attention sera tout d'abord attirée par l'effondrement systémique de plusieurs des structures sociétales qui définissent votre monde. Ceux d'entre vous qui pourront voir ces changements inévitables sans céder à la réaction instinctive de peur qui s'emparera de plusieurs seront transportés par les énergies jusqu'à un niveau supérieur.

Pour échapper à la turbulence qui se manifestera au plus fort des changements vibratoires qui viennent, il suffira de vous abandonner totalement au processus en sachant parfaitement que vous ne comprenez peut-être pas encore ce qui se passe en réalité. Les changements seront si profonds et si étendus que vous aurez de la difficulté à conserver votre équilibre mental et émotionnel. Pourtant, quand vous serez confronté à la réalité que vous présenteront vos sens physiques, vous pourrez abandonner le besoin d'exercer un « contrôle » et vous résigner, car vous vous êtes engagé pour l'aventure de toute une vie.

En fait, vous n'avez pas beaucoup le choix en cette matière. Vous êtes trop avancé dans la conscience de l'intensité de ces changements structurels pour vous réfugier dans l'illusion à laquelle vous avez adhéré votre vie entière. La fluidité du mouvement qui vous tient sous son emprise est le seul aspect du processus qu'il vous est possible d'anticiper avec certitude. Ces changements d'une ampleur sans précédent se poursuivront durant tout le reste de cette vie physique et pendant une bonne partie de la suivante. Il faudra un peu de temps avant que le changement dimensionnel se stabilise et que votre réalité redevienne celle d'un monde où la vie est prévisible.

La caractéristique principale de cette époque extraordinaire, sur le plan de votre conscience physique, c'est l'incertitude extrême dans presque tous les domaines. Votre prétendue « science » devra absolument fournir une explication au phénomène qui sera devenu un fait de la vie. Le monde fondé sur ce qui est prouvable s'écroulera dans la foulée d'événements qui ne correspondront pas à votre compréhension linéaire de la réalité.

Le phénomène qui se manifestera ne démontrera pas que vos connaissances sont fausses ; il vous invitera plutôt à les élargir. Les règles qui définissaient votre réalité linéaire tiendront toujours en tant que structure délimitant précisément ce qui *était* vrai de votre monde. Mais ce ne sera pas le monde dans lequel vous vous trouvez maintenant. Ce monde est relégué à un endroit du continuum spatiotemporel où votre conscience n'est plus présente. Car vous vous êtes élevé. Vous n'êtes plus là.

La réalité qui apparaît à vos sens physiques est similaire, sous plusieurs aspects, à celle dans laquelle vous avez passé une grande partie de votre existence. Cette similitude est toutefois superficielle. Toute la dynamique de la manifestation de votre réalité dans cet « ici-maintenant » est un processus entièrement différent. Même si vous êtes en interaction avec le même groupe de personnages et que vous vivez sous le même toit, du moins en apparence, il s'agit désormais d'un autre genre de drame.

Ceux d'entre vous qui auront la présence d'esprit de se laisser fasciner par les changements se produisant dans leurs sens physiques pourront s'adapter facilement au fait que leur identité même est différente. Vous découvrirez soudain que vous avez inexplicablement transcendé les limites physiques que vous considériez comme des caractéristiques permanentes de votre être. Cette fois, vous vous découvrez des aptitudes que vous n'aviez pas ; vous avez des perceptions sensorielles que vous n'aviez jamais expérimentées ; les « miracles » sont devenus chose courante, et pas seulement pour vous mais pour tous.

Le processus d'éveil s'est accéléré au point que ceux qui admettent ouvertement avoir conscience des changements sont plus nombreux que les autres. Et, même dans les milieux sociaux où vous ne vous attendriez pas à une ouverture à ces concepts, on accepte ouvertement le fait que tout semble changer. Partout les gens tournent leur conscience vers l'intérieur et cherchent au-delà de la réalité physique un fondement spirituel sur lequel établir leur compréhension de ce qui est tel.

La sophistication des concepts et des connaissances varie, mais la conscience intérieure est universelle. La façon dont vous choisirez d'aborder ce qui se passe vous séparera de vos congénères ou vous réunira tous. Ceux qui choisiront de combattre la réalité qui se présentera créeront de difficiles et douloureux obstacles à la vie qu'ils désirent. Ceux qui transcenderont les différences et le sentiment de *séparation* définissant votre monde hériteront du point de vue que tout est possible.

Vous serez désormais en mesure de partager plus ouvertement votre expérience de cette époque. Ceux qui se sentaient inhibés par le point de vue consensuel auront l'impression de pouvoir enfin exprimer librement leurs sentiments réels et dire sans crainte ce qui se passe dans leur vie. Car partout les gens vivront ces expériences. Nul besoin de continuer à vous considérer comme un être bizarroïde et d'avoir peur de révéler la réalité de vos expériences. Tous pourront dorénavant observer les phénomènes caractérisant les stades supérieurs de la transformation.

Plusieurs ont une peur résiduelle d'autres réalités et d'autres contextes temporels où leurs perceptions spirituelles ont été accueillies par des atrocités. Ceux-là peuvent maintenant affronter cette peur profonde et émerger sans encombre dans la nouvelle aube de cette époque. Les systèmes fondés sur la peur, qui exercent depuis longtemps sur votre monde une tyrannie incessante, vont bientôt s'effondrer dans le sillage d'une conscience invalidant tous les systèmes de discrimination établis par l'homme.

Vous qui êtes frappés par le ravissement éprouvé, soyez rassurés : cette joie extraordinaire causée par le simple fait d'être vivants appartient tout naturellement à la condition humaine au niveau supérieur que vous ne faites qu'aborder. Résistez à la tentation de soupçonner que quelque chose *ne va pas* quand vous avez ces merveilleuses sensations ou perceptions. Les expériences jusque-là réservées à une élite spirituelle sont à cette heure accessibles à tous. Votre ouverture à la possibilité d'expérimenter en cette vie-ci votre absence de limites prépare le terrain aux manifestations de ce niveau expérientiel.

Vous vous attirerez la guidance dont vous avez besoin pour atteindre le niveau de connexion souhaité depuis longtemps. Votre résistance à la possibilité de ces expériences détermine le niveau auquel vous pourrez vous percevoir. Vous serez conduits systématiquement dans la direction de l'abandon ultime à la vérité de votre Unité avec toute la Création, quel que soit le nombre de vies que cela prendra.

Plusieurs d'entre vous sont actuellement au seuil de ce niveau de conscience. En reconnaissant cette Unité, vous vous joindrez à une légion d'êtres entièrement éveillés. Car, par définition, lorsque vous êtes parfaitement présents dans cette conscience, vous savez que vous n'êtes pas seuls. Ceux d'entre vous qui sont présentement à la pointe de la vague vous rapprochant de cette percée serviront d'enseignants et de guides spirituels aux masses qui marcheront sur leurs traces. Ils auront fait le voyage en avance sur les autres afin de s'équiper pour en aider certains.

Vous n'avez aucun mérite à vous être éveillés au moment où vous l'avez fait. Vous appliquez tout simplement un choix que vous avez exercé au plus haut niveau. Votre aptitude à terminer votre voyage humain en gardant intacte votre humilité déterminera à quel niveau vous émergerez une fois encore dans le monde physique. Certains choisiront de renforcer leur emprise sur cet éveil crucial en se procurant cette expérience à plusieurs niveaux. N'allez pas croire que l'histoire est terminée quand vos yeux sont vraiment ouverts. Vous referez sans cesse ce voyage. Au bout du compte, vous vous connaîtrez tellement bien chacun en tant qu'Unité que vous n'aurez plus ni le désir ni le besoin de refaire ce voyage.

Il y a des chances que vous soyez tous déjà passés par là. Il est fort possible que vous ayez déjà découvert, à votre grande surprise, les vérités qui vous coupent le souffle en ce moment. Car, en vérité, le temps *n'existe pas*. Vous complétez cette expérience de l'ascension à un nombre infini de niveaux simultanément. Le plaisir du moment de l'éveil, voilà l'expérience que vous espériez vous procurer dans le contexte de la forme. C'est un moment que vous expérimenterez exponentiellement à tous les niveaux de votre être, un très, très grand nombre de fois.

Vous ne pouvez absolument pas échouer. Sachez-le. Sur le chemin menant à l'Unité, il n'y a ni réussite ni échec. Il n'y a que l'option d'infinies possibilités à expérimenter en route. C'est d'ailleurs ce qui maintient votre intérêt et vous incite à y revenir.

chapitre trente-six

N'être nulle part. N'être rien ni personne, ici et maintenant.

Où alliez-vous tout ce temps ? Où cette quête vous mène-t-elle ? Et où vous trouvez-vous en ce moment ? La réponse à toutes ces questions est très simple : nulle part. La direction dans laquelle vous présumiez vous diriger pendant une bonne partie de cette vie-ci ne vous conduira pas où vous désirez maintenant aller. Ce chemin ne conduisait donc nulle part. La quête de l'illumination qui vous a toujours échappé vous conduit à la même destination, car vous ne pouvez être nulle part au-delà d'où vous êtes présentement. Tant que vous croyez qu'il existe une destination juste au-delà de l'horizon, vous n'êtes nulle part.

Le transfert de votre ambition de la sphère matérielle au domaine spirituel ne change rien. Vous demeurez dans une quête incessante de ce qui vous manque, croyez-vous. Tant que vous n'êtes ni ici ni là, vous n'êtes nulle part. Vous êtes dans un enfer d'efforts, un état qui invalide la réalité du point où vous êtes par rapport au point où vous croyez que vous n'êtes pas. Alors qu'en fait c'est dans ce *Nulle part* que vous désirez le plus ardemment être, et c'est là que vous avez toujours été.

La destination vers laquelle vous présumez que votre quête spirituelle vous porte n'en est pas du tout une. Par définition, une destination est ailleurs qu'à l'endroit où vous êtes. Et où vous êtes est le seul lieu qui existe et existera à jamais, soit *Nulle part*. Tout ce qui peut changer, c'est votre perception de cet heureux état. Tant que vous croirez qu'il vous manque un bout de chemin, vous connaîtrez le mécontentement, quelle que soit la distance que vous penserez avoir parcourue. Quand vous embrasserez le moment de l'« ici-maintenant » comme une affirmation joyeuse de votre être, quel que soit le point où vous croirez être, vous serez arrivé. Car il n'Est nulle part où il faille « Être ». Une fois là, on Est, tout simplement. On est partout. Ce qui, par définition, est *Nulle part*.

Le moment du « maintenant » dans lequel vous vous trouvez est une affirmation de perfection formulée à l'univers. C'est la réponse parfaite aux paramètres que vous avez établis. C'est le reflet parfait de vos attitudes, de vos croyances et de votre manipulation physique et consciente de l'illusion que vous tenez pour votre vie. C'est là que vous désirez le plus être. Ce moment même. Maintenant. C'est le point culminant de tout ce qui a eu lieu déjà. Et il est ici pour vous livrer un trésor, dans la mesure où vous consentez à le recevoir. Cependant, tant que vous nierez la perfection de ce « maintenant » et des circonstances dont il vous a fait don, vous continuerez à errer, à chercher quelque chose qui restera toujours hors d'atteinte.

Il s'agit, en ce moment du « maintenant », de cesser complètement cette activité et d'Être simplement immobile. En définitive, c'est dans l'immobilité que vous découvrirez ce qui a toujours été là : *Rien*. Rien du tout. Pas de grandes lumières aveuglantes. Pas de profondes idées « cosmiques ». Pas d'*autre* à quoi vous connecter afin d'être *complet*. Pas d'impression d'atteindre quoi que ce soit. Pas de sentiment enthousiaste de votre valeur personnelle. Ce ne sont là que les accessoires d'une illusion linéaire que vous avez laissée derrière vous quand vous vous êtes aventuré dans la véritable *réalité*.

Dans l'immobilité, il n'Est *Rien*. Rien à « avoir ». Pour connaître l'« avoir », il faut avoir connu le « non-avoir », un sentiment de manque. Dans un état de perfection, rien ne peut manquer. Il ne peut exister que *Tout*. Où il y a tout, il ne peut exister rien de plus. Et cet état n'est possible que lorsqu'il n'y a *Rien*, rien de plus à désirer. Car, dans ce Rien, Tout ce qui Est s'avère présent.

Qui serez-*vous* une fois engouffré dans cette immobilité infinie ? Serez-vous qui vous êtes maintenant ? Ou quelqu'un d'autre, une version supérieure, plus intelligente, plus raffinée de celui que vous pensez être *vous* ? Ni l'un ni l'autre. Celui qui émerge à la perception de Soi dans l'Immobilité infinie est *Personne*. Car, par définition, *vous* ne pouvez être dans l'Immobilité infinie. Rien ni personne ne peut être là. Et pourtant, dans la profonde quiétude que vous connaîtrez, vous expérimenterez la *conscience*. Et, en même temps, vous saurez qu'il n'y a « là » rien *dont* on puisse être conscient.

Qui fait l'expérience de cette conscience ? Ce ne peut être *vous*, car *vous* ne pouvez être là. La seule possibilité ? *Personne*. C'est au bout du compte ce que vous découvrirez que vous êtes. Car, pour être « quelqu'un », *ce que vous êtes*, il faudrait qu'existe *ce que vous n'êtes pas*. Ni l'un ni l'autre ne peuvent exister dans l'Immobilité infinie, car rien ne peut y exister. Par conséquent, dans cet heureux état de *conscience*, vous ne pouvez Être que *Personne*. Et, en même temps, votre *conscience* est Tout ce Qui Est là. Dans l'Immobilité, vous comprendrez que vous Êtes cela.

Quand vous sortirez de l'illusion, même pour un seul instant, et que vous renoncerez à votre prétendue réalité, il y aura toujours la possibilité de vous perdre dans une réalité qui ne connaît ni futur ni passé. Dans cet état de conscience, il ne peut exister que le Maintenant. Et dans cet état de maintenant existe Tout ce qui Est, le moment toujours présent que vous incarnez en réalité.

Dans l'illusion, vous avez un passé. Et, dans votre esprit, vous aspirez constamment à vivre dans un avenir qui semble ne jamais arriver. Dans l'Immobilité, vous expérimentez tout ce qui imprègne le Maintenant et vous reconnaissez en lui Tout ce qui Est. Vous expérimentez l'omniprésence de votre conscience, ici dans l'éternel Maintenant. Et vous comprenez que votre *conscience* est ce Maintenant, le sentiment d'une présence fusionnée dans l'Unité avec l'éternel Tout ce qui Est.

C'est avec ce sentiment de présence, ce sentiment de conscience de Soi, qu'il vous sera possible de revisiter et d'expérimenter l'illusion qu'est votre vie. Vous pouvez choisir de connaître ce sentiment de sublime détachement, cette Êtreté que vous avez goûtée furtivement dans l'Immobilité, et de découvrir dans l'« ici-maintenant » Tout ce qui Est. À l'intérieur de la polarité de tout ce qu'Est l'illusion, ainsi que dans la polarité de tout ce qu'elle n'Est pas, gît le spectre complet de l'Êtreté, qui n'est ni plus ni moins que Tout ce qui Est. L'illusion est partout et nulle part. Elle est tout et *Rien*. C'est Vous, le vrai Vous, qui avez abandonné les signes extérieurs de l'identité et qui savez ne pouvoir être que *Personne*, ici dans le toujours infini du *Maintenant*.

chapitre trente-sept

La signification de la résolution des conflits sans faire de compromis.

Les fondements vibratoires de la paix et de l'harmonie interpersonnelles et globales.

D es changements majeurs ont lieu présentement dans votre réalité. La composition fondamentale de tout ce que vous considérez comme *réel* se restructure afin de résonner harmonieusement avec les caractéristiques des réalités de vibration supérieure. Au cours du processus, beaucoup de choses qui semblaient stables seront soudainement plongées dans le désordre et la discorde. Vous vous demanderez très certainement ce qui se passe.

Les systèmes sur lesquels repose votre société s'écrouleront vraisemblablement, car ils sont construits sur des fondations de vibration inférieure impossibles à maintenir dans des conditions d'accélération vibratoire. La conscience collective, qui n'est pas moins que la somme de ses parties, apporte au moment présent une orientation radicalement nouvelle, de sorte qu'elle ne voudra plus des conditions oppressantes et négatives auxquelles vous êtes tous sujets.

La transformation qui a cours en chacun de vous se reflète dans la collectivité dont vous faites partie énergétiquement. Les vieilles structures, qui représentent des modes désuets d'interaction humaine, s'effondreront unilatéralement dans la foulée du changement universel qui a lieu actuellement dans la conscience humaine. Il n'y a tout simplement pas assez de formes-pensées pour soutenir ce qui vous est devenu inutile.

Ce principe peut s'appliquer virtuellement à chaque aspect de votre réalité. Vous serez étonné de l'ampleur du changement qui surviendra dans la conscience de masse. Partout, les gens s'éveillent à un niveau de conscience supérieur. Même si la plupart sont toujours conditionnés culturellement à réprimer de telles perceptions, de crainte d'être jugés ou ostracisés, l'énergie qui bouillonne au plus profond de chacun incite à éliminer les schèmes habituels qui retiennent prisonniers. L'insatisfaction qui fermente dans la conscience collective s'extériorisera et servira de catalyseur pour évacuer toute structure restreignant la liberté personnelle.

L'humanité entière remet aujourd'hui en question le fondement de cette répression. On découvrira que les questions cruciales sur lesquelles sont basés ces régimes n'ont plus de pertinence quant à la façon dont se perçoit la population en général. Les gouvernements tomberont. Les économies s'écrouleront. Les superstructures spirituelles disparaîtront. Les pouvoirs dont dépend votre monde se retrouveront dénués de leurs ressources et devront relâcher leur emprise sur la force vitale de la collectivité. Une nouvelle forme de pensée apparaîtra, qui renforcera la volonté collective au lieu de la réprimer.

Les conditions qui régneront sur votre monde durant cette transformation effraieront ceux dont l'orientation est enracinée dans le besoin, basé sur la peur, de résister au changement. Ceux qui reconnaissent le mouvement incessant qui se développe sont en mesure de faciliter le processus en permettant aux changements qui se déroulent si naturellement de survenir aussi sur le plan personnel. Le maintien d'une emprise mortelle sur le passé ne fera que stimuler les énergies qui vous sont nécessaires pour dégager tout ce qui vous empêche de suivre le mouvement du changement.

Dans certains cas, le soulèvement sera si radical qu'il vous forcera à mettre en question l'essence fondamentale de la vie elle-même et votre place dans un monde où plus rien ne semble certain.

Il doit en être ainsi. Pour vous élever vraiment dans la plénitude de votre future identité, vous devez vous libérer de tout ce qui tend à vous restreindre. Vous êtes un être ascensionné, puissant, qui traverse un paysage changeant dans l'illusion qu'il perçoit comme sa réalité. Ces changements ne *vous* arrivent pas ; *vous* les avez plutôt suscités vibratoirement. Et votre conscience de la dynamique du changement qui se produit partout autour de vous facilitera l'expérience, pour vous comme pour tous ceux qui voyagent à vos côtés. Car les circonstances de votre vie sont le reflet de la facilité ou de la résistance avec laquelle vous réagissez au mouvement du changement. Plusieurs prendront exemple sur vous pour établir le rythme de leur propre assimilation de ces changements de conscience.

Ce n'est nullement un hasard si votre conscience s'est accrue et si vous avez reconnu la fausseté collective reflétée par les conditions archaïques que vous transcendez actuellement. Vous avez choisi cette expérience particulière comme un point fort de votre voyage dans le monde physique en cette vie-ci. Votre essence même requiert que vous écartiez toute tentative de contrainte. Il s'agit de reconnaître la possibilité d'effectuer ces changements sans s'engager dans un affrontement ou un conflit.

En abordant les épisodes qui défient vos objectifs et mettent en péril la stabilité de votre situation, il vous est possible de reconnaître et d'honorer un autre être qui reflète sa propre vérité, même si cela requiert de modifier vos attentes. Si vous vous accrochez à votre idée du cours que devraient prendre les choses, cela ne fera qu'accroître l'énergie discordante de ces conflits. Si vous laissez les circonstances évoluer vers leur résolution naturelle, vous augmenterez votre capacité de manifester des résultats qui serviront les meilleurs intérêts de toutes les personnes concernées.

Vous ne pourrez peut-être pas prévoir dans quelle direction vous vous dirigez si vous persistez à agir en fonction d'engagements désuets. Les changements de priorités seront soudains et intenses. Les gens changeront radicalement de direction dans ces conditions, sans égard à ce qui a été dit ou non précédemment.

Il est inutile de tenter de forcer une autre personne à honorer un engagement qui n'a plus aucun sens pour elle. Il vaut beaucoup mieux de reconnaître la validité de la perspective d'un autre, de *son* point de vue, et de travailler ensemble vers une résolution qui vous renforcera mutuellement et permettra des choix supérieurs qui n'auraient peut-être pu être anticipés autrement. Quand vous regarderez rétrospectivement certains de ces épisodes volatils, vous apprécierez la sagesse d'avoir abandonné ce qui semblait certain, afin de laisser place à la manifestation du meilleur résultat possible pour tous les individus concernés.

Plusieurs des conflits que vous rencontrez à l'heure actuelle et que vous continuerez de rencontrer sont de nature *karmique*. Il est possible que des interactions explosives soient le reflet direct d'une résolution de conflits ayant lieu à d'autres niveaux de réalité. Quand vous constatez chez des individus avec qui vous avez partagé de l'histoire en cette vie-ci des réactions extrêmes qui ne leur ressemblent pas, n'éliminez pas la possibilité que ce soient là les répercussions d'interactions se produisant entre d'autres aspects de chacun de vous. Il est facile de puiser dans ces énergies pour jouer ici des drames similaires à ceux qui ont lieu dans d'autres relations que vous partagez avec cet être dans d'autres réalités.

En tentant de résoudre une discorde apparemment injustifiée avec certains individus, considérez que vous n'avez rencontré là que de l'*énergie*. Et ce pourrait bien être une énergie qui s'est accrue et qui s'est manifestée dans votre champ énergétique en vertu de types similaires d'interaction dans lesquels chacun de vous a été attiré. Alors que l'énergie cherche sa résolution, elle se transporte dans votre réalité présente et affecte votre échange avec des individus, sans égard à ce qui a réellement été dit ou fait. Vous pouvez servir les intérêts de tous les individus concernés si vous résistez à l'envie de sortir de vos gonds et de donner à quelqu'un

« ce qu'il mérite ». La provocation peut très bien avoir son origine dans une réalité dont vous n'êtes pas conscient et déclencher des émotions similaires dans cet « ici-maintenant ».

Vous avez résolu des crises avec plusieurs des acteurs principaux de votre vie. Vous reconnaissez la tendance à mettre fin à certaines relations à plusieurs niveaux. Vous sentez que la base sur laquelle étaient fondées certaines relations a changé. Tandis que vous partagez toujours avec ces êtres une certaine familiarité, vous sentez que, loin sous la surface de cette connexion, le lien a perdu de sa solidité.

Sans doute l'un de vous a-t-il choisi de dévier du chemin partagé pendant un certain temps. L'énergie qui passait facilement entre vous auparavant semble épuisée. Chacun peut choisir de poursuivre la relation. Toutefois, vous découvrirez inévitablement que chacun a choisi d'abandonner les liens qui vous retenaient dans une alliance qui ne vous nourrissait plus ni l'un ni l'autre.

En cette époque, la dynamique de votre réalité change beaucoup trop rapidement pour que quoi que ce soit demeure inchangé pendant longtemps. En choisissant d'être fidèle à votre vérité dans ce moment du « maintenant » quant à certaines relations, sachez que vos sentiments n'invalident pas la pertinence de ce qui fut déjà partagé. C'était alors… et vous voici maintenant. Vous avez eu l'occasion de dégager, avec l'énergie de la compassion et de la gentillesse, tout lien cherchant à vous garder dans une situation où vous n'êtes plus à l'aise. Sachez que vous exercez ainsi le meilleur choix, tout en déclinant l'invitation au compromis au nom de « la paix et l'harmonie ». La paix et l'harmonie ne peuvent se réaliser vraiment que si l'on renonce à sa propre vérité intérieure.

Pour durer, la paix et l'harmonie doivent se construire sur une base qui convient parfaitement à tous. Bien des manipulations et des tentatives pour exercer un contrôle sur l'énergie du conflit se sont présentées pour le résoudre au nom « de la paix et de l'harmonie ». Rarement toutefois ce but se trouve-t-il réellement dans le cœur de ceux qui s'assoient face à face à la table des négociations.

L'*énergie* de la paix et de l'harmonie n'est pas tellement compatible avec celle du compromis.

Pour se réaliser, la paix et l'harmonie doivent être une fin ressentie vraiment dans le cœur. Sans une base vibratoire établie sur un désir sincère de bien-être pour l'autre partie, les efforts qui passent par le *compromis* sont voués à l'échec.

Quand on est entièrement honnête avec soi-même quant à sa véritable position, il n'est vraiment utile à personne de construire un scénario qui ne recherche cet objectif que pour la forme. Ce faisant, on ne fait que retarder la résurgence inévitable de la discorde entre les factions en question. L'histoire de votre réalité témoigne de cette vérité. Vos points de vue divergents ont servi à vous polariser, en tant que race d'êtres, en des factions enclines à la vengeance et à d'autres expressions similaires de l'ego.

Par l'emploi de la force pour contrer la volonté collective d'un autre groupe d'êtres, la race humaine a renforcé l'énergie de la *séparation* tout au long de son histoire. C'est ce penchant même qui a fait obstacle à vos efforts d'unification en tant que race et empêché la manifestation des meilleurs intérêts de l'humanité entière.

Vous vous demandez peut-être alors quoi faire lorsque vous êtes chacun confronté au point de vue opposé d'un autre être ou à une expression de la volonté collective. Il ne faut *pas* commencer par examiner les motifs de l'autre partie, mais les vôtres. Il faut d'abord creuser honnêtement sous la surface de la position que vous avez adoptée et explorer la base réelle de *votre propre* position. Il y a des chances que, si vous approchez cet exercice en toute honnêteté envers vous-même, vous reconnaissiez une forteresse bâtie sur des fondements de l'ego, une expression de la volonté enracinée dans la peur de la suppression par la volonté et l'ego d'un autre. Ce n'est pas une bonne façon d'atteindre l'Unité, et encore moins la *paix mondiale* que vous feignez de rechercher.

Le concept d'Unité en tant que collectif de l'humanité n'est absolument pas réalisable sans une analyse approfondie des cœurs de tous ceux qui composent cette humanité. Ceux qui emploient toute leur volonté à supprimer les meilleurs intérêts d'un autre être ne font que renforcer la polarité qui existe entre vous. Ce faisant, vous élargissez la brèche qui sépare tous les humains d'eux-mêmes et de l'unification dans l'Unité vers laquelle tend désormais toute la Création. En continuant à manifester les schèmes habituels qui renforcent votre attitude centrée sur « la raison du plus fort », vous contrez le mouvement même vers lequel vous tendez.

Vous ne pouvez espérer réaliser « la paix et l'harmonie » collectives sans appliquer individuellement la véritable essence de ce concept à vos relations interpersonnelles. En examinant votre position sur une question donnée, vous pouvez reconnaître les domaines dans lesquels vous êtes amené, par les motivations de l'ego, à imposer votre volonté à quelqu'un d'autre. Lorsque vous y regardez de plus près, une solution naturelle finit par se présenter, qui permet aux deux parties d'être fidèles à l'expression de leur véritable essence sans causer de préjudice ou de blessure à personne. C'est cette solution optimale qu'il faut rechercher à tous les niveaux afin que le piège vibratoire du *compromis* soit contourné et que la paix véritable règne enfin.

Les réponses que vous cherchez dans votre vie personnelle ne diffèrent pas de celles que vous cherchez dans votre quartier, votre pays et dans vos interactions globales. Tout doit être approché sous l'angle de l'*énergie* afin d'apporter une solution durable. L'énergie qui est contrecarrée plutôt que transformée refera surface avec une force nouvelle, sous une autre forme, quel que soit le soin que vous aurez mis à établir les termes de vos tièdes engagements contractuels.

Cessez de chercher les motifs égoïstes de l'autre partie et cherchez ceux qui sont sous-jacents à *vos propres* actions. Voilà la base de la véritable harmonie à laquelle vous aspirez tous profondément. Votre situation mondiale n'est rien de plus qu'un reflet amplifié de l'énergie de la conscience collective. Vous faites partie de cette dynamique de groupe. La seule manière de changer la vision mondiale, c'est de changer le sens de ce que vous y projetez. Chacun de vous, un conflit à la fois.

En modifiant l'énergie que vous projetez, même dans le cadre d'une rencontre apparemment anodine, vous changez aussi la vibration du macrocosme de votre monde. Si chacun de vous agissait ainsi en chaque circonstance où sa volonté personnelle se heurte à celle d'un autre, vous obtiendriez la paix mondiale et, finalement, l'Unité à laquelle vous aspirez ardemment dans toute la Création.

chapitre trente-huit

Intégrer les aspects fragmentés de votre identité
au moyen de l'émotion.

Des épisodes intenses avec des acteurs-clés,
comme catalyseurs de l'intégralité.

D es visions de la nouvelle conscience se dérouleront devant vous tandis que vous assimilerez les fréquences supérieures et relâcherez votre emprise sur une réalité que vous croyiez immuable. Rien n'est plus permanent, sauf dans la vraie réalité. L'illusion que vous avez créée et dont vous vous êtes convaincu de la réalité possède la permanence, un sens fondamental de l'urgence et un élan vers l'action qui devient une course contre la montre que vous pouvez effectuer dans un certain nombre de domaines. Pourtant, vous avez déjà élargi votre perspective et vous vous demandez si vous désirez vraiment continuer à explorer ces sphères ou s'il est temps de passer à celle de l'intemporel pour connaître ce qui est réellement là, du point de vue du monde physique.

Ces mots peuvent vous paraître absurdes de prime abord. Cependant, lorsque vous examinerez les priorités, les engagements et tous les détails auxquels vous attachez de l'importance, vous reconnaîtrez, dans un moment d'illumination, l'absurdité de tout cela. Ce faisant, vous aurez préparé le terrain pour continuer à avancer et à expérimenter d'un point de vue différent ce qu'il vous reste à vivre. Sans être parfaitement conscient de ce qui se passe, vous verrez la vie d'un œil différent.

Vous reconnaîtrez ce changement graduellement. Ses subtilités vous échapperont peut-être pendant un certain temps, alors que vous continuerez à alterner entre divers niveaux de conscience. Toutefois, les circonstances de votre vie sembleront alors se calmer, se stabiliser, et vous atteindrez un état d'être où vous saurez que vous n'êtes plus qui vous étiez. Même si vous habitez le même corps et que votre identité est toujours reconnaissable, elle ne sera plus la même.

La reconnaissance de ce qui s'est déroulé sera assimilée après le fait, alors que vous vous ajusterez aux fréquences supérieures qui vous entoureront. Tout se déroule plus vite actuellement. Vos objectifs sont désormais très clairs, ainsi que ce sur quoi vous désirez concentrer vos énergies. Vous découvrez que vous êtes virtuellement entouré d'êtres dont le but semble parfaitement aligné sur le vôtre. À partir de là, la vie s'écoule facilement. Même s'il y aura certainement des moments d'incertitude et de conflit, la résolution de ces énergies aura lieu d'une manière toute naturelle. La proverbiale « ligne de moindre résistance » vous apparaîtra à chaque tournant. En la suivant instinctivement, vous irez dans la direction d'une satisfaction de plus en plus profonde quant à *votre vie*.

Rétrospectivement, vous vous demanderez pourquoi tout semblait alors si compliqué, frustrant et opprimant, quand tout est maintenant si différent. Vous vous rendrez compte que *vous* n'êtes plus le même *vous*. Vous vous serez aventuré à un autre niveau d'expérience, fusionné à de multiples couches de conscience qui considèrent toutes qu'elles sont *vous*. Le point de vue d'où vous percevez ce moment du « maintenant » résulte d'une vision composite. Il puise à même des archives d'expériences de vie à multiples facettes qui ont récolté le résultat de l'exploration de chaque variation possible sur le thème de ce que vous croyez être *votre vie*.

Les autres êtres que vous rencontrez dans vos interactions quotidiennes ne sont pas nécessairement rendus au même point que vous. Ce n'est pas parce qu'ils se trouvent « ici » en votre présence qu'ils vibrent nécessairement à la même fréquence. Vous pouvez rencontrer un *fragment* d'essence composite représentant l'identité d'un être qui vous est familier, et pourtant les réactions de celui-ci vous sembleront peut-être inappropriées à la nature de l'histoire que vous avez partagée. Il faudra vous conditionner à exercer la tolérance au cours de telles rencontres et savoir que les autres n'ont pas nécessairement élevé leur conscience autant que vous.

Durant une interaction avec un fragment de l'essence d'une personne en particulier, il se peut que vous n'éprouviez plus le sentiment de connexion ressenti auparavant. Ne portez pas de jugement. Laissez simplement l'interaction se produire et les énergies se stabiliser. Il est probable que, aux stades supérieurs de ce processus, vous serez des catalyseurs l'un pour l'autre afin de mener à sa résolution ultime les questions qu'un aspect donné de l'identité de l'un ou de l'autre a mises en évidence. Laissez les énergies s'exprimer. Laissez retomber la poussière et consentez à assister à l'émergence d'une version supérieure de l'autre personne, grâce à cette rencontre.

Vous pouvez anticiper des affrontements violents avec certains êtres, alors que chacun aidera l'autre à ce qui ne sera rien de moins qu'un processus de naissance. En déclenchant la libération d'énergies qu'aucun de vous n'aura apportées d'un autre aspect de la réalité, vous vous prendrez par la main vibratoirement et chacun fusionnera avec des aspects supérieurs de son propre être. C'est au cours des plus amères de ces rencontres, des scènes que vous vous seriez crus incapables de jouer, que vous pouvez vous aider mutuellement pour libérer les fils qui vous gardent emmêlés dans des interactions *karmiques* habituelles.

En éliminant quelques-unes de ces contraintes vibratoires que la plupart d'entre vous ont portées à un certain niveau de leur conscience, vous libérez la voie pour l'intégration de ces pièces fragmentées de votre propre essence. Une fois la *charge* réprimée libérée, les reliquats vibratoires du ressentiment, des souffrances et de l'outrage que vous vous êtes mutuellement infligés peuvent enfin remonter à la surface. Là, devant vous, se trouve alors la réalité du sentiment sous-jacent qui a empêché un lien de confiance vraiment inconditionnel de se former entre vous. Et là, devant le témoin de votre propre conscience multidimensionnelle, se révèle une pièce manquante majeure de votre propre essence, que vous ne pouviez pas ou ne vouliez pas reconnaître.

Les épisodes émotionnels les plus intenses sont probablement déclenchés par des êtres que vous considérez comme vos plus proches alliés en cette vie-ci. Car rarement les rôles sont-ils joués à partir d'une seule perspective. Les acteurs principaux de votre script ont été là pour vous, et vous pour eux, dans tout l'éventail des rôles, tout au long de votre histoire. Vous avez été des amoureux chéris et des ennemis détestés. Enfants, vous avez couru ensemble dans les champs de la vie. Vous avez été les parents l'un de l'autre plus de fois que vous ne pourriez les compter. Et tout ce temps, vous vous êtes mutuellement aidés à faire naître votre conscience à chaque niveau de votre développement, avec chaque interaction chargée d'émotions.

Dorénavant, tandis que votre processus transformationnel atteint un crescendo, vous serez attirés dans des circonstances où des aspects de votre conscience multidimensionnelle seront incités, par la voie des émotions, à remonter à la surface. La cause réelle de la rencontre explosive importe peu. Et qui a « tort » et qui a « raison » n'est d'aucune pertinence. Car on n'a « raison » qu'en fonction d'un point de vue, et chacun, dans un tel moment, est attaché avec myopie au sien. Mais l'essence de la rencontre, comme catalyseur de vibrations réprimées, c'est ce que vous serez amenés à déclencher au tréfonds de chacun de vous. Ce faisant, chacun sera aidé pour se lier intégralement à des aspects de son être qui avaient été *rejetés* en raison de la peur, de la honte, de l'outrage ou de toute émotion profonde avec laquelle, à un moment ou à un autre, il était tout simplement incapable de composer.

À ce stade de votre processus, tout doit remonter à la surface pour être examiné et « possédé ». Rien ne demeure enfoui. Et vos acteurs-clés sont là pour vous, exactement au moment voulu, afin de vous servir en faisant le nécessaire pour libérer les sentiments que vous vous dissimuliez. Vous pouvez choisir de vous éloigner des comportements que certains de ces acteurs adopteront dans leur performance avec vous. Vous reconnaîtrez pourtant le symbolisme de la dynamique qui aura eu lieu entre vous. En fin de compte, vous ressentirez beaucoup d'amour pour ces êtres. Non malgré cet épisode, mais *à cause* de celui-ci. Car chacun aura agi selon sa propre vérité et, ce faisant, aura aidé son partenaire/amant/ennemi/ami/enfant/parent/Soi à embrasser sa propre vérité.

C'est là une partie vitale et nécessaire du chemin de l'intégralité. Ceux d'entre vous qui se sont bercés d'illusions, pensant que tout leur serait facile puisqu'ils ont commencé à voir les choses d'un point de vue supérieur, seront pris par surprise par les interactions auxquelles ils s'attendaient le moins, et ce, avec les êtres qu'ils chérissent le plus. Vous n'aurez pas erré en laissant alors libre cours à la plénitude de vos sentiments. Vous aurez plutôt fait un énorme pas en avant en permettant à la plénitude de votre être – toutes les parties de vous dissimulées si longtemps – de s'intégrer dans le composé multidimensionnel que vous êtes réellement.

On doit s'attendre à éprouver des sentiments intenses et profonds quand on atteint toute l'ampleur du processus d'unification de l'identité individuelle. Vous ne pouvez espérer vous élever dans la sphère infiniment plus complexe de la conscience multidimensionnelle sans que reste intacte chacune des faces de *cette* identité.

Par tous les moyens, réjouissez-vous donc dans l'exultation qui caractérise ce stade avancé de votre voyage, lorsque ces moments heureux surviennent. En même temps, sachez que les profonds moments de discorde qui doivent aussi survenir sont également heureux. Car ce n'est pas un être unidimensionnel qui voyage en vous vers l'Unité avec toute la Création. C'est le spectre complet de votre humanité, votre « êtreté » authentique dans toute sa gloire, qui effectue ce voyage. *Vous* n'êtes qu'un simple passager, qu'un minuscule point de conscience accomplissant ce voyage qui devient de plus en plus fascinant.

chapitre trente-neuf

Trouver Dieu.

Depuis que vous avez pris conscience de vous-même en tant qu'être incarné, vous avez sondé votre monde pour déceler des indices sur le sens de votre existence. Vous avez regardé dans toutes les crevasses imaginables et scruté l'immensité du cosmos infini. Vous avez étudié la sagesse spirituelle de ceux qui se croyaient compétents en la matière, puis vous avez suivi religieusement leurs conseils, de vie en vie, en espérant trouver la *réponse* à la fin de vos jours.

Néanmoins, quelles que soient les circonstances culturelles dans lesquelles vous étiez, les questions ne menaient qu'à d'autres questions. Plus vous exploriez en profondeur, plus vous compreniez profondément, plus les questions qui émergeaient de votre esprit insatiable étaient profondes. Au bout du compte, elles vous ont conduit jusqu'ici, en cet instant. Même si vous sentez que vous avez déjà joué ce scénario, il y a, cette fois, une connaissance plus approfondie.

Enfin, il semble que vous vous êtes aventuré dans un état d'être où vous êtes un peu las des questions. Tout le processus de contournement du périmètre de ce que vous cherchez depuis le commencement vous ennuie à présent. Instinctivement, vous savez que les réponses ne se trouvent pas du tout « là ». Elles ne sont pas non plus dans la sphère du mental. Cette *connaissance* à laquelle vous aspirez au tréfonds de vous ne sera pas comprise, même après mille autres vies de poursuite spirituelle « consciente ». On ne peut atteindre l'inaccessible. On ne peut espérer comprendre l'incompréhensible. On ne peut *arriver* à une destination que l'on n'a jamais quittée. On peut simplement savoir que l'on est *ici*, maintenant.

Ici, vous ne trouverez pas le « Dieu » extériorisé que vous espérez rencontrer quelque part dans l'au-delà. Ni les réponses aux innombrables questions philosophiques avec lesquelles vous jonglez depuis des temps immémoriaux. Ni la sagesse dont vous craignez qu'elle vous échappe encore. Pas tant que vous les chercherez. Ici, vous ne pouvez espérer trouver que vous-même. Ce faisant, peut-être connaîtrez-vous un moment exquis d'abandon, puis un autre, et peut-être, dans l'éternel moment du « Maintenant », saurez-vous que vous Êtes ce que vous cherchiez depuis toujours. Vous le saurez. Non parce que vous aurez amassé une quantité suffisante de connaissances, mais parce que Vous Êtes Ceci, entièrement présent dans *l'expérience* que vous en faites. L'expérience de la Connexion divine. Le goût de cette essence. Voilà tout.

Vous êtes désormais au centre de la tempête. Vous le savez, car vous êtes déjà passé par là. Même si vous êtes passé maintes et maintes fois devant la porte menant à tout ce à quoi vous aspirez, vous vous êtes également aventuré dans l'intimité de ce refuge quand vous vous y attendiez le moins. À l'heure qu'il est, vous vous y sentez à l'aise et en sécurité, en territoire familier.

Et vous pensiez qu'ici ce serait le défi ultime, l'illumination. Quel grand mot ! Trouver Dieu, quel concept intimidant ! Seulement parce que vous croyiez qu'il l'était. En vérité, tout cela est si simple. C'est votre attachement à l'illusion qu'il en était autrement qui vous a fait revenir constamment, une vie après l'autre, au cas où *cette fois-ci* serait « la bonne ». Où, cette fois-ci, vous résoudriez l'énigme, rencontreriez réellement Dieu et sauriez la vérité une fois pour toutes. Eh bien, c'est le cas.

chapitre quarante

L'accélération.

Prendre conscience du composé complet de vos « souvenirs » de vie.

Unir deux mondes sur le seuil de l'interdimensionnalité.

Plusieurs lecteurs de ces lignes répugneront à s'aventurer en territoire inconnu lorsque la réalité de ce qui se déroule actuellement leur deviendra évidente. Quand tout le travail a été accompli et que la destination est en vue, il est facile tout à coup de tout remettre en question. C'est une chose que de saisir les concepts intellectuellement et de les mettre en pratique ; c'en est une autre d'incarner l'énergie supérieure et de vivre l'accélération qui s'ensuit.

Les impressions laissées par la vibration supérieure peuvent être alarmantes au début si l'on n'est pas préparé à cette sensation qui accompagne les stades avancés du processus de transformation. En approchant du seuil interdimensionnel, on éprouve une étrange impression de détachement des aspects banals de son script de vie. En même temps, un profond contentement sans cause imprègne la conscience.

On a virtuellement l'impression de flotter loin au-dessus des détails quotidiens de l'existence, sans se sentir investi dans le résultat de ces scénarios. Et c'est tant mieux, car les pages se tournent si vite à ce stade du voyage que les résultats ne seront pas vraiment ceux auxquels on s'attendrait dans des conditions *normales*. La loi de cause à effet a été radicalement réécrite à ce point du processus. Parfois, la réalité qui se manifeste est loin d'être celle que l'on anticipait.

Ce qui se produira pourra sembler incongru, selon la logique linéaire. Tandis que les détails de la résolution s'établiront pour chacun de vous, toute une série d'expériences similaires pourront se manifester, les unes après les autres, comme pour souligner une leçon de vie particulière qui doit être maîtrisée. Attendez-vous à vivre une *séquence* de provocations apparemment injustifiées qui vous donneront l'impression d'être virtuellement assailli. À ce stade, celles-ci ont pour but de vérifier *si* vous réagirez, et *comment*. Il n'est pas inhabituel de se tenir sur la défensive et d'avoir une réaction reflétant un désir d'avoir « raison ».

Jusqu'à ce que le schème soit reconnu, ce cycle peut continuer pendant une période qui paraîtra interminable. Puis, abruptement, l'énergie changera de nouveau et l'assaut d'adversité aura disparu. Vous aurez atteint un état où vous serez présent aux circonstances de votre vie tel un *témoin* indifférent. Vous les regarderez se dérouler et vous vous observerez flottant aisément dans la turbulence sans être atteint par la charge émotionnelle qui, auparavant, l'aurait accompagnée.

À cette étape du voyage, les schèmes sont amorcés dans une réalité et portent leurs fruits dans une autre. Ainsi, il est inutile de s'attendre à la manifestation d'un résultat particulier quand une série de variables entièrement différentes s'est ajoutée à l'équation. Si l'on n'avait pas changé de réalité, le résultat aurait bien pu être l'effet triomphant d'une planification méticuleuse, d'un dur travail et d'une brillante stratégie. Pourtant, dans les conditions de vibration accrue, ces variables peuvent très bien rater leur cible. On sera sans doute dérouté et découragé quand tout aura l'air d'« aller mal ».

Il est facile de blâmer les autres, ou le ciel, ou certaines circonstances qui sont si négatives que c'en est presque drôle. Les situations que vous vivez se présentent d'elles-mêmes pour être résolues, par séquences, dans des réalités dont les vibrations s'accroissent, alors que votre fréquence est toujours au bas de l'échelle. Votre aptitude à ne pas réagir à ces irritants vous permet de stabiliser rapidement vos énergies et de ne pas contribuer aux conditions qui créent de l'adversité.

Durant cette période de transition entre les dimensions, vous serez provoqué de toutes les manières imaginables. Votre aptitude à résister à la tentation de prendre ces épisodes au pied de la lettre facilitera beaucoup votre passage dans ce stade instable et angoissant de votre expérience. La contradiction flagrante entre l'exaltation causée par l'assimilation d'énergie et l'étrange série de « malchances » semblera absurde sur le coup. Rétrospectivement, vous y reconnaîtrez les qualités d'une histoire grandiose. À la lumière du jour nouveau qui se lèvera bientôt, ces temps difficiles s'estomperont dans la brume d'un rêve distant.

Cette période volatile de votre processus transformationnel vous apparaîtra de moins en moins clairement à mesure que vous vous éloignerez des interactions qui vous ont cloué sur place pendant une grande partie de ce processus. Il vous semblera incompréhensible d'avoir été forcé de réagir d'une certaine façon et d'avoir manifesté des expériences si extrêmes. Maintenant, sous un jour nouveau, des circonstances semblables sont vues d'un œil tranquille et laissent à peine une ride à la surface de votre conscience. La page aura été tournée, et l'effet stabilisant de ce changement manifestera des circonstances où la vie s'écoulera enfin facilement.

Ce sont des circonstances de cette nature qui vous accompagneront jusqu'au seuil interdimensionnel. La contradiction accrue entre votre connexion au mouvement qui vous entraîne et les irritants que vous continuez à manifester peut être déroutante sur le moment. Pourtant, à mesure que vous vous distancierez de ces drames insignifiants, vous sentirez un *allègement* indéniable de tout ce qui vous retenait sous son emprise. La libération sera aussi intense que soudaine. Et, apparemment sans raison, vous passerez à une autre octave d'êtreté. Vous saurez, sans avoir besoin qu'on vous le dise, que quelque chose de très significatif a en effet eu lieu.

À ce stade, vous n'aurez plus à vous demander si tout cela n'est que le fruit d'une imagination trop fertile. Vous aurez cessé de vous demander si ce voyage aux confins de votre conscience est réel. Vous le saurez d'une façon indéniable. Vous n'aurez pas besoin non plus de vous demander si, oui ou non, vous avez *ascensionné*. Vous le saurez. Vous ne serez pas troublé par le fait que, malgré cette connaissance, vous vivrez toujours votre vie. Vous serez toujours présent dans votre film. Et tous les acteurs qui vous ont entouré continueront d'être là, exactement où vous les aviez laissés. Tout ce qui aura changé, c'est « vous » et votre réaction aux types de répliques que ces acteurs sont programmés pour prononcer.

Ce ne sera pas comme si vous étiez dans un monde différent. Vous expérimenterez toujours la conscience dans le même monde, mais vous en aurez soudain une perception accrue. Vous éprouverez des sensations d'énergie accélérée. Les autres commenceront à vous percevoir très différemment et à réagir à vous autrement. C'est que vous n'émettrez plus dans l'éther des énergies qui auraient entraîné la manifestation d'expériences malheureuses prévisibles. Maintenant, les autres ne seront plus poussés vibratoirement à fournir ces réactions. Vous aurez l'impression d'être présent dans deux réalités à la fois.

En fait, ce sera le cas. Car, avant que vous passiez physiquement au seuil interdimensionnel, vos corps subtils vous auront précédé. Vos *énergies* seront entièrement présentes dans la dimension supérieure, et, en même temps, vous aurez maintenu votre conscience dans cet « ici-maintenant ». Le processus de fusion de vos énergies avec la plus haute octave de votre êtreté est graduel. Alors que vos corps subtils sont assimilés dans le champ énergétique de cet aspect dimensionnel supérieur de *vous*, vous commencez à sentir ici la présence de cette perspective plus élevée comme si elle était *vous*.

Soudain, vous réagissez à des situations familières d'une manière tout à fait différente. Comme si quelqu'un d'autre regardait avec vos yeux un paysage tout à fait familier. Le monde change, devenant tout à coup un lieu très agréable. Les conditions de ce stade transitoire de l'ascension interdimensionnelle dureront un temps. Certains d'entre vous maintiendront leur conscience physique dans cette réalité durant tout le reste de cette vie terrestre. Quant à ceux qui demeureront « ici », ils connaîtront une version supérieure de l'expérience de la *vie*.

Pour d'autres, qui doivent fusionner entièrement avec les aspects supérieurs de leur êtreté, soit la conscience qui s'expérimente elle-même au niveau de réalité suivant, ce stade transitoire constitue un fondement vibratoire pour les changements à venir. C'est un plateau agréablement différent. Un temps pour reprendre son souffle et pour sentir pleinement l'expression de l'énergie caractérisant les niveaux de conscience supérieurs.

Avant d'effectuer cet intense changement vibratoire, vous aurez l'impression d'atteindre l'achèvement des thèmes entremêlés qui ont caractérisé cette vie-ci. Des épisodes de vie intenses, souvent oubliés depuis longtemps, surgiront soudain au premier plan de votre conscience. Vous revivrez mentalement ces vieux films, mais d'un point de vue global. Vous verrez la signification de l'essence du drame et vous vous sentirez détaché des circonstances, car vous saurez que le thème sous-jacent est résolu.

Vous aurez l'impression de voir littéralement votre vie passer sous vos yeux. Des retours en arrière vous feront revoir les affres des diverses périodes transformationnelles de votre histoire personnelle. Vous réaliserez parfaitement tout le chemin parcouru. Vous vous demanderez avec incrédulité comment *vous* avez pu agir de telle ou telle façon, faire tel ou tel choix qui exprimait parfaitement l'état de séparation dont vous savez maintenant être sorti. Et ce, tout en sachant que vous étiez vous-même en vedette dans ces drames. Qu'il s'agissait d'un *vous* que vous pouvez maintenant embrasser totalement, sans reproche, ni jugement, ni récrimination ;

d'un fragment de votre essence divine qui était perdu et qui est désormais un aspect pleinement intégré de votre être.

Vous savez que vous avez fait tout cela, car vous en gardez le souvenir. Vraiment ? Est-ce bien *vous* qui vous êtes ainsi soumis à cette humiliation ? Qui avez joué ce rôle insensible et cruel dans vos pires cauchemars ? Qui avez succombé aux tentations que vous aviez dit avoir vaincues, en pensant que personne ne le saurait jamais ? Est-ce le même *vous* qui se souvient cette fois de tout cela dans les plus douloureux détails ? Ou tout cela ne serait-il qu'une abstraite aberration de l'esprit ? Comment « cette personne » pourrait-elle être *vous* ? Comment donc, en effet ?

C'est précisément ce *comment* qui constitue tout l'objet de ce voyage. C'est dans les aspects infiniment multiples de ce *vous* qu'étaient possibles de telles perceptions et de tels comportements extrêmes. Vous l'avez planifié ainsi afin de vous procurer les riches expériences que vous revoyez et revivez à présent, en présumant que c'est *votre vie*. Cette expérience composite réside dans le contexte de votre identité et les souvenirs sont les *vôtres*. Mais les choix ont été appliqués par les variations infinies sur ce thème qui est *vous*. À l'heure actuelle, tandis que vous avez rassemblé les fragments de votre conscience, vous appréciez le cadeau que comportaient certaines des plus difficiles de ces aventures, ainsi que l'impression d'équilibre offerte par les épisodes les plus banals.

Tout cela s'ajuste et dessine lentement l'essence fondamentale d'un être qui a ici reconnu le cadeau de cette diversité expérientielle. Ce que vous avez *fait* ne nie pas ce que vous *Êtes*. Cela le définit… et l'humanise. Et cela vous procure le sentiment que ce que vous étiez est une partie valide et valable de tout ce que maintenant vous n'êtes pas. Car vous ne pourriez être en train de revoir, avec une incrédule fascination, certains de ces drames si vous ne vous étiez pas offert le cadeau de les goûter.

Vous êtes le composé de tous ces aspects du soi. Ceux qui ont commis les actes les plus malhonnêtes ne font pas moins partie de *vous* que celui ou celle qui lit à l'instant ces lignes. Et celui ou celle qui tient ce livre dans ses mains ne fait pas moins partie du *vous* qui observe de loin alors que vous rassemblez vos morceaux. Le prochain aspect supérieur de votre soi fusionnera par étapes avec votre champ énergétique alors que vous pénétrerez complètement dans les niveaux supérieurs du processus transformationnel. À certains moments, vous sentirez indubitablement une connexion à quelque chose de *plus*. Il y aura aussi des moments où vous saurez que vous êtes revenu dans le vide de l'isolement, piégé une fois de plus par l'énigme constante de votre script.

C'est cet aspect supérieur de *votre* conscience qui vous stimule à un carrefour particulier et vous suggère la route à prendre. Qui sent le danger et vous signale une déviation soudaine de votre chemin. C'est cet aspect supérieur de *vous* qui embrasse maintenant inconditionnellement votre vous entier, même les parties que vous voulez oublier vite.

Aucun fragment de vous-même ne sera écarté au cours du processus d'ascension. Chaque partie précieuse de votre passé illustre ou infâme est une candidate à l'assimilation dans le composé que vous croyez être *vous*. Et chaque nuance de cet être, c'est-à-dire vous dans toute votre magnifique humanité, doit être présente afin d'être assimilée totalement au niveau de conscience suivant.

Rien ne sert de vouloir glisser sous le tapis de votre conscience quelques-uns de ces souvenirs. Aucun placard n'existe, où cacher les verrues et les blessures récoltées en route. Tout cela fait partie de *vous*. Et c'est *tout vous* qui est autant désiré... et aimé.

Alors que vous observez avec fascination la diversité qui a marqué votre existence, sachez qu'il a véritablement fallu un « générique » de milliers d'individus pour créer cette épopée et y figurer. Vous n'auriez pu le faire seul. Jamais de la vie. Maintenant, alors que vous intégrez ces connaissances à vos souvenirs de ces expériences, l'éternelle question « Qui suis-je ? » acquiert de toutes nouvelles possibilités. Et dès lors, il devient très intéressant de réfléchir à cette question intemporelle.

chapitre quarante et un

La fusion avec la Divinité intérieure.

La libération du besoin de validation.

Embrasser l'état de sublime indifférence.

Le détachement du monde banal.

Q ue vous remarquiez ou non les sensations étranges qui caractérisent les stades avancés de la transformation, il ne fera aucun doute qu'un profond éveil intérieur aura enfin commencé. Vous avez sans doute entendu parler du concept d'*éveil*, ou lu quelque chose là-dessus. Vous présumiez qu'il s'agissait du tout premier stade du processus transformationnel. Maintenant que vous êtes bien engagé dans votre voyage, vos portes intérieures s'ouvrent en effet d'une manière différente. Vous goûtez une nouvelle vivacité intérieure.

Vous vous êtes éveillé du profond sommeil de dénégation dans lequel vous avez hiberné, à l'état de veille, toute votre vie. Vous êtes à présent très conscient des œillères que portent la plupart des êtres de votre *monde* quant à leur propre vie. Votre monde est fait de blâmes et de récriminations. C'est un monde d'indignation complaisante, de fausse représentation et de mauvaise interprétation, de mésentente et de méfiance. C'est un monde où l'*autre* est l'adversaire inconditionnel, quelle que soit l'intimité de la relation. C'est un monde de désillusion et de déception dans presque tous les domaines.

Dans ce monde, vous finissez par vous distancier émotionnellement de tout ce qui vous est cher, afin de ne plus souffrir. Et au bout du compte, dans le mouvement à l'origine de cette action instinctive, vous vous éloignez de vous-même. Vous écartez tout ce qui caractérisait l'identité que vous avez mis une vie entière à créer, car vous avez enfin cessé de vous reconnaître dans ce masque.

Le rôle complexe que vous avez élaboré pour cette vie comporte des valeurs et des comportements dont vous ne pouvez imaginer qu'ils soient les vôtres. Vous sentez de plus en plus que la personne que vous avez été pendant la plus grande partie de votre vie est quelqu'un d'autre. Le *vous* qui réside dorénavant dans votre corps et qui porte votre identité a transcendé les réactions réflexes et les mécanismes réactifs qui vous ont été inculqués culturellement quand vous êtes apparu dans cette réalité.

Maintenant, les énergies des réalités que vous traversez en une rapide succession ne peuvent accommoder le niveau vibratoire qui soutient cette attitude mentale étriquée. Vous vous rendrez compte, souvent par inadvertance, que vous avez abandonné des prétentions qui, auparavant, vous importaient beaucoup. Ici, après avoir perdu votre vieille peau devenue trop étroite, vous vous trouvez vous-même. La tentation est grande de jeter au rebut les débris de tout ce qui était avant valable et signifiant, et de vous en éloigner.

Ah ! si seulement c'était aussi simple ! Mais, naturellement, ce ne l'est pas ! Vous n'auriez pas voulu non plus que ce le soit. L'objet de cet exercice, c'est l'Unité, non la séparation, et cela inclut l'Unité avec tout ce que vous avez été. Vous ne pouvez espérer vous élever jusqu'aux énergies supérieures avec une identité lessivée et des trous énormes dans votre histoire. Les aspects du soi qui attendent votre arrivée imminente n'espèrent pas uniquement une partie de vous. Ils attendent patiemment toute votre entité. Et tous les fragments de votre identité que vous préféreriez ne pas voir sont précisément ceux que vous avez le plus besoin d'embrasser.

Vous n'êtes pas plus pas moins qui vous êtes maintenant que tous les masques que vous avez portés et toute l'affectation que vous avez démontrée en cours de route. Tout cela fait partie intégrante d'une identité qui cherche la résolution, non en rejetant ce qui fut, mais en s'intégrant entièrement dans le composé de ce qui Est.

Ainsi, bien sûr, vous pouvez changer de nom, de résidence, de mode d'expression, et d'identité professionnelle. Vous pouvez changer de relations et modifier votre rapport au monde. Toutefois, le changement le plus significatif n'est pas celui qui est exprimé. Exprimer quoi que ce soit, c'est affirmer que l'on accorde de l'importance à tout ce qui est extérieur, à l'opinion des autres. Le changement significatif n'a pas besoin d'être vu, entendu ni connu. Vous seul avez besoin de savoir qu'il est là.

Vous vous êtes connecté à l'intemporel. Vous vous êtes ouvert à la possibilité de transcender tout ce qui définit votre existence ainsi que le monde qui lui donne sa forme. En embrassant cet éclair intérieur qui vous fait reconnaître la *parenté* de la connexion la plus intangible de toutes, vous effectuez un saut quantique. La conscience supérieure et la connexion que vous espérez incarner ne sont ni plus ni moins que votre propre Soi, lequel se sent *parent* parce qu'il l'Est. Il est Vous, tout comme Celui qui vous parle en ce moment.

Le Dieu que vous exaltez et vénérez de loin n'est pas plus loin que votre propre cœur. Les dimensions que vous espérez réunir au cours de ce voyage sacré ne sont pas « quelque part là-bas ». Elles sont également en vous. Les aspects de votre être qui ont souffert avec vous, ou se sont réjouis avec vous, sont tous en vous. Toutes les illustres *vies passées* qui ont partagé cette vie-ci sont en vous. Tout comme les soi futurs jouant les scripts qui, croyez-vous, ne sont pas encore écrits. Tous sont en vous, dans le noyau sacré de votre être éternel.

Vous donnez naissance à celui qui personnifie le point culminant de l'ensemble de vos expériences. Celui-là est à l'aise avec l'essence divine qui vous habite, car cette dernière lui est familière. Il n'y a rien d'*étranger* ni d'étrange dans l'expérience de votre connexion à Dieu, puisque ce n'est rien d'autre que votre propre essence divine, toujours présente en vous, qui se connecte ainsi. Ce n'est pas quelque chose qui entre soudainement en vous, mais bien plutôt quelque chose qui n'en est jamais sorti.

Peu importe que vous croyiez ou non pouvoir vous connecter à Dieu et que celui qui vous parle en ce moment réside en vous-même. Peu importe que vous puissiez ou non exposer la chose brillamment à ceux qui présumeront, en vous entendant tenir un tel discours, que vous avez perdu la raison. Et peu importe également que vous changiez radicalement de vie ou que vous poursuiviez votre existence comme s'il ne s'était jamais rien passé. Rien de tout cela n'a d'importance. Quand vous avez fait l'expérience de l'harmonie de cette lueur intérieure, même furtivement, la connaissance est gravée de manière indélébile dans votre conscience. Une telle connaissance ne peut s'oublier.

Vous pouvez certes vous faire croire que vous n'avez pas goûté ce que vous savez avoir goûté. Et protester de votre innocence spirituelle longtemps après l'initiation de votre cœur. Mais, une fois que vous serez éveillé, votre connaissance ne sera pas oubliée. Elle refera surface et se rappellera à votre mémoire au moment où vous vous y attendrez le moins. Elle émergera avec cette lueur familière, simplement pour vous rappeler que *vous* n'avez pas été oublié.

L'Unité n'a pas d'échéancier en ce qui concerne votre transformation. Peu importe que vous épousiez votre vraie nature cette année ou même dans cette vie-ci. Le temps, tel qu'il *est* vraiment, n'est nullement lié aux illusions du rêve linéaire que vous appelez l'existence. Nous sommes ici et nous vous attendons patiemment, comme nous le faisons depuis l'éternité. Nous consentons à attendre. Nous attendrons « toujours » s'il le faut. Et si vous n'arrivez jamais, nous ne vous en aimerons pas moins.

À cette étape de votre voyage où votre reconnaissance se cristallise, vous vous sentez encore une fois sur un plateau. De cette perspective, vous voyez clairement le chemin parcouru. Vous reconnaissez le cadeau que représente ce moment de repos servant à assimiler tout ce qui est survenu, car ont disparu les doutes qui érodaient votre sentier et rendaient difficile et épuisante la traversée de certaines parties du terrain.

Ici, dans la clarté, le chemin vous est facilité. Les obstacles qui encombraient jusqu'ici votre route ont été enlevés. Vous avez enfin la possibilité de joindre la connaissance de ce qui s'est produit en vous à la simplicité nouvelle des circonstances de votre vie. Les complexités qui vous retenaient dans une spirale de difficultés apparemment sans fin ont disparu. Impossible de ne pas reconnaître qu'à partir d'ici le voyage mène à l'intérieur.

Vous désirez cette fois passer de longues périodes de temps dans la solitude. Vous retirez votre énergie et votre présence de presque tout ce qui retenait votre attention auparavant. Vous éprouvez une profonde indifférence pour la vie politique et sociale d'un monde où vous étiez parfaitement présent à ce jour. De votre position actuelle, tout cela paraît futile.

Les circonstances du monde extérieur ne vous intéressent plus, car vos interactions avec les autres sont invariablement marquées par la discorde. Comme si vous attiriez toujours, tel un aimant, l'irritabilité et le mécontentement de quiconque avec qui vous êtes en contact, même à l'occasion. Et c'est ce que vous faites. Lorsque vous transcendez des préoccupations banales, certaines énergies résiduelles présentes en vous continuent d'attirer des expériences d'une vibration correspondante, lesquelles se manifestent comme de l'adversité de la part des autres. Jusqu'à ce que ces énergies soient entièrement dégagées, vous continuerez de vivre des incidents sans conséquence qui provoqueront de l'irritation.

C'est votre réaction à ce genre de provocation qui déterminera pendant combien de temps vous devrez rester à ce niveau, car cette halte a pour but la résolution ultime de tout le bagage vibratoire résiduel que vous transportez. C'est ici que vos réactions réflexes seront testées à répétition. C'est ici que finalement vous maîtriserez l'art du détachement.

Vous pouvez désormais vous observer et voir comment vous avez réussi à accumuler toutes ces expériences de vie formant un champ énergétique qui vous a attiré la même vieille histoire durant toute votre vie. Pendant que ces épisodes finaux se jouent, vous prenez vivement conscience de la réaction que vous auriez pu avoir déjà dans des circonstances semblables. Avec une sublime indifférence, vous laissez la provocation passer tout droit, car vous avez cessé de vouloir obtenir justice dans une situation donnée. Vous savez que cela n'a vraiment aucune importance. Et, dans cet acte de détachement, vous libérez encore une autre pièce de densité vibratoire. Cette énergie n'est pas nécessaire pour soutenir et vérifier qui vous étiez jusque-là. Cet aspect de vous n'a plus besoin d'être validé au niveau vers lequel vous voyagez.

Tandis que vous vous conditionnez à la non-réaction, vous commencez à vous sentir libre de tout ce qui vous retenait prisonnier avant. Vous étiez prisonnier de votre propre besoin de validation. Du besoin de prouver que vous aviez raison et qu'un autre avait tort. Et vous avez passé des vies entières à construire le contexte vibratoire dans lequel vous pourriez continuer à en expérimenter la preuve. Vous venez tout juste d'être libéré du besoin de le faire encore.

Soudain, vous réalisez que de savoir qui a « tort » et qui a « raison » dans une circonstance donnée n'est pas important. Ce qui l'est réellement, c'est que votre harmonie intérieure persiste et que votre connexion à la Source de cette paix intérieure demeure intacte. *Tout* ce qui, vibratoirement, va à l'encontre de cet objectif n'a aucune importance. Tout ce qui vous invite à vous engager dans un conflit n'a aucune importance non plus. Et tout ce qui tente de vous imposer sa propre volonté et de troubler votre harmonie intérieure n'a aucune importance *pour vous*.

Ce qui se présente à vous n'a intrinsèquement aucune *valeur* ni aucune *absence de valeur*. C'est tout bonnement un choix. Vous pouvez choisir de vous engager énergétiquement, ou de laisser l'énergie passer tout droit. Aucune signification ne s'y rattache. Tout cela est symbolique. Et il s'agit d'affirmer si vous sentez ou non le besoin de vous aligner sur cette énergie et d'en goûter ou non le résultat en tant qu'expérience.

À cette étape du voyage, le *prix* potentiel pour épouser une certaine énergie est trop élevé. Vous n'en avez même pas la moindre envie. En vous voyant sans cesse réagir ainsi, vous prenez conscience d'avoir dépassé un stade crucial de l'existence matérielle et de vivre la réalité à un autre niveau.

Vous reconnaissez que vous n'êtes *allé* nulle part. Vous avez simplement retiré votre énergie des va-et-vient extérieurs du monde qui vous entoure pour établir votre résidence… à l'intérieur. C'est à ce point de reconnaissance que vous embrassez l'enfant éternel qui pose toujours la grande question : « Sommes-nous *arrivés* ? » Vous n'avez maintenant plus besoin de le demander. N'est-ce pas ?

chapitre quarante-deux

Le concept d'harmonie et l'essence de la « différence »
qui le sous-tend.

Comment le « paradis sur terre » des prophéties se réalisera.

Vous intégrez le concept d'harmonie alors que cette riche expérience prend le pas sur la discorde aux nuances infinies qui a marqué la plus grande partie de cette vie-ci. Au début, l'expérience semble nouvelle et vous la considérez avec amusement, mais vous prenez ensuite conscience de la cohérence de cet état d'être et reconnaissez que le stade suivant de votre métamorphose ne tardera pas.

Vous réaliserez avec grand étonnement que toutes les possibilités sont des options viables. La variable qui détermine ce qui est expérimenté et ce qui ne l'est pas n'est rien d'autre que le choix. Les limitations et les contraintes qui restreignaient jusque-là votre conception du possible ont été levées vibratoirement. Vous êtes maintenant en mesure d'examiner objectivement vos priorités, peut-être pour la toute première fois.

Soudain, le monde vous dit oui. Au lieu de combattre l'adversité, vous vous efforcez d'identifier vos véritables désirs. Chez plusieurs, la préoccupation du gain personnel laisse place au point de vue supérieur d'une vision mondiale. Ceux-là sont enclins à concentrer leurs efforts principalement sur le bénéfice à long terme de l'humanité. Ils comprennent que leur bien-être personnel en résultera forcément et qu'ils n'ont pas besoin de s'y concentrer en priorité.

Ce changement d'attitude ne vous rendra pas moins prospère. Le secret de la manifestation de l'abondance, dans ces conditions où l'idée de la prospérité personnelle n'est d'aucune pertinence, c'est le changement subtil de l'objet de focalisation de l'intention. Les êtres qui choisissent de consacrer leur vie à l'humanité ou de rétablir l'harmonie dans l'environnement n'ont pas à choisir la pauvreté comme preuve de leur abnégation. Le bien-être physique survient naturellement dans la vie de ceux qui poursuivent un but supérieur.

Ce qui importe ici, ce n'est pas tant ce que l'on choisit de faire, que l'intention avec laquelle on le fait. Quand on est focalisé sur le gain matériel comme un but en soi, ainsi que le sont la plupart des individus de votre monde, le résultat est restreint par la *peur* de la pénurie. Quand on est focalisé sur le service désintéressé envers le bien supérieur de toute Vie, sans aucune crainte quant à son propre bien-être, le meilleur résultat se manifeste pour tous.

Plusieurs des lecteurs ou lectrices de ces lignes auront de la difficulté à assimiler ce concept, même après avoir saisi les autres aspects du processus. Bon nombre d'entre vous sont toujours mal à l'aise avec l'idée d'abondance, malgré l'ampleur de leur métamorphose intérieure. Certains présument que le sacrifice de soi est requis à ce stade du voyage, comme un geste compensatoire pour tout ce qu'ils ont accompli en croissance personnelle. Rien n'est moins vrai.

Il n'y a absolument aucun prix à payer pour le voyage spirituel. Qui donc paierait ce prix, et à qui ? Tout cela n'est qu'Unité. Sachez donc clairement que si vous choisissez l'austérité et les privations physiques comme moyens de démontrer votre focalisation spirituelle, c'est vous seul qui faites ce choix. Personne ne vous le demande ni ne l'attend de vous. Toute *démonstration* est l'affirmation de la séparation de l'*autre* que vous tentez d'impressionner par votre action. Et il n'y a pas d'*autre*. L'Unité n'est pas impressionnée par les privations. Elle n'est pas non plus investie dans vos choix matériels. Choisissez ce que vous voulez, et profitez bien du résultat.

Quand votre cœur est clairement focalisé sur l'intérêt supérieur de toute Vie, que ce soit en reconnaissant l'Unité qui unit tous les aspects de la Vie et dont vous êtes un élément vital, il est tout à fait contreproductif d'approcher ces efforts avec une attitude altruiste d'autosacrifice. Vous n'êtes pas ici pour affirmer la séparation de la Vie, mais pour y matérialiser l'unification. Vous n'aidez aucunement l'*autre personne* par votre activité bien intentionnée. Vous aidez votre Soi. Car ce Soi est l'Unité dont vous faites partie, pas d'une *autre*.

La profonde satisfaction que vous pouvez retirer d'une activité humanitaire n'est pas fondée sur une attitude moralisatrice envers vos congénères. Elle est plutôt fondée sur la reconnaissance du sacré de toute Vie et sur une conscience aiguë du rôle joué par chaque créature. Il existe des variations infinies sur le thème qui se manifeste comme votre réalité physique. En son essence fondamentale, aucun d'entre vous n'est différent des autres. Vous êtes ici simplement pour jouer une note particulière dans la symphonie d'une expérience particulière : l'« ici-maintenant ». Il vous appartient entièrement de choisir comment expérimenter cet aspect de l'Unique Présence divine.

Si vous choisissez de reconnaître votre Divinité innée par une expression d'austérité, alors faites-le, mais soyez clair quant à vos motifs. Si votre but est de démontrer aux *autres* votre degré de connexion à l'Unique Présence divine, vous êtes allé à l'encontre de ce but en démontrant que vous êtes séparé de Tout ce qui la comprend. Si votre but est de vous cacher au sommet d'une montagne et de n'impressionner que Dieu avec votre austérité, sachez que vous n'avez réussi à démontrer ainsi que votre séparation *de* cette Source. Vous n'avez nul besoin de *mériter* ce que vous Êtes déjà.

Plus vous essayez de prouver, par la modestie, l'ampleur de votre connexion, plus vous vous éloignez de l'harmonie à laquelle vous aspirez. L'harmonie ne s'obtient que par l'*unisson*. On ne peut la réaliser par des actes de séparation.

Toute la joie qu'il vous est possible d'éprouver à cette étape de votre voyage est votre droit naturel. Il n'y a aucune limite à l'abondance que vous pouvez choisir de vous procurer. C'est une simple question de choix. Il n'y a là aucun facteur de supériorité ou d'infériorité. Ce sont seulement des options dans la gamme infinie des possibilités, un menu illimité dans lequel vous êtes en mesure de choisir ce qui vous plaît. Quand vous le faites en honorant le Soi de cette façon-là, il n'y a aucune limite à la joie susceptible d'être partagée.

Vous pouvez choisir d'expérimenter votre connexion au Soi en compagnie d'un autre être. Ce faisant, vous harmonisez certains aspects de votre être avec l'essence vibratoire de cette personne. La connexion demeure toutefois la vôtre. Pendant que vous voyagez avec quelqu'un sur un chemin parallèle et que vous vivez en commun certaines expériences, votre chemin reste le vôtre.

Il se peut que votre connexion rayonne à l'extérieur de vous et que les autres reflètent ce qu'ils ressentent en votre présence. Vous n'avez cependant pas à les transporter jusqu'au sommet de la montagne parce que vous partagez une relation avec eux. Vous ne vous êtes cloné sous aucun aspect de votre expérience du monde physique et il ne faut pas vous attendre à ce qu'une autre personne ait le même rythme de croissance que vous, même si vous êtes très proches.

Chacun arrive en cette vie avec un ensemble unique de variables qui s'exprimeront dans ses relations avec le monde en général et avec les autres. Chacun sert de catalyseur pour la croissance de plusieurs, grâce aux relations signifiantes qu'il a établies avec eux. Pourtant, le rythme auquel les connaissances sont recueillies et intégrées varie à chaque échange.

Vous présumez peut-être que vous entretenez certaines relations afin de maintenir un niveau d'harmonie. Cependant, tout en progressant dans votre voyage, cet état sublime vous échappe. Il est facile de blâmer l'autre personne de ne pas se montrer à la hauteur de vos attentes et de ne pas suivre le rythme de votre voyage. Ne sous-estimez pas le rôle que cet être doit jouer dans votre script. L'harmonie pourrait très bien être un objectif mutuellement partagé. Toutefois, pour l'atteindre en tandem avec quelqu'un d'autre, il faut permettre à la densité contenue dans les champs énergétiques de chacun de remonter à la surface et de se dégager. Sans une certaine mesure d'abrasion, il s'avère impossible de conserver la douce surface désirée par chacun.

Quand deux êtres partagent intimement le voyage sacré, chacun a pour objectif la croissance de l'autre. Une relation où l'énergie passait facilement entre les deux se trouve soudain plongée dans les eaux turbulentes du changement. Quand vous êtes conscient de la nature du processus lui-même, vous pouvez vous distancier de l'intensité de certains affrontements et reconnaître le fondement vibratoire sous-jacent. Il est beaucoup trop facile d'écarter le processus d'un autre être parce que la dynamique s'avère différente de ce que vous aviez prévu et de vous priver ainsi du potentiel contenu dans l'affrontement des volontés. Avant qu'une réelle harmonie puisse exister dans une relation, il faut laisser *s'exprimer* toute l'énergie qui résonne entre vous.

Ce n'est nullement un hasard si certains d'entre vous partagent cette époque avec un compagnon ou une compagne. Vous avez reçu l'instrument de la *relation* afin de découvrir par elle l'intime connexion que vous entretenez avec votre être intérieur. C'est que les détails intimes de vos sentiments les plus profonds sont grandement magnifiés pour vous quand ils sont mis en contraste avec les priorités incompatibles de votre partenaire de vie. Sans ce catalyseur, vous pourriez dériver tranquillement en vous faisant croire que tout va très bien dans votre monde alors qu'en fait vous auriez réussi à camoufler l'essence même de vos plus sérieux défis. Personne ne vous connaît autant que votre partenaire et personne n'est donc aussi apte à faire remonter vos problèmes à la surface de votre conscience, là où vous ne pourrez plus les nier.

Le partenaire ou l'ami intime qui paraît prendre du retard dans son voyage spirituel peut très bien se trouver à honorer par là certaines ententes pour vous forcer à voir la densité et les schèmes de dénégation que vous vous cachez à vous-même. Ce sont ces questions mêmes que vous désirez le plus résoudre lorsque, en tant qu'âme, vous approchez du seuil interdimensionnel. Vous ne pouvez accomplir le voyage dans un état de déséquilibre.

Ceux d'entre vous qui sont dans une vieille relation devenue discordante ont reçu le cadeau d'avoir un partenaire tenant suffisamment à cette relation pour ne pas la quitter dans les moments difficiles. Il est dans l'intérêt de chacun de recréer l'harmonie qui vous a tous deux unis au départ, car c'est par cette expérience commune que vous avez pu goûter l'essence de la *connexion* elle-même. C'est ce lien que vous partagez avec votre propre essence sacrée et c'est cette connexion divine que vous finirez par connaître universellement.

Quand vous transcenderez la focalisation de l'ego dont vous avez tous été équipés, vous serez en mesure d'embrasser vraiment un autre être et de reconnaître le Soi dans cette connexion, et par elle. Cela ne veut pas dire que chacun de vous est une copie de l'autre. Ni que l'un de vous a consenti à quelque chose par rapport à des questions fondamentales. Et cela ne signifie pas non plus que vous avez nécessairement terminé le travail que vous êtes venus faire ensemble. La reconnaissance du Soi dans la forme d'un autre est une attestation de la véritable essence des différences mêmes qui s'avèrent les plus difficultueuses. Elle est aussi la preuve de la profondeur de *contraste* sans quoi l'harmonie ne peut exister.

Pour que l'harmonie soit vraiment atteinte, elle doit comprendre l'essence de la « différence ». Il n'y a pas d'harmonie dans un vacuum. Ni dans un monde où tous sont focalisés uniquement sur leurs propres besoins, à la fois sur les plans personnel et collectif. *L'harmonie dépend de la reconnaissance d'une différence et de la volonté de garder intacte sa propre vérité en sa présence.*

Tant que l'on n'est pas en résonance avec Toute Vie, on est relégué aux joies de l'harmonie. Quand on est capable de regarder un autre être sans voir aucune différence, il n'y a nul besoin d'harmonie. Car ici il n'*est* que l'Unité. Il n'est pas d'*autre*. Il n'est rien avec quoi se contraster pour goûter les joies de l'harmonie.

C'est ici que toute l'histoire a commencé et c'est le but vers lequel toute conscience s'efforce de retourner. Vous êtes destiné à transcender le besoin d'harmonie pour connaître l'essence de l'Ê-treté à l'unisson avec Toute Vie. Cela ne veut pas dire que chacun de vous disparaîtra pour entrer dans un état de non-existence, absorbé à jamais par une conscience omnivore. Chacun de vous demeurera dans un état de perception de soi pour l'éternité. En atteignant l'état de conscience supérieure, chacun jouira de la Perception de Soi.

C'est là l'essence de l'Unité dont nous vous avons parlé. Car nous Sommes cette Unité. Nous sommes l'essence de chacun de vous. Aucun d'entre vous ne sera perdu dans le mouvement vers la réunification qui nous unit Tous. L'unité réside dans la reconnaissance de l'*autre* comme Soi, non dans l'exclusion d'aucun d'entre vous. Aucun ne sera laissé pour compte. Aucun fragment de l'essence sacrée de l'Unité ne cessera de posséder la conscience de soi, ainsi qu'un sens de l'identité, à un niveau d'existence. Tel est le Plan divin.

Pour vous qui faites cette expérience de la transcendance en gardant les yeux ouverts, il s'agit de voir que le concept d'unification dans l'Unité ne doit pas être interprété dans un sens physique. C'est plutôt un voyage expérientiel. Certains choisiront d'expérimenter cette conscience par le contexte de la forme et, ce faisant, ils goûteront le concept de *différence* et connaîtront les délices de l'harmonie. D'autres se contenteront de demeurer dans l'énergie de l'Êtreté, se percevant individuellement malgré l'absence de preuve physique, et, en même temps, se sachant Un avec Toute Vie.

Ce qui aura changé, c'est la nature de ce qui sera expérimenté, et par qui. Finalement, les diktats des lois du karma auront été relégués à l'histoire linéaire. Ces énergies auront été menées à complétude avec le *temps*, dans le contexte des sphères physiques où ces drames ont été joués. Elles n'influenceront plus l'expérience de ceux qui choisissent de goûter leur Divinité dans la forme physique.

Vos sphères physiques ne cesseront pas d'exister dans ce monde qui vient. Elles auront simplement subi une transformation spirituelle. Elles offriront aux voyageurs spirituels une destination par laquelle ils pourront redécouvrir dans des conditions optimales leur Essence sacrée dans la forme physique. Vous n'aurez plus besoin d'expérimenter « ce que vous n'êtes pas » afin de reconnaître, par contraste, « ce que vous Êtes ». Tous seront parfaitement conscients de la nature du Soi et reconnaîtront l'Unité de Toute Vie.

Voilà la nature du monde que vous pourrez choisir ou non d'expérimenter, dans une dimension supérieure, au cours des temps à venir. Vous ne serez pas *condamnés* à une vie physique comme moyen de *compensation karmique*. Vibratoirement, l'ardoise aura été nettoyée.

Naturellement, il n'y aura pas autant d'êtres expérimentant l'incarnation qu'il s'en trouve présentement, loin de là. Étant donné l'option de demeurer dans l'essence de l'Unité éternelle, très peu opteront pour l'aventure du monde de l'expérience physique.

Ces sphères auront retrouvé un monde sans conflits et donc sans blessures. La conscience de masse aura modifié son attitude mentale d'une façon significative, et la perception de votre monde tel qu'il est *maintenant* se manifestera dans la conscience d'un petit nombre. Nous en sommes aux derniers moments de ce temps.

Ceux qui ont contribué, par leur présence participative, à maintenir la vibration des réalités dans lesquelles ils ont fait l'expérience d'eux-mêmes en cette vie-ci, auront poursuivi leur route.

Vibratoirement, ils se seront sortis du domaine où la perception de telles conditions était possible. Ils auront ascensionné.

La réalité est uniquement comme chacun de vous en fait l'expérience. La nature de votre monde est ni plus ni moins qu'un reflet de la vision composite de la conscience présente. Dans les temps qui viennent, la nature de la conscience présente se sera transformée. Le monde qui la reflétera, et dans lequel vous pourrez choisir d'expérimenter la Vie, vibrera en conséquence.

De ce monde futur rayonnera l'essence de l'harmonie. Sa fréquence sera celle des royaumes supérieurs, non physiques, et constituera ainsi le « paradis sur terre » annoncé par les prophètes. Non pas qu'un Dieu tout-puissant se trouvant quelque part dans le ciel en aura décidé ainsi, mais que chacun de Vous aura exercé sa Volonté divine en harmonie avec l'Intention divine. C'est Vous qui aurez créé ce monde nouveau en vous reconnaissant comme Unité et en vibrant à l'Unisson. Tout comme au Commencement.

chapitre quarante-trois

Voir d'un point de vue supérieur les anciennes prophéties sur la « fin des temps ».

Au cours des siècles, il s'est fait beaucoup de spéculations sur la nature des temps actuels. Depuis toujours, les sages en parlent comme de « la fin des temps ». En lisant ces lignes, vous en viendrez peut-être à considérer que cette étiquette de « la fin des temps » a été mal interprétée dans votre réalité. Prise au sens littéral et linéaire par plusieurs, elle a déclenché inutilement une peur et une hystérie collectives.

Il devrait être évident qu'un changement majeur est en cours. Y résister en s'accrochant à une réalité désuète n'est sûrement pas la bonne réaction pour un monde dont la conscience s'accroît. Tout comme un changement radical est survenu dans votre vie et dans le tréfonds de votre être intérieur, la réalité reflétée par la conscience collective est un produit de ce changement.

S'attendre à des événements catastrophiques qui détruiraient votre monde, ce serait donner une interprétation littérale à des paroles qui renferment une vérité fondamentale. En fait, il ne s'agit pas de ce qui a été prévu pour cette époque telle que vous la vivez. L'attitude mentale qui représente actuellement votre réalité n'est pas en résonance avec ce résultat.

Il existe d'autres sphères où ce n'est pas le cas. Il y a des réalités qui sont des variations beaucoup plus denses sur le thème de votre monde. Dans ces réalités, l'environnement qui accueille et soutient la vie qui s'y expérimente réagit beaucoup plus sévèrement au soulèvement universel de la fréquence vibratoire. À ces niveaux expérientiels, des situations correspondant davantage à une interprétation radicale de la prophétie de la « fin des temps » se manifestent comme réalité.

C'est à ces sphères de vibration inférieure que référaient ces anciennes prophéties. On pressentait alors qu'à ces niveaux vibratoires plus denses un changement plus radical était requis afin de suivre le rythme du mouvement ascensionnel expérimenté à d'autres niveaux de réalité. Mais vous ne vivez pas ces conditions, car votre conscience n'est plus focalisée à ce niveau.

Vous qui avez pris conscience des événements prévus pour cette époque, vous savez que ceux-ci n'ont pas besoin de porter la densité que plusieurs leur ont prêtée. Le maintien de la vie physique ne constitue pas ici le but suprême. *L'élévation vibratoire de Toute Vie et de l'environnement qui la soutient* est plutôt l'objectif de tout ce qui se produit présentement en vous et autour de vous.

Envisagez soigneusement la possibilité que les êtres en question aient achevé leur travail en la présente incarnation et que, dans plusieurs cas, la plus haute expression possible de leur destinée collective soit de renoncer à leur forme physique. Ce faisant, ils sont capables de transcender les limites de leur identité physique. Dans plusieurs cas, ces êtres ont acquitté une grande partie de leur dette karmique. En donnant leur vie même en ultime contribution, ils ont mérité d'être libérés de l'incarnation continuelle à des niveaux qui les gardaient liés à l'expérience de l'oppression.

Il ne faudrait pas sous-estimer la profonde libération qui aura lieu quand un grand nombre d'êtres quitteront cette existence.

Dans votre monde physique, il n'y a pas d'accidents. Tout y est soigneusement orchestré. Même si certaines circonstances et certains aspects de la condition humaine vous semblent horrifiants, sachez que les individus qui les vivent les ont choisis afin d'illustrer *pour eux-mêmes* les causes dans lesquelles chacun était le plus profondément engagé sur le plan de l'âme. Chacun a accepté volontiers de payer le prix de la *souffrance* afin de transcender le besoin de poursuivre l'expérience de l'incarnation à ces niveaux.

Lorsque la leçon est manifestée et que la connaissance est acquise, nul besoin de poursuivre une incarnation, même si la forme physique est encore capable de maintenir la vie. Essentiellement, cette vie est complète, qu'elle se termine dans l'enfance ou dans la vieillesse. L'incarnation physique ne vise pas la longévité, mais la réalisation du but de la vie.

Les événements catastrophiques subis par de nombreuses populations dans des régions éloignées du globe sont l'indice du dégagement massif d'une énergie qui n'a plus à être opprimée. Ayant vécu certaines de ces circonstances « horribles », ces êtres ont transcendé la nécessité d'en répéter l'expérience. Ils se sont engagés volontairement à vivre ces situations, parfaitement conscients du prix à payer et de la libération qui en résulterait.

Une grande partie de ce qu'on appelle les « changements terrestres » sont des scénarios orchestrés dans le but précisément de fournir de telles occasions. En vivant ces expériences les plus insidieuses, il est possible d'effectuer des sauts quantiques de conscience. Voilà ce que plusieurs choisissent, ce qui les portera d'ailleurs à la crête de la vague.

D'autres parties de votre population ne seront pas touchées du tout par ce genre d'événement. Ceux qui disposent des connaissances supérieures accessibles en grande quantité en cette époque transcenderont le besoin de subir les conséquences d'un bouleversement environnemental. Les tremblements de terre et les tsunamis se produisent en vous, tout comme vous expérimentez aussi les ravages de la famine et de la maladie, symboliquement.

Vous n'avez pas à payer le prix suprême du renoncement à votre corps physique en échange des leçons apprises, comme c'est le cas dans d'autres parties du monde. Le prix que plusieurs d'entre vous ont accepté de payer est beaucoup moins élevé. Vous avez osé subir l'annihilation virtuelle de tout un état d'être qui vous gardait prisonnier de schèmes nuisibles depuis des vies. On ne peut sous-estimer les ravages d'une telle expérience. C'est dans la mesure où vous vous êtes investi dans le maintien de cette position que les énergies du changement vous concernent.

Vous avez accepté cet engagement sciemment, en toute conscience du traumatisme qui en résulterait au moment venu. Mais vous étiez aussi parfaitement conscient de la transcendance que vous pourriez atteindre après avoir traversé tant de difficultés. Vous avez donc exercé votre pouvoir de choisir. Vous avez prié du plus profond de votre âme pour éprouver exactement ce que vous éprouvez maintenant, pour avoir la chance de vous libérer de votre schème de vie et de goûter ce qui se trouve vraiment en vous.

Les prophéties ayant trait à cette époque de transformation ne doivent pas susciter la peur. Elles expriment des possibilités offertes à ceux qui ont la chance d'être touchés par les énergies sacrées qui les livrent. Elles sont les points tournants majeurs aux-quels vous aspirez en tant qu'âme. Elles sont le don de délivrance.

La prétendue « fin des temps » qui en préoccupe plusieurs actuellement n'est pas une *fin* au sens physique, mais plutôt un dépassement des limitations de la perspective linéaire. La fin qui peut survenir dans la vie physique de plusieurs n'est pas l'objectif des événements qui la causeront. Plutôt, cette fin donnera lieu à un autre niveau d'expérience, sous forme physique ou non.

Ce qui prend fin dans cet « ici-maintenant », ce sont les schèmes intenses de compensation karmique appliqués vibratoire-ment dans un système qui persistait et auquel il était essentielle-ment impossible d'échapper. En modifiant la base vibratoire par laquelle s'est perpétué cet aspect de la réalité, les êtres ont de nou-veau la possibilité d'exercer leur libre arbitre et de vivre leur vie pleinement dans le moment du Maintenant. En intégrant les fré-quences supérieures et en élevant vos vibrations, vous êtes à même d'accroître de manière significative la gamme des options dont vous disposerez pour expérimenter la vie à des niveaux de réalité où les conditions s'avèrent moins difficiles.

Interprétées au sens littéral, ces prophéties pourraient vouloir dire que « le monde arrive à sa fin ». Voilà du moins comment elles sont susceptibles de paraître à ceux qui ont choisi d'être présents dans de telles réalités quand ces temps surviendront. Toutefois, la plupart d'entre vous ne seront alors plus focalisés à ce niveau. Vous ne saurez même pas que des cataclysmes frappent *où vous étiez auparavant*, car vous ne serez plus « là » pour les subir. Vous vous serez élevé au-dessus de cette réalité et vous expérimenterez une variation vibratoire supérieure sur le thème de ces événements prophétisés.

Du point de vue d'observateurs distants – certains des soi-disant guides qui filtrent l'information pour plusieurs d'entre vous –, les conditions observées de loin paraissent se dérouler *au moment prévu*. Pourquoi cela ? Parce que ce qui a été prophétisé n'est fondé que sur le résultat logique et prévisible de combinaisons de variables qui sont toutes des schèmes d'énergie, lesquels peuvent toujours être perçus du point de vue de ceux qui observent d'une distance extraterrestre et fournissent des commentaires.

Cependant, ces formes de conscience ne sont capables de percevoir que le niveau de réalité sur lequel *elles* sont alignées vibratoirement. Ce qu'elles ne peuvent sentir, c'est ce que chacun de vous perçoit réellement comme *sa* réalité à tel ou tel moment, laquelle est fondée uniquement sur son état d'être vibratoire. Ainsi, le niveau de réalité auquel peuvent se rapporter des observateurs extérieurs n'est pas nécessairement celui dont vous faites l'expérience.

Une ancienne prophétie n'est juste qu'en fonction du moment où le voyant a eu sa vision. De la perspective de certains moments du *passé*, la probabilité que des événements se manifestent en tant que réalité semblait grande. Lorsque le libre arbitre de la conscience collective présente a exercé son pouvoir de cocréer sa réalité, ce résultat a très bien pu changer de plusieurs façons. Les probabilités que certaines prophéties se réalisent comme il a été prévu sont, au mieux, minimales, car la conscience collective *a changé* et la réalité qui en est le reflet a aussi changé en conséquence.

Sachez qu'en cette époque de transformation tout est possible. Le script se réécrit une nouvelle fois, selon votre volonté d'accepter les changements qui surviennent en chacun de vous. En cette tumultueuse période de l'« histoire », la vie se définit selon la capacité de chacun à se détacher du besoin de contrôler le processus. En vous accrochant au filet de sécurité du passé, vous annihilez votre aptitude à flotter au gré des turbulences et à maîtriser les puissants courants qui vous portent.

Ceux d'entre vous qui sont hantés par les prédictions du « pire scénario » qui circulent présentement dans votre réalité ont créé pour eux-mêmes un test fascinant. Ils ont choisi de percevoir la vision qui est apparue sur l'écran mental d'un autre être, ou d'expérimenter une expression supérieure de la réalité conçue uniquement pour eux, mais non encore révélée.

Cette confiance aveugle sous-entend qu'ils sont capables d'ignorer ce que leur esprit logique leur dit. Et cette logique est souvent fondée sur des peurs fermement ancrées par de douloureuses expériences du passé, lequel, ainsi que toutes les règles de base qu'il comportait, n'est plus pertinent.

Libre à vous de prêter foi ou non à des prophéties fondées sur la peur. C'est là une autre variable fascinante que vous avez choisie comme facteur dans votre script, pour *votre* saga de la « fin des temps ». Toutes les contorsions mentales auxquelles vous vous livrez pour tenter de *comprendre* font à coup sûr partie de votre expérience.

Survient toutefois un moment où vous désirez « prendre congé » de votre désespoir. Vous vous retirez alors du cyclone de l'illusion qui tourbillonne autour de vous, pour découvrir, après tout ce drame, que la tranquillité intérieure est toujours là. Qu'elle n'avait jamais disparu. Que c'est vous qui aviez disparu. Et vous avez laissé derrière vous les déroutantes traces du chaos, de sorte que, quand tout échouera – comme c'est inévitable –, vous retrouverez votre chemin.

chapitre quarante-quatre

Voir votre vie avec les yeux de l'Unité.

Les questions sur lesquelles vous avez choisi de focaliser votre attention illustreront votre degré d'engagement dans le processus transformationnel qui retient l'attention de la conscience dans toute la Création. Il n'y a aucun échéancier spécifique pour l'achèvement de certaines phases de cet exercice. Tout cela vous est présenté comme un choix. Étant donné que certains de ces enseignements ont pu éveiller des résonances en vous, cette occasion de réflexion est susceptible d'amorcer un énorme changement intérieur qui vous aidera à mettre fin à vos schèmes réactifs conditionnés et à rester tranquille.

Tant que vous vous laisserez dominer par la programmation de votre esprit et que votre vie ne sera qu'un exercice irréfléchi de réactions réflexes destinées à prouver que vous avez « raison » en tout, vous ne serez pas en mesure de faire l'expérience de l'exquise connexion qui vous attend. Tant que vous demeurerez focalisé sur la sphère des préoccupations banales, vous serez incapable de percevoir la divine essence qui vous appelle en silence.

Viendra un moment où, dans le feu de la frénésie mentale, vous vous immobiliserez enfin. Vous aurez atteint un point de saturation quant aux séries interminables d'illustrations que vous vous serez données pour souligner le point de l'exercice sur lequel vous vous étiez focalisé. Vous aurez atteint un point où vous serez prêt à sortir de tout cela, car il sera clair que ce n'est pas la bonne manière de fonctionner. Voilà le moment que vous attendiez.

Tant que vous aurez encore quelque chose à perdre ou à gagner en continuant à vivre vos schèmes enracinés, vous ne disposerez pas du catalyseur qui amorcera un changement radical. Jusqu'à ce moment, les circonstances continueront de vous représenter de nombreux exemples successifs des thèmes de vie sur lesquels vous avez travaillé tout ce temps. Et, bien après que vous aurez pris conscience de ce qui se passe réellement, elles vous fourniront encore les conditions éprouvantes pouvant servir de tremplin pour dépasser ces schèmes.

Vous continuerez de manifester des situations qui éprouveront vos connaissances longtemps après que vous les aurez maîtrisées en théorie. Tant que ces questions ne seront pas enracinées comme connaissances au point de devenir vos nouvelles réactions réflexes, vous manifesterez des occasions de renforcer ces nouveaux schèmes réactifs. En étant parfaitement conscient de ce que vous ferez en ces moments où vous sentirez les vieilles réactions s'activer, vous serez à même de disperser la charge vibratoire qui vous attire ces situations.

Viendra un temps où, dans la conscience lucide et parfaite de ce processus, toute votre vie repassera sous vos yeux. Il vous sera alors possible de résumer, avec l'énergie de la joie et du ravissement, quelques-uns des tourments que vous avez choisi d'expérimenter. En ces moments de conscience aiguë, vous préparerez le terrain aux épisodes qui représenteront le *déclin* de ces schèmes énergétiques.

Il s'ensuivra toute une série d'illustrations, chacune sans conséquence, qui vous inciteront à passer à un nouveau mode d'existence. Le détachement du besoin d'avoir « raison » porte le don de transcendance. Vous découvrirez dans ces profondeurs la tranquillité intérieure qui vous conduira à votre véritable essence.

Vous jouerez encore le même rôle dans vos interactions quotidiennes avec vos congénères, mais vous verrez tout cela très différemment. Ces gens vous paraîtront des acteurs sur une scène, prononçant les répliques que vous avez écrites et vous attirant dans la Danse. Prenez plaisir à cette dernière. Vous n'êtes pas ici pour rester en retrait à regarder la vie se dérouler sans vous. Vous êtes ici pour participer pleinement, joyeusement et consciemment. Une fois que vous aurez commencé à jouer ainsi votre drame, vous prendrez conscience que la vie se passe désormais très différemment.

Vous *expérimenterez* enfin l'octave supérieure de votre être, que vous aurez incarnée vibratoirement, et reconnaîtrez que les autres, jouant discrètement leur rôle dans les coulisses de vos propres drames, illustrent vos nouvelles connaissances. Où étaient-ils donc tout ce temps ? Où étaient-ils tandis que vous luttiez contre vos monstres et que sans cesse vous « tombiez pour la xième fois » ? Ils étaient toujours là à vos côtés, attendant votre arrivée imminente.

La Danse prendra une nouvelle allure lorsque l'harmonie émanant de l'intérieur établira le rythme pour d'autres types d'expériences. Et la vie se sera transformée en une autre sorte d'aventure. Une aventure à laquelle vous prendrez plaisir avec des êtres capables de percevoir la réalité comme vous.

Cette incarnation physique offre la potentialité de variations infinies sur l'expérience qui constitue votre vie. Vous pouvez changer de direction à tout moment de votre choix. Vous pouvez aussi dévier de votre script à votre gré, et ce, sans obligation envers personne d'autre que votre propre Soi sacré. Naturellement, la cause et l'effet continuent d'exister quant aux choix que vous ferez au cours de votre existence physique. Mais ces choix seront désormais effectués consciemment et ils auront le meilleur résultat possible pour toutes les personnes concernées s'ils ont été faits dans cet état d'être.

Quand la vie *travaille* en votre faveur, ce ne peut être au détriment de quelqu'un d'autre. Les choses ne fonctionnent pas ainsi. Les choix qui donnent l'illusion de vous pousser au pied du mur sont les épreuves mêmes qui comportent la potentialité d'énormes progrès. Quand vous suivez inconditionnellement votre vérité, vous préparez le terrain à une réaction en chaîne de transformations.

Les plus hautes réalités dimensionnelles dans lesquelles vous progressez à ce jour vous fourniront une perspective unique, un regard plus universel. Vous verrez instinctivement le monde, et le rôle que vous y jouez, d'un point de vue d'où vous voyez Tout comme vous vous verriez vous-même. La compassion montera à la surface de votre conscience. Vous *ressentirez* profondément ce que les autres éprouvent, car vous les percevrez comme votre propre Soi.

Le rôle antagoniste que jouaient les autres dans votre vie change ici tout naturellement. Vous découvrez que vous avez atteint un état d'être où la vie s'écoule facilement, avec relativement peu de conflits. Vibratoirement, vous avez dépassé le seuil d'une réalité où l'attitude mentale de séparation établissait les fondements de la mésentente et générait des conflits. Quand on ne se perçoit pas comme *autre*, il n'y a rien avec quoi entrer en conflit. La vie devient alors une expérience agréable.

Voilà la nature du voyage dans lequel vous êtes dorénavant bien engagé. Vous avez atteint plusieurs fois le proverbial point de non-retour. Vous avez trébuché de tout votre long dans des crises destinées à vous pousser au bout et à susciter des changements annonçant un changement réel.

Vous avez survécu jusqu'ici à de nombreux épisodes destinés à vous faire plier, expérientiellement. Il n'aurait pu en être autrement. Si vous vous trouvez au seuil d'une telle avancée, c'est que vous avez résisté à l'annihilation virtuelle de votre identité linéaire. Dans l'innocence du processus de la naissance, et à l'instar du nouveau-né respirant pour la première fois, vous faites entièrement confiance. Vous savez sans le moindre doute que vous êtes *arrivé*.

Ce qui diffère dans ce *début*, c'est que vous savez exactement d'où vous venez, car vous conservez une parfaite conscience lucide

de tout. Tout au long du processus de cette naissance à la prochaine dimension de la réalité, vous êtes pleinement conscient, car
vous avez *achevé* le cours. Vous n'avez pas besoin d'évacuer vos
souvenirs d'expériences semblables afin de vous mettre de nouveau
à l'épreuve. Cette fois, vous ne repartez pas à zéro. Vous repartez
où vous vous étiez arrêté il n'y a qu'un instant.

Votre ascension dans le domaine des réalités où vous savez que
vous êtes Un avec tout ce que vous rencontrez marque le point
tournant de votre évolution en tant que point de conscience doué
de la perception de Soi. À partir de là, vos efforts ne seront plus
focalisés sur l'effacement des résidus vibratoires d'actions passées.
Plutôt, vous incarnerez le renforcement expérientiel de votre
connaissance de l'interconnexion de Toute Vie dans le moment du
Maintenant.

Vous aborderez un tout nouveau chapitre de la saga de votre
conscience de Soi. Vous créerez de nouvelles archives de preuves
pour étayer votre compréhension de la Connexion divine. Voilà le
type d'expériences que vous *cocréerez* avec les autres êtres de forme
physique dont vous aurez choisi de vous entourer. Le genre de
drame expérientiel que vous jouerez réaffirmera sans cesse l'Unité
dont vous faites partie.

Voilà la nature du voyage ascensionnel qui vous porte. Le processus de naissance peut être assez facile, ou douloureusement
pénible. Vous choisissez vous-même ce qu'il sera pour vous. Les
possibilités sont infinies, et c'est là toute la beauté de la chose.
Quelle que soit la façon dont vous manifesterez votre émergence
dans le nouveau niveau de conscience qui vous attend, votre
voyage sera incontestablement parfait. Aux yeux de l'Unité, c'est la
seule possibilité, et c'est par ces yeux que vous avez assisté à tout.
Chaque moment inestimable est inscrit pour l'éternité dans l'instant sans fin du Maintenant.

À propos de l'auteur

Auteur de *Oneness* (*L'Unité*) et de *The Calling* (*L'Appel*), Rasha a reçu en 1987 un appel intérieur l'invitant à devenir un canal de guidance divine. En tant que messagère de la Sagesse divine, elle s'est consacrée au profond éveil spirituel qui caractérisait cette époque. Ses enseignements, de nature universelle, ne reflètent les croyances d'aucune religion, d'aucun mouvement spirituel ni d'aucun gourou. Voyageuse infatigable ayant un faible pour l'Inde et le nord du Nouveau-Mexique, Rasha continue activement, depuis son sanctuaire intérieur, à consigner les enseignements de l'Unité pour les exposer dans de futurs ouvrages.

Quelques exemples de livres d'éveil publiés par Ariane Éditions

Aimer ce qui est
Anatomie de l'esprit
Contrats sacrés
Marcher entre les mondes
L'effet Isaïe
L'ancien secret de la Fleur de vie,
  tomes 1 et 2
Vivre dans le cœur
Les enfants indigo
Le pouvoir de créer
Célébration indigo
Aimer et prendre soin des enfants indigo
Série *Conversations avec Dieu*,
  tomes 1, 2 et 3
L'amitié avec Dieu
Communion avec Dieu
Nouvelles Révélations
Retour à Dieu
Le Dieu de demain
Le pouvoir du moment présent
Mettre en pratique le pouvoir du moment
  présent
Quiétude
Le futur est maintenant
Votre quête sacrée
Sur les ailes de la transformation
Messages du Grand Soleil central
Révélations d'Arcturus
L'amour sans fin
L'âme de l'argent
Le code de Dieu
Entrer dans le jardin sacré
L'oracle de la nouvelle conscience
  (jeu de cartes)
Guérir de la détresse émotionnelle
Cercle de grâce
Médecine énergétique
L'envolée humaine
L'intelligence intuitive du cœur
Sagesse africaine

L'univers informé
Science et champ akashique
Guérir avec les anges
  (jeu de cartes)
Accéder à son énergie sacrée
Au-delà du Portail
Les cités de lumière intraterrestres
Nirvana
Nouvelle Terre
Telos, tomes 1, 2 et 3
Le livre de l'éveil
Et l'univers disparaîtra
Tout est accompli
Tansparence II
Créateurs d'avant-garde
Biologie des croyances
Reconquérir son ADN
La puissance de guérison de l'aura

Série Soria
Les grandes voies du Soleil
Maîtrise du corps ou Unité retrouvée
Voyage
L'Être solaire
Fleurs d'esprit
Cercles de paroles
Réalisation solaire
Paroles et semences de vie

Série Kryeon
La graduation des temps
Allez au-delà de l'humain
Alchimie de l'esprit humain
Partenaire avec le divin
Messages de notre famille
Franchir le seuil du millénaire
Un nouveau départ
Un nouveau don de lumière
La levée du voile